마쓰이본
이즈미시키부집

이 책은 (재)한국연구재단의 지원으로 학고방출판사에서 출간, 유통합니다.

한국연구재단 학술명저번역총서  동양편 *621*

마쓰이본
이즈미시키부집

이즈미시키부 지음   노선숙 옮김

學古房

해설
　이즈미시키부에 대해　　　　　　　　　　7
　『마쓰이본 이즈미시키부집』에 대해　　　　15

봄春　　　1~ 19번　　　　　　　19

여름夏　20~ 29번　　　　　　　51

가을秋　30~ 46번　　　　　　　67

겨울冬　47~ 55번　　　　　　　93

사랑恋　56~187번　　　　　　107

잡雑　　188~273번　　　　　　297

칙찬 와카집별 수록된 이즈미시키부 노래　427

참고문헌　　　　　　　　　　　　438

노래 찾아보기
　한국어　　　　　　　　　　　　441
　일본어　　　　　　　　　　　　451

5

일러두기

1. 이 책은 수십 종의 이즈미시키부 가집 가운데 총 273수로 구성된 마쓰이본 계통 이즈미시키부집이다. 이 계통의 필사본으로는 마쓰이본(松井本)과 가미가모본(上 賀茂本)이 대표적인데, 이 중 본문이 정연하고 필사된 연도도 에도(江戶 1603~1868) 시대 초기로 비교적 오래된 『마쓰이본 이즈미시키부집』을 저본으로 삼았다.

2. '와카(和歌)'는 5 / 7 / 5/ 7 / 7의 31자로 이루어진 정형시다. 이 책에서는 '노래 (歌)'라는 호칭도 병용하였는데 의미는 동일하다.

3. 와카의 번역은 원문에 충실하게 옮기는 것을 원칙으로 삼았다. 5구로 구성된 정형시라는 점에서 한국어 번역도 5줄로 나누어 표기하였다.

4. 와카 앞에는 작품에 대한 설명문인 고토바가키(詞書)가 달려있는데 고토바가키 가 없는 경우에는 통상 직전 노래의 고토바가키에 준한다. 하지만 이 책의 저본 에는 직전 노래의 고토바가키 내용과 후속 노래가 상응하지 않는 경우와, 이 책에 수록된 노래의 출전에는 고토바가키가 명기되어 있음에도 고토바가키를 달지 않은 경우가 있으므로 여기서는 고토바가키가 없는 경우 '無題(무제)'라 표기하였다.

5. 한국어 번역과 함께 일본어 원문과 발음을 명시하여 와카의 운율을 직접 접할 수 있도록 하였다. 다만 음수율을 맞추는 과정에서 번역문과 원문의 행갈이가 일치하지 않는 경우도 있다.

6. 인명과 지명 등 고유명사는 일본어 발음에 따랐으며, 관직명은 한국어 한자음에 따라 표기하였다. 예)이즈미시키부(和泉式部), 교토(京都), 우대신(右大臣)

7. 강과 산 이름은 일본어 발음에 ~ 산, ~ 강으로 표기했다. 예) 구마노가와(熊野 川) 강, 미카사야마(三笠山) 산

8. 출전을 약칭으로 표기한 경우가 있다. 예)『정집』(『和泉式部正集』), 『속집』(『和 泉式部続集』), 『신칸본』(『宸翰本 和泉式部集』)

9. 외래어 표기는 현행 한국어 어문규범표기법에 따랐다.

·········

해설
이즈미시키부에 대해

이즈미시키부(978?~1036년?)는 10세기 말에서 11세기 초에 생존한 여류 가인이다. 일본 문학사에서는 헤이안 시대(平安時代 794~1192), 또는 중고 시대라 불리는 시기에 해당한다. 특히 이즈미시키부가 활약한 11세기는 헤이안 문학의 전성기이자, 사회적으로는 왕을 대신한 섭정 체제가 절정에 달한 시기이다.

가인으로서의 이즈미시키부는 일본 전통 와카의 맥을 잇는 아리와라노 나리히라(在原業平 825~880)와 사이교(西行 1118~1190) 사이의 가교 역할을 하는 인물로 평가받고 있다. 그녀는 당시의 전통적인 가풍(歌風)에 따른 와카는 물론 기존의 가풍을 초월한 독자적인 표현과 기법을 구사하면서 자유롭고 정감 넘치는 와카를 지어 폭넓은 작품세계를 보여준다.

이즈미시키부의 출생과 결혼

이즈미시키부 가(家)는 신분이 높지는 않았지만 왕실과 관련된 직책과 지방 수령관직을 수행한 비교적 유복한 중류 귀족층 가문이었다. 아버지 오에노 마사무네(大江雅致)는 쇼시(昌子 950~1000)[1] 공주를 모

---

1) 스자쿠(朱雀 930~946년 재위) 왕의 딸로, 훗날 레이제이(冷泉 967~969년 재위) 왕의 중궁 자리에 오른다. 레이제이 왕은 이즈미시키부의 앞날에 커다란 영향을 미치는 다메타카(爲尊 977~1002)·아쓰미치(敦道 981~1007) 형제의 부왕이다.

시는 직책인 대진(大進)을 겸한 에치젠(越前 지금의 후쿠이 현) 지방의 수령이었다. 어머니도 역시 쇼시를 모시던 궁인으로, 엣츄(越中 지금의 도야마 현) 지방 수령이었던 다이라노 야스히라(平保衡)의 딸로 알려져 있다. 두 사람 모두 쇼시 공주를 모셨던 관계로 이즈미시키부는 어린 시절부터 자연스럽게 궁중 문화를 접했을 것으로 보인다. 그러던 중 역시 쇼시 공주를 모시는 권대진(權大進)겸 이즈미(和泉 지금의 오사카 북서부) 지방 수령관인 다치바나노 미치사다(橘道貞)와 결혼(996년 무렵. 이즈미시키부 19세 전후)하면서 아버지의 관직명인 시키부(式部)에다 남편의 부임지인 '이즈미(和泉)'를 덧붙여 이즈미시키부(和泉式部)라 불리게 된다. 두 사람 사이에 딸 고시키부(小式部)가 태어났으며 그 외에도 자식이 있었던 것으로 보인다.

왕자의 사랑을 받은 혹독한 대가

이즈미시키부는 남편 부임지인 이즈미 지방에 내려간 적도 있지만 대부분은 교토에 머물렀다. 그러는 사이 남편에게 새로운 여인이 생기게 되면서 소원해진 관계는 결국 이즈미시키부가 레이제이 왕의 세 번째 아들인 다메타카 왕자의 사랑을 받게 되면서 파경을 맞이하게 된다. 하지만 헤어진 뒤에도 이즈미시키부는 남편을 향한 애틋한 마음을 평생 가슴속에 품고 살았음을 가집에서 확인할 수 있다. 한편 이 일을 계기로 부친은 이즈미시키부를 내쫓고 의절한다. 원래부터 호색적인 인물로 알려진 다메타카 왕자와의 사랑은 아직 불명확한 점이 많지만, 어찌 되었든 이를 계기로 남편과 부모로부터 버림을 받은 이즈미시키부는 세간으로부터 혹독한 질타를 받게 된다. 어릴 적부터 부모자식간의 정이 깊고 자식으로서의 이즈미시키부가 부모님을 살뜰히 챙기는 마음이 오롯이 담긴 노래가 다수 남아있는 것으로 보아 당시 그녀가 겪었을 고독과 절망감은 대단히 깊었을 것으로 짐작된다. 하지만 이러한 혹독한 대가를 치른 다메타카 왕자의 바람 같은 사랑은 그가 스물여섯의 젊은 나이로 사망하면서 일 년도 채 되지 않아 허무하게 끝나고 만다(1002년 6월. 이즈미시키부 26세 전후).

신분을 초월한 사랑, 그리고 사별

다메타카 왕자 사망 후 일 년이 되어갈 즈음, 그의 동생인 아쓰미치(敦道981~1007) 왕자가 이즈미시키부에게 편지를 전하면서부터 운명적인 사랑이 시작된다. 중류 귀족의 딸과 왕족과의 사랑은 결코 용납되지 않았던 엄격한 신분 사회 속에서 온갖 비난과 역경을 넘어 궁녀의 신분이기는 하나 이즈미시키부는 아쓰미치 왕자가 거처하는 남원(南院)으로 들어가 동거를 시작하게 된다(1003년 12월. 이즈미시키부 27세 전후). 그러자 이에 격분한 왕자의 부인이 가출하는 소동이 벌어지는데 그간의 경위가 두 사람이 화답한 140여수에 달하는 와카가 중심축이 된 독특한 일기문학인 『이즈미시키부 일기』에 담겨있다. 이후 이즈미시키부는 왕자와의 사이에서 아들 이와쿠라노 미야(石藏宮 1006년경으로 추정되며 출가 후 에이카쿠永覺라 불림)를 출산한다.

남원에 들어간 뒤 맞이한 첫 번째 봄날, 이즈미시키부는 아쓰미치 왕자와 함께 후지와라노 긴토(藤原公任 966~1041)의 산장을 방문한다. 후지와라노 긴토는 한시와 와카, 관현악 연주 등에서 발군의 실력을 겸비한 당대 대표적인 문인이다. 그러한 인물과 노래를 주고받으며 이즈미시키부는 결코 위축되지 않고 당당하게 기지를 발휘한다. 그와 화답한 노래가 이즈미시키부 가집에는 물론 긴토의 가집에 남아 있다. 이즈미시키부는 문학에 조예가 깊었던 것으로 알려진 아쓰미치 왕자2)가 주도하는 가회(歌會)에도 참석한다. 그 자리에서 아쓰미치 왕자가 제시한 가제(歌題)에 맞춰 당시의 유력한 남성 가인들3)과 어깨를 나란히 하고 지은 연작시가 가집에 남아 있다. 하지만 그 가운데는 목숨의 덧없음, 세상의 무상함, 미망(迷妄) 등 어둡고 비관적인 색채가 강한 연작도 보이는데 이는 아쓰미치 왕자의 내면을 반영한 것으로 보인다. 아쓰미치 왕자는 선천적으로 침울한 기질을 지닌 데다 부왕인 레이제이 왕의 광기, 친모와 친형의 급작스런 죽음, 주변 사람의 연이은 사망으로 인간의 실존 문제에 직면하게 되면서 이즈미시키부도 그 영향을 받은 것으로 보인다. 이런 가혹한 상황 속에서 힘겨워하는 왕자에게 이즈미시키부는 만물의 무상함과 불법(佛法)의 진리를 노래에 담아

---

2) 정작 아쓰미치 왕자가 지은 노래는 『이즈미시키부 일기』에 삽입된 68수가 전부다. 이 가운데 다음의 4수가 칙찬 와카집에 수록되었다.

① 가을 새벽달/ 산 너머 질 때까지/ 당신 집 앞에/ 덩그러니 서 있다/ 하릴없이 왔다네(秋の夜の/ ありあけの月の/ 入るまでに/ やすらひかねて/ 帰りにしかな 『신고킨와카슈』 恋三 1169)

② 그대를 향한/ 사랑하는 이 마음/ 고백 말 것을/ 어설픈 고백에 더/ 괴로운 오늘이여(うちい出ででも/ ありにしものを/ なかなかに/ 苦しきまでも/ 嘆く今日かな 『신쵸쿠센와카슈』 恋一 641)

③ 사랑한다는/ 나의 고백을 흔한/ 사랑이라고/ 생각지 마오 이내/ 사랑 비할 바 없네(恋と言へば/ 世のつねのとや/ 思ふらむ/ 今朝の心は/ たぐひだになし 『신쵸쿠센와카슈』 恋三 823)

④ 같은 귤나무/ 위에서 함께 울던/ 두견새마냥/ 형님과 형제이니/ 목소리 똑같다오(おなじ枝に/ 鳴きつつをりし/ 時鳥/ 声は変はらぬ/ ものと知らずや 『신센자이와카슈』 雑上 1739)

3) 헤이안 시대 귀족으로 가인인 미나모토노 가네즈미(源兼澄)·오에노 요시토키(大江嘉言)·미나모토노 미치나리(源道濟) 등과 교류하는 가운데 이즈미시키부는 자신의 문학적 역량을 마음껏 펼칠 수 있는 기회를 얻는다. 와카와 한시에 정통한 문인들이 왕자 주변에 모이면서 이즈미시키부도 문학적으로 많은 영감과 자극을 받은 것으로 보인다.

그의 마음을 대변하고 위로하려 했던 것으로 보인다. 하지만 서로에게 힘이 되고 위안을 주는 존재로서 정서적 공감대를 형성하며 깊은 사랑과 신뢰를 바탕으로 영원할 것 같던 두 사람의 사랑은 결국 끝이 나고 만다. 햇수로 5년 동안 이어온 그들의 사랑은 아쓰미치 왕자가 스물일곱의 나이로 사망(1007년 10월. 이즈미시키부 31세경)하면서 절망의 나락으로 추락한다. 사별로 인한 끝없는 상실감과 슬픔 속에서 그를 추모하는 애통한 마음은 120여수에 달하는 노래로 남아 가집에 전한다(일명 '소치노미야 만가군帥宮挽歌群'). 그 가운데 몇 수가 본서에 담겨 있다(231, 232, 233, 267, 269번). 그리고 이 시기에 아쓰미치 왕자와의 운명적인 사랑을 영원히 추억하기 위해 『이즈미시키부 일기』를 남긴 것으로 보인다.

딸과 함께 궁중에 출사, 그리고 두 번째 결혼

아쓰미치 왕자 복상(服喪) 일 년을 마친 뒤, 이즈미시키부는 이치죠(一条 986~1011년 재위) 왕의 중궁 쇼시(彰子 988~1074)를 모시는 궁인으로 궁중에 출사한다(1008년. 이즈미시키부 나이 31세 전후). 이때 딸 고시키부도 출사하는데 그곳에는 이미 무라사키시키부(紫式部)를 비롯하여 이세노 다이후(伊勢大輔) 등 내로라하는 여류 작가들이 대거 출사해 있었다. 그 가운데 세이쇼나곤과는 제법 친밀하게 지내며 문학적인 교류도 활발했음을 이즈미시키부 가집에 수록된 화답가를 통해 확인할 수 있다. 얼마 후 이즈미시키부는 당대 최고 권력을 장악한 후지와라노 미치나가(藤原道長)[4]의 권유로 두 번째 결혼을 하게 된다.

---

4) 후지와라노 미치나가(966~1028)는 조정의 최고 직책인 태정대신을 지낸 가네이에(兼家 929~990)의 다섯째 아들로 30세에 좌대신에 오른다. 이후 장녀(쇼시)·차녀(겐시)·4녀(威子 이시)를 각각 이치죠 왕·산죠 왕·고이치죠 왕의 부인으로 들여

상대는 미치나가의 가신으로 두터운 신임을 얻었던 후지와라노 야스마사(藤原保昌)라는 인물이다(1010년. 이즈미시키부 33세 전후, 야스마사 53세).

청천벽력 같은 딸의 죽음

이즈미시키부는 단고(丹後 지금의 교토 북부) 지방 수령으로 임명된 남편을 따라 부임지에 잠시 머물기도 하지만 스무 살 이상의 나이차와 노령에 가까운 야스마사와의 결혼은 그다지 행복하지 않았던 듯하다. 그러던 중 장녀 고시키부의 갑작스런 죽음을 맞게 된다(1025년 11월. 이즈미시키부 49세 전후). 자식을 가슴에 묻은 비절함을 읊은 만가(挽歌)가 가집에 고스란히 남아 전하며 본서에도 몇 수 실려 있다(234, 235, 237, 238, 244, 245번). 가장 아끼던 딸의 죽음 이후 이즈미시키부는 삶의 의미를 상실한 듯하다.

딸 고시키부와 사별한 1025년부터 이즈미시키부를 둘러싸고 많은 변화가 일어난다. 1026년에는 자신이 섬기던 중궁 쇼시(미치나가의 장녀 당시의 위치는 대왕대비)가 출가한다. 일 년 뒤에는 산죠 왕의 중궁인 겐시(姸子. 미치나가의 차녀로 당시의 위치는 왕대비) 마저 세상을 떠난다. 이즈미시키부는 남편을 대신하여 겐시의 사십구재에 참석해 와카를 짓는데, 이는 창작 시기가 명확한 이즈미시키부의 와카 가운데 마지막 작품이다(본서 246번).

한 집안에 3명의 왕비를 세워 영원한 권세를 꿈꾼 인물이다. 또한 딸들이 낳은 3명의 외손주가 왕위(고이치죠 왕·고스쟈쿠 왕·고레이제이 왕)에 올랐으므로 오래도록 외척의 지위를 확보하며 최고 실권자로 군림한 인물이다. 한편 문학 애호가이기도 한 미치나가는 무라사키시키부, 이즈미시키부 등 여류 작가들을 궁중으로 불러들여 여류 문학의 전성기를 이루었다.

1028년 이즈미시키부 삶에 지대한 영향을 미쳤던 미치나가는 딸 겐시의 사십구재를 치른 후 사망한다. 딸 고시키부의 죽음을 비롯하여 주변 사람들의 연이은 사망과 출가로 인해 인생의 덧없음을 더욱 절감한 이즈미시키부는 출가를 희망하지만 끝내 실행에 옮기지는 못한 것으로 보인다. 이후 말년의 행적에 관한 기록은 남아 있지 않으며, 사망에 관해서는 생년과 마찬가지로 불분명하다.

이즈미시키부의 작품

이즈미시키부와 관련된 작품으로는 『이즈미시키부 일기(和泉式部日記)』와 『이즈미시키부집(和泉式部集)』이 있다. 『이즈미시키부 일기』는 아쓰미치 왕자로부터 처음 편지를 받은 1003년 5월부터 시작하여 두 사람의 사랑이 결실을 맺어 함께 살며 지내게 되는 이듬해 2월까지 10개월에 걸친 사랑에 관한 수기(手記)로 총 145수[5]의 노래가 삽입되어 있다. 이들 일기와 가집에 담긴 이즈미시키부의 작품을 합하면 2000수에 달한다. 이외에 칙찬 와카집[6]에 다수의 작품이 선정되었는데 구체적인 작품 수는 다음과 같다.

---

[5] 총 145수 가운데 75수가 이즈미시키부의 작품으로 나머지 68수는 상대방 주인공인 아쓰미치 왕자가 지은 것이다.

[6] 칙명이나 상왕의 명을 받아 편찬된 와카집을 말한다. 905년 다이고(醍醐) 왕의 명령으로 만들어진 『고킨와카슈』를 필두로 1439년 고하나조노(後花園) 왕조의 『신쇼쿠고킨와카슈』에 이르기까지 500여년에 걸쳐 총 21대 칙찬 와카집이 편찬되었다.

제3대 칙찬집 『슈이와카슈(拾遺和歌集)』 1수

제4대 칙찬집 『고슈이와카슈(後拾遺和歌集)』 67수

제5대 칙찬집 『긴요와카슈(金葉和歌集)』 8수

제6대 칙찬집 『시카와카슈(詞花和歌集)』 16수

제7대 칙찬집 『센자이와카슈(千載和歌集)』 21수

제8대 칙찬집 『신고킨와카슈(新古今和歌集)』 25수

제9대 칙찬집 『신쵸쿠센와카슈(新勅撰和歌集)』 14수

제10대 칙찬집 『쇼쿠고센와카슈(続後撰和歌集)』 16수

제11대 칙찬집 『쇼쿠고킨와카슈(続古今和歌集)』 3수

제12대 칙찬집 『쇼쿠슈이와카슈(続拾遺和歌集)』 6수

제14대 칙찬집 『교쿠요와카슈(玉葉和歌集)』 34수

제15대 칙찬집 『쇼쿠센자이와카슈(続千載和歌集)』 7수

제16대 칙찬집 『쇼쿠고슈이와카슈(続後拾遺和歌集)』 5수

제17대 칙찬집 『후가와카슈(風雅和歌集)』 8수

제18대 칙찬집 『신센자이와카슈(新千載和歌集)』 4수

제19대 칙찬집 『신슈이와카슈(新拾遺和歌集)』 5수

제20대 칙찬집 『신고슈이와카슈(新後拾遺和歌集)』 4수

제21대 칙찬집 『신쇼쿠고킨와카슈(新続古今和歌集)』 3수

상기한 바와 같이 역대 칙찬 와카집에 선정된 이즈미시키부의 와카는 247수인데, 이는 여류 가인을 통틀어 최고 기록이다.[7] 칙찬 와카집에 선정된 와카 수는 이즈미시키부의 명성과 실력이 반영된 결과라 할 수 있을 것이다.

---

7) 대표적인 여류 작가가운데 칙찬 와카집에 채록된 작품 수는 이세(伊勢) 170수, 아카조메에몬(赤染衛門) 105수, 무라사키시키부(紫式部) 60수, 이세노 다이후(伊勢大輔) 52수, 사가미(相模) 113수, 우마노나이시(馬内侍) 41수, 미치쓰나 어머니(道綱母) 39수, 세이쇼나곤(清少納言) 16수 등이다. 참고로 당시 최고 문인으로 손꼽히던 후지와라노 긴토(藤原公任)도 90수에 불과하다.

『마쓰이본 이즈미시키부집』에 대해

『마쓰이본 이즈미시키부집』은 2000수에 달하는 이즈미시키부의 노래(和歌 waka) 가운데 273수를 골라 편집한 엔솔러지(anthology)이다. 편자는 미상이며 에도(江戶 1603~1868) 시대 초기에 필사된 것으로 추정된다. 11세기에 활약한 이즈미시키부의 노래를 수록한 가집으로 현존하는 작품은 『마쓰이본 이즈미시키부집』을 포함하여 다양한 이본(異本)이 있지만 편집 배경과 작품 수, 그리고 가집의 성격에 따라 다음의 4종류가 대표적이다. 이들 4종류의 가집은 서로 공통된 노래를 포함하면서도 노래 수와 구성 등 여러 가지 면에서 상이한 별개의 작품이다. 이즈미시키부의 노래를 담고 있지만 4종류 모두 이즈미시키부가 아닌 후대 사람이 집성한 가집이다.

> 『이즈미시키부 정집(和泉式部正集)』 ('정집'이라 약칭. 총 902수)
> 『이즈미시키부 속집(和泉式部続集)』 ('속집'이라 약칭. 총 647수)
> 『신칸본이즈미시키부집(宸翰本和泉式部集)』 ('신칸본'이라 약칭. 총 150수)
> 『마쓰이본이즈미시키부집(松井本和泉式部集)』 ('마쓰이본'이라약칭. 총 273수)

(1)의 『이즈미시키부집』은 다른 이본과 비교할 때 가장 많은 노래를 수록하고 있으며 통상 (2)의 속집에 대해 '정집(正集)'이라 불린다. 필사본(筆寫本) 가운데 사카키바라(榊原) 집안 소장 다다쓰기(忠次) 문고 구장본(旧蔵本)이 선본(善本)으로 알려져 있다.

(2)의 속집도 사카키바라 집안 소장 다다쓰기 문고 구장본이 선본으로 알려져 있다. 속집에는 사별한 아쓰미치 왕자를 추모하는 120여수의 만가 등 이즈미시키부의 절창이 다수 포함되어 있다. 정집과 속집은

모두 복수의 연작시가 잡다하게 결합된 형태인데 이들 연작시는 만들어진 사정과 시기가 제각각이다. 이러한 연작시는 이즈미시키부 자신이 선별했을 가능성이 농후한 것들도 있지만, 제삼자가 선별하여 가집에 들어간 연작시도 포함되어 있어 매우 다양한 성격을 띠고 있다. 하지만 현재 전해지는 정집과 속집을 최종적인 형태로 편집한 사람이 이즈미시키부가 아닌 제삼자라는 것은 분명하다. 따라서 이즈미시키부 주변에 남아 있던 노래와 화답가, 연작시 등을 통일된 편집 의식 없이 무작위로 배열하여 엮었기 때문에 동일한 노래가 중복 수록된 경우가 있다.1) 한편 정집과 속집이라는 서명은 후대 사람들이 편의상 붙인 것으로 가집이 만들어진 시기의 전후 관계를 나타내는 것은 아니다. 편집 시기는 속집이 정집보다 앞선 것으로 알려져 있다.

(3)의 신칸본은 수록된 노래가 가장 적은 약본(略本)이다. 신칸본의 '신칸(宸翰)'은 왕의 자필문서를 의미한다. 선본으로 알려진 덴고쓰치미카도(伝後土御門 1464~1500년 재위) 왕 신칸본과, 덴고다이고(伝後醍醐 1318~1339년 재위) 왕 신칸본 등 2개의 필사본이 있다. 『신고킨와카슈』(8번째 칙찬 와카집. 1205년)가 편찬되고 나서 얼마 지나지 않은 시기에 완성된 것으로 추정된다. 가집은 전반부80수와 후반부70수로 나뉘어져 있다. 전반부는 봄·여름·가을·겨울·사랑 등 주제에 따라 분류한 29수와, 그 외의 노래(칙찬 와카집에 선정된 노래도 들어있음)가 잡다하게 들어있다. 후반부는 『고슈이와카슈』(4번째 칙찬 와카집. 1086년)부터 『신고킨와카슈』에 걸쳐 선정된(전반부에 실린 노래 제외) 노래가 대부분이다.2)

---

1) 정집 내에는 같은 와카가 장소를 달리하여 수록된 경우가 81수 보인다. 또한 속집 내에는 같은 와카가 22수 중출한다. 한편 정집과 속집에서 동일한 와카가 중복되어 실린 경우는 70수이다.

이 책의 저본인 (4)의 마쓰이본은 여러 판본 가운데 마쓰이 간지(松井簡治 1863~1945) 박사가 소장했던 필사본이 선본이라는 연유에서 이와 같은 명칭이 붙게 되었다. 필사 시기는 『신쇼쿠고킨와카슈』(21번째이자 마지막 칙찬 와카집)가 편찬된 1439년 이후로 추정된다. (3)의 신칸본과 마찬가지로 역대 칙찬 와카집에 선정된 이즈미시키부 노래를 우선적으로 채록했는데, 각 시대별로 검증이 끝난 이즈미시키부의 작품을 최우선 기준으로 삼았다는 점에서 공통된 편집 태도를 보인다. 다만 신칸본이 8번째 칙찬집까지 참조한 반면, 마쓰이본은 21번째 칙찬집까지 시야에 두고서 약 400년간(1006~1439)에 걸쳐 편찬된 19개 칙찬 와카집에 선정된 작품을 채록했다는 점에서 각 시대마다 사랑받은 이즈미시키부의 작품을 확인할 수 있는 가집이라 할 수 있다.[3] 또한 수록된 작품 수도 신칸본보다 123수가 많으며, 이를 주제에 따라 봄·여름·가을·겨울·사랑·잡(雜)으로 분류하여 보다 정연한 배열과 구성이 돋보이는 시선집이라 할 수 있다.[4]

---

2) 단 1수만이 사찬(私撰) 와카집인 『쇼쿠시카와카슈(續詞花和歌集)』를 출처로 한다. 이는 원래 6번째 칙찬집인 『시카와카슈』에 뒤이은 7번째 칙찬집으로 구상되었는데, 칙명을 내린 니죠(二条 1143~1165 재위) 왕이 사망하면서 애석하게도 사찬집(私撰集)이 되고 말았다. 후지와라노 기요스케(藤原清輔 1104~1177)가 사찬한 것으로 되어 있다.

3) 역대 칙찬 와카집에 선정된 이즈미시키부의 노래는 총 247수인데, 이 가운데 243수가 이 책에 수록되어 있다(상세한 출전과 해당 작품은 이 책 뒷부분 '칙찬 와카집별 수록된 이즈미시키부 노래' 참조).

4) 구체적으로 들여다보면 봄노래 19수·여름 노래 10수·가을 노래 17수·겨울 노래 9수·사랑 노래 132수·잡가 86수다. 이 가운데 이즈미시키부 작품이 아닌 10수가 포함되어 있다.

봄
春

1.

無題

입춘인 오늘
봄 안개 피자마자
계곡물 녹아
바위 틈새로 흐르는
물소리 들리는 듯

無題¹

春霞   ha-ru-ga-su-mi
たつやおそきと² ta-tsu-ya-o-so-ki-to
山川の   ya-ma-ga-wa-no
岩間をくぐる i-wa-ma-wo-ku-gu-ru
音きこゆなり³ o-to-ki-ko-yu-na-ri

··
出典 : 『고슈이와카슈』春上 13번(『정집』 1)

1 『고슈이와카슈』 고토바가키는 '제목 미상(題しらず)'으로, 『정집』 고토바가
 키는 '봄(春)'으로 되어 있다.
2 春霞/ たつやおそきと: 2구(たつ tatsu)는 '입춘이 되다(春たつ harutatsu)'와,
 '봄 안개가 피어오르다(春霞たつ harugasumitatsu)'의 중의적 표현이다. 2구
 의 'たつやおそきと'는 '… 하자마자 곧'이라는 뜻이다.
3 なり: 소리를 듣고 '…한 것 같다'고 추정하는 뜻의 조동사이다. 분지라는
 지형적 특성상 혹독한 추위를 거친 교토 사람들은 하루라도 빨리 봄이 도래

하기를 갈망했을 것이다. 그런 마음에서인지 평지보다는 기온이 낮은 산속 계곡물도 입춘인 오늘 부는 봄바람에 녹아 산골짜기 계곡 아래로 흐르는 소리가 들리는 것 같다며 입춘의 설렘을 드러낸 것이다.

봄 안개와 더불어 당시에는 산속 얼었던 계곡물이 녹아 흐르는 물소리에서 봄을 느낀 듯하다. 한편 기노 쓰라유키(紀貫之)는 '소매 적시며/ 손으로 퍼 마신 물/ 얼었었는데/ 오늘 입춘 바람이/ 얼음 녹이고 있겠지(袖ひちて/ む すびし水の/ こほれるを/ 春立つけふの/ 風やとくらむ『고킨와카슈』 2)'라는 노래를 지었다. 쓰라유키가 직접 눈으로 보지 않은 사실을 추량하는 조동사 '5む(ramu)'를 사용한데 반해, 이즈미시키부는 청각을 통한 추정의 조동사 'なり(nari)'를 사용한 점에서 차이를 보인다.

2.

자일子日을

> 모두 데리고
> 오늘 또다시 자일
> 잔솔 뿌리로
> 장수 축원하러 지금
> 들녘 향하는 구나

子の日を[1]

> 引きつれて[2]　　　　hi-ki-tsu-re-te
> けふは子の日の　　　kyo-o-wa-ne-no-hi-no
> 松に又　　　　　　　ma-tsu-ni-ma-ta
> いま[3]千とせ[4]をぞ　i-ma-chi-to-se-wo-zo
> 野べ[5]に出でける　　no-be-ni-i-de-ke-ru

出典：『고슈이와카슈』春上 25번(『정집』3)

1 『고슈이와카슈』고토바가키는 '제목 미상(題知らず)'으로, 『정집』고토바가
키는 '봄(春)'으로 되어 있다. 당시 정월 첫 번째 자일(子の日)에는 들판에
나가 잔솔을 뿌리째 뽑아 무병장수를 빌며 잔치를 벌였다. 『정집』에는 자일
에 읊은 2번 노래가 봄나물을 읊은 3번 노래 뒤에 배열되어 있어 저본과는
순서가 뒤바뀌어 있다. 한편 최초의 칙찬 와카집인 『고킨와카슈』에는 봄나
물 채취 관련 노래만 수록되어 있고 자일을 읊은 노래는 없다. 하지만 두
번째 칙찬집인 『고센와카슈』에는 자일 관련 노래가 보이며, 잔솔과 봄나물

을 동시에 뜯는 노래가 실려 있다. 그러나 『슈이와카슈』부터는 양자가 분리되어 봄나물 채취가군 뒤에 자일을 소재로 읊은 노래들이 이어진다. 『정집』은 이러한 『슈이와카슈』의 노래 배열과 일치한다. 하지만 『고슈이와카슈』에서는 순서가 뒤바뀌어 자일 행사 노래들 뒤에 봄나물을 소재로 읊은 노래들이 배열되어 있으며(『古今和歌六帖 kokinwakarokuzyo』도 동일), 이 책의 저본도 역시 이와 동일하다.

2 引きつれて: '사람들을 데리고'라는 말에, 잔솔 뿌리를 '뽑아(引き)'를 함의한다.

3 又/いま: 당시 1월 7일은 '인일(人日)'이라 하여 들판에 나가 봄나물을 뜯으며 무병장수를 기원했다. 이 노래에 '또다시', '지금'이라는 표현으로 미루어 1월 7일의 인일 행사 이후, 정월 첫 번째 자일(子日)에 무병장수를 축원하는 행사가 거듭 개최된 것으로 보인다.

4 千とせ: 소나무가 천년을 산다고 전해지기 때문이다.

5 野べ: '들녘(野べ nobe)'과, '수명을 늘리려(延べ nobe)'의 동음이의어로 중의적 표현이다.

3.

햇나물을 읊은 노래

봄 들녘에는
아직 눈만 쌓였다
생각했는데
눈 헤쳐 돋아난 건
햇나물이었구나

若菜をよみ侍りける[1]

春の野は[2]   ha-ru-no-no-wa

雪のみつむ[3]と   yu-ki-no-mi-tsu-mu-to

見しかども   mi-si-ka-do-mo

おひ出づる[4]ものは   o-i-i-zu-ru-mo-no-wa

若菜[5]なりけり   wa-ka-na-na-ri-ke-ri

· ·

出典: 『고슈이와카슈』春上 35번(『정집』 2)

1 『고슈이와카슈』 고토바가키는 '제목 미상(題知らず)'으로, 『정집』 고토바가
키는 '봄(春)'으로 되어 있다.

2 春の野は: 『고슈이와카슈』와 『정집』에는 '春日野は(kasuganowa 가스가노
들녘은)'로 되어 있다. '가스가노 들녘'은 봄나물의 명소로, 현재의 나라(奈
良) 공원 부근 일대를 가리킨다.

3 雪のみつむ: 'つむ(tsumu)'는 '쌓이다(積む)'와, '뜯다(摘む)'의 동음이의어
로 중의적 표현이다. 한편 『정집』 본문은 '눈 내려 쌓이다(雪降りつむ)'로

되어 있다.

4 おひ出づる: 『정집』에는 '生ひたる(oitaru 돋아나 있는)'으로 되어 있다.

5 若菜: 중국에는 1월 7일을 인일(人日)이라 하여 일곱 가지 나물로 죽을 끓여 먹으며 만병에 걸리지 않도록 기원했는데, 일본에도 음력 정월 7일에 무병 장수를 기원하며 새봄에 눈 속에서 푸르게 돋아난 햇나물을 캐어 먹는 풍습이 있었다. 세이쇼나곤(清少納言)이 집필한 수필집 『마쿠라노소시(枕草子)』 제3단(정월 초하룻날에는)에도 이에 대한 언급이 보인다.

4.

앞뜰에 매화꽃이 한창 피었을 무렵, 외출하려다

> 져 버리려면
> 보고 있을 때 지렴
> 매화꽃이여
> 나 없는 사이 질까
> 안절부절 않도록

家の梅さかりけるころ、外にまかるとて[1]

みるほども	mi-ru-ho-do-mo
散らば散らなん[2]	chi-ra-ba-chi-ra-na-n
梅の花	u-me-no-ha-na
しづごころなく	si-zu-go-ko-ro-na-ku
思ひおこせじ	o-mo-i-o-ko-se-zi

出典:『교쿠요와카슈』春上 76번(『속집』 1210)

1 『속집』 고토바가키는 '살던 곳에 매화꽃이 한창일 무렵, 다른 곳에 가면서 (住む所の梅の花盛りなる比、ほかへ渡るとて)'로 되어 있다.

봄꽃 가운데 이즈미시키부는 매화를 좋아했던 것으로 보인다. 이는 '나의 앞마당/ 당신 보여주고파/ 봄에는 매화/ 여름날 패랭이꽃/ 가을날의 싸리를 (わが宿を/ 人に見せばや/ 春は梅夏は常夏秋は秋萩『정집』 480)'이라는 노래에서도 확인할 수 있다. 이 외에도 매화꽃이 지자 애석해 하는 이즈미시키부에게 지인이 머지않아 벚꽃이 필 것이라며 건넨 위로의 말에 '한층 화사한/ 벚꽃이 피게 되면/ 보긴 보겠죠/ 마음속에 매향을/ 그리워하면서(まさざ まに桜も咲かば見には見ん心に梅の香をば偲びて『정집』789)'라고 답해 남 다른 매화 사랑을 보이고 있다.

2 散らば散らなん: 표면적으로는 매화꽃에게 낙화를 종용하는 것처럼 보이지 만, 실상은 외출해서 줄곧 매화가 낙화할까 안절부절못하는 자신의 처지를 매화에게 호소하는 입장이다. 언젠가는 져 버릴 매화꽃이라 체념해야 한다 면 차라리 자신이 외출해서 없는 사이가 아니라, 자신이 지켜보는 지금 이 순간 꽃잎이 지길 바라는 마음을 읊은 것이다. 따라서 노래는 매화에게 낙화 를 허락하는 입장이 아니라, 오히려 매화꽃에 대한 자기집착을 끊으려 안간 힘 쓰는 심정을 그리고 있다는 편이 적절할 것이다.

5.

無題

진한 매향에
잠에서 깨어 버린
봄날 밤이면
매화 감춰 사람 맘
들뜨게 하는 어둠

無題[1]

梅が香に	u-me-ga-ka-ni
おどろかれつつ	o-do-ro-ka-re-tsu-tsu
春の夜の	ha-ru-no-yo-no
やみこそ人は	ya-mi-ko-so-hi-to-wa
あくがらしけれ[2]	a-ku-ga-ra-si-ke-re

....

出典 : 『센자이와카슈』春上 22번(『정집』 8)

1 『센자이와카슈』 고토바가키는 '제목 미상(題知らず)'으로, 『정집』에는 '봄
(春)'으로 되어 있다.

2 '봄날 밤 어둠/ 이치에 맞지 않네/ 어여쁜 매화/ 어둠속에 감춰도/ 매향은
감추지 못해(春の夜の/ 闇はあやなし/ 梅の花/ 色こそ見えね/ 香やは隱るる
『고킨와카슈』 41)'라는 노래를 염두에 둔 작품이다.
상기 노래는 단순히 매향에 주목한 봄노래로 해석할 수 있지만, 다른 한편으
로는 봄날 밤 어둠 속에서 매화 향이 감돌자 예전 옷소매에서 매향을 풍기
던 연인이 방문한 것은 아닌지 설레는 마음에 어둠 사이로 연인의 모습을
찾아 헤맨다는 봄밤 그리움의 심사로 이해할 수도 있을 것이다.

6.

無題

이 봄날 오직
내 집 앞마당에만
매화 핀다면
멀어진 그 사람도
보러라도 올 텐데

無題[1]

春はただ	ha-ru-wa-ta-da
わが宿のみに	wa-ga-ya-do-no-ni
梅さかば	u-me-sa-ka-ba
かれ[2]にし人も	ka-re-ni-si-hi-to-mo
みにときなまし[3]	mi-ni-to-ki-na-ma-si

....

出典：『고슈이와카슈』春上 57번(『정집』4)

1 『고슈이와카슈』고토바가키는 '제목 미상(題知らず)'로, 『정집』에는 '봄(春)'
  으로 되어 있다.

2 かれ: '멀어지다(離れ kare)'와 '시들다(枯れ kare)'의 동음이의어로 매화꽃
  과 관련된 말(縁語 engo)이다.

3 まし: 현실에서 있을 수 없거나 사실과 반대되는 일을 상상하거나 가상하는
  뜻을 지닌 반실가상(反実仮想)의 조동사. 봄날 매화가 자신의 정원에만 핀
  다면 떠나 버린 연인도 그나마 매화꽃을 보러 내 집으로 올 것이며 그럼
  잠시나마 만나볼 수 있으리라는 간절한 마음을 읊고 있다.

7.

벚꽃이 피길 기다리는 마음을 읊은 노래

보는 사이에
마지막 매화마저
지고 말았네
그런데도 벚꽃은
필 기색도 없구나

花を待つといふこころを[1]

みるままに	mi-ru-ma-ma-ni
しづ枝の梅も	si-zu-e-no-mu-me-mo
散りはてぬ	chi-ri-ha-te-nu
さも待ちどほに	sa-mo-ma-chi-do-o-ni
さく桜かな	sa-ku-sa-ku-ra-ka-na

出典 :『후가와카슈』春上 90번(『정집』 10)

1 『후가와카슈』 고토바가키는 '제목 미상(題知らず)'으로, 『정집』에는 '봄(春)'
  으로 되어 있다.

8.

벚꽃 한창일 때 안절부절못하는 심경을 읊은 노래

마음 편할 날
단 하루도 없어라
꽃을 아끼는
마음 깊은 곳까지
바람 불지 않는데

花のとき心静かならず、といふことを[1]

のどかなる	no-do-ka-na-ru
をりこそなけれ	o-ri-ko-so-na-ke-re
花を思ふ	ha-na-wo-o-mo-o
心のうちは	ko-ko-ro-no-u-chi-wa
風はふかねど	ka-ze-wa-hu-ka-ne-do

出典 : 『쇼쿠고슈이와카슈』 春上 93번(『정집』 459)

1 『정집』 고토바가키는 '벚꽃 한창일 때 안절부절못하고, 빗속에 소나무는 푸른빛을 더한다(花の時心不静、雨の中に松緑を増す)'로 되어 있으며, 뒷부분에 등장하는 소나무와 관련된 와카가 한 수 더 실려 있다. 이 가제는 한시를 인용한 것으로 보이나 구체적인 전거(典據)는 알려진 바 없다.

9.

無題

봄날 꽃에만
마음을 빼앗기니
자연히 내가
사랑에 빠졌다는
소문이 퍼지겠지

無題[1]

花[2]にのみ	ha-na-ni-no-mi
心をかけて[3]	ko-ko-ro-wo-ka-ke-te
おのづから	o-no-zu-ka-ra
春はあだなる[4]	ha-ru-wa-a-da-na-ru
名ぞ立ちぬべき	na-zo-ta-chi-nu-be-ki

出典:『쇼쿠고센와카슈』春中上 84번(『정집』 5)

1 『쇼쿠고센와카슈』 고토바가키는 '제목 미상(題知らず)'으로, 『정집』에는 '봄 (春)'으로 되어 있다.

2 花: 봄노래에서 단지 '꽃(花)'이라고 하면 대부분 벚꽃을 가리킨다. 벚꽃은 금방 져버리므로 3구의 '덧없다. 변하기 쉽다(あだ ada)'는 말과 함께 쓰이는 경우가 많다. 하지만 이 책 5번과 6번 노래 등으로 미루어 여기서의 '꽃'은 '매화'로 보아도 무방하다.

3 心をかけて: '어떤 것에 마음을 쓰다, 어떤 일에 온 정신을 다 기울여 열중하

다'는 뜻이다.

4 春は: 『정집』에는 '人は(hitowa 사람들은)'로 되어 있다. 여기서 사람은 특정 인물이 아니라 세상 사람들을 말한다.

10.

꽃이 매우 아름답게 피어 있는 걸 보고 읊은 노래

> 한심하게도
> 봄만 되면 목숨
> 부지하고파
> 꽃, 이 세상에 나를
> 얽매는 굴레여라

花のいとおもしろきをみてよめる

あぢきなく	a-zi-ki-na-ku
春は命の	ha-ru-wa-i-no-chi-no
惜しきかな	o-si-ki-ka-na
花¹ぞこの世の	ha-na-zo-ko-no-yo-no
ほだし²なりける	ho-da-si-na-ri-ke-ru

出典 : 『후가와카슈』 雑上 1480번(『속집』 1088)

1 花: 노래에 '꽃(花)'이라는 말이 나오면 벚꽃으로 보는 견해가 일반적이지만
  여기서는 특정한 꽃을 상정하기보다 계절마다 피는 모든 꽃으로 보는 편이
  무난해 보인다. 상기 작품이 봄노래에 들어있지만 출전이 다른 『후가와카
  슈』에서는 '잡(雑)'으로 분류하고 있어 인생사에 관한 노래라고 인식하고
  있다. 이에 준하여 여기서도 세상에 피는 모든 꽃으로 파악하였다.

2 ほだし: 어떤 일을 할 수 없게 가로막아 거치적거리게 하는 장애(障礙)를
  말한다. 이즈미시키부는 이 세상을 버리고 출가하려 해도 자신을 얽어매는

것이 꽃이었다고 토로한다. 그만큼 계절마다 피어나는 꽃이 그녀에게 삶의 낙이자 큰 위안거리였던 것 같다. 한편 '꽃'과 관련하여 읊은 노래 가운데 9세기경 활약한 여류 가인 오노노 고마치(小野小町)의 유명한 노래가 있다. '사랑! 그것은/ 보이는 빛깔 없이/ 그의 가슴에/ 피었다 지고 마는/ 마음 속 꽃이어라(色見えで/ うつろふものは/ 世の中の/ 人の心の/ 花にぞありける 『고킨와카슈』 797)'는 작품이다. 자신을 사랑하는 사람의 마음을 마음속에 핀 꽃에 빗댄 것이다. 눈에 보이지 않으면서 어느 틈엔가 그 빛을 잃어 가는 연인의 마음을 이내 떨어져버리는 꽃이라 읊은 작품이다.

11.

미나모토노 미치나리源道済가 우린인雲林院으로 꽃구경 갔다가 그곳에 핀 벚꽃을 꺾고서 읊은 노래

당신 말고는

보일 사람 없기에

산벚꽃나무

지금 막 당신 위해

한 가지 꺾고 말았소

源道済雲林院の花見にまかりて侍りけるに、その桜を折りて[1]

またみせむ	ma-ta-mi-se-n
人しなければ	hi-to-si-na-ke-re-ba
さくら花	sa-ku-ra-ba-na
今一えだを	i-ma-hi-to-e-da-wo
折らずなりぬる	o-ra-zu-na-ri-nu-ru

....

出典 :(『정집』 157)

1 『정집』 고토바가키는 '같은 시기에 어떤 사람이 "이 벚꽃을 당신 말고는 보여 줄 사람이 없기에 당신 위해 꽃가지 하나만 꺾어 두었다"며 함께 보내 온 노래(同じ頃、人のもとより、「桜の花を、また見すべき人もなければ、御料にとてただ一枝をなん折りたる」とて)'로 되어 있다.

미나모토노 미치나리(源道済 ?~1019)는 헤이안 시대 중기의 귀족으로 가인

이다. 작품으로는 가집인 『道濟集 michinarisyu』와 가학서(歌學書) 『道濟十體 michinarizittai』가 있으며, 중고 36가선(中古三十六歌仙) 가운데 한 사람이다. '중고 36가선'은 후지와라노 노리카네(藤原範兼 1107~1165)가 선집한 『後六々撰 nochinorokurokusen)』에서 인정한 중고 시대 와카 명인 36인을 총칭한다. 한편 미치나리의 노래가 맨 처음 수록된 칙찬 와카집은 『슈이와카슈』이다. 상기한 노래 외에 『정집』에는 이즈미시키부와 미치나리가 주고받은 노래 4수(245번~248번)가 수록되어 있다. 한편 우린인(雲林院)은 교토시 북구 무라사키노(紫野) 다이토쿠지(大德寺) 남쪽에 위치한 천태종 사찰이다.

12.

앞 노래에 대한 답가

> 애석하게도
> 이 벚꽃 나로 인해
> 시들었어라
> 부디 남은 꽃잎은
> 바람에 지지 말길

と申しおくり侍りけるかえりごとに[1]

いたづらに	i-ta-zu-ra-ni
この一えだは	ko-no-hi-to-e-da-wa
なりぬなり	na-ri-nu-na-ri
残りの花を	no-ko-ri-no-ha-na-wo
風に散らすな[2]	ka-ze-ni-chi-ra-su-na

⋯⋯⋯⋯⋯⋯⋯⋯⋯⋯⋯⋯⋯⋯⋯⋯⋯⋯⋯⋯⋯⋯⋯⋯

出典：『신고슈이와카슈』春下 86번(『정집』158)

1 『신고슈이와카슈』고토바가키는 '미나모토노 미치나리가 우린인으로 꽃구
경하러 갔을 때, 벚꽃을 꺾어들고, 달리 보여줄 사람도 없기에 남은 벚꽃
한 가지는 꺾지 않았다, 는 전갈을 보내왔기에 답한 노래(源道済、雲林院の
花見にまかりて侍りけるに、その桜を折りて、又みせん人しなければ桜花いま
一枝をらずなりぬる、と申しおくり侍りける返事に)'로, 『정집』에는 '답가(かへ
し)'로 되어 있다.

2 散らすな：『정집』과 『신고슈이와카슈』에는 '맡기지 마시길(まかすな maka-

suna)'로 되어 있다. 자신 같은 하찮은 사람에게 보내기 위해 꺾인 벚꽃을 애석해하며 부디 남은 꽃잎이 떨어지지 않도록 해 달라는 노래지만, 실상은 벚꽃을 보내준 데 대해 감사의 마음을 전한 것이다.

13.

도읍지에서 멀리 떨어진 절에 가서 불공드리고 돌아오는 길에, 산언저리에 핀 벚꽃을 바라보며 읊은 노래

도읍지 사람
어땠냐고 물으면
보여주고픈
저 산언저리 벚꽃
한 가지 꺾고파라

遠き所にまうでてかへる道に、山のさくらをみやりてよめる[1]

都人	mi-ya-ko-bi-to
いかにと問はば	i-ka-ni-to-to-wa-ba
見せもせむ	mi-se-mo-se-n
かの山桜	ka-no-ya-ma-za-ku-ra
一えだもがな	hi-to-e-da-mo-ga-na

出典：『고슈이와카슈』春上 100번(『정집』154)

1 『정집』 고토바가키는 '이시야마데라(石山寺)에서 집으로 돌아오는 길에 먼 산에 핀 벚꽃을 보고(石山より帰るに、遠き山の桜を見て)'로 되어 있다.

14.

앞뜰에 핀 벚꽃이 많이 떨어졌기에

바람만이라도
불어대지 않으면
떨어져 버린
뜰 앞 벚꽃 잎 봄날
내내 바라볼 텐데

庭に桜のおほく散りければ[1]

風だにも	ka-ze-da-ni-mo
吹きはらはずは[2]	hu-ki-ha-ra-wa-zu-wa
庭桜	ni-wa-za-ku-ra
ちるとも春の	chi-ru-to-mo-ha-ru-no
程はみてまし	ho-do-wa-mi-te-ma-si

· ·

出典 : 『고슈이와카슈』 春上 148번

1 『고슈이와카슈』 고토바가키는 '앞뜰에 핀 벚꽃이 많이 떨어졌기에 읊은 노래(庭に桜の多く散りて侍りければよめる)'로 되어 있다.

2 ずは: 부정의 조동사 'ず(zu)'의 연용형 'ず(zu)'에, 순접의 가정조건을 나타내는 계조사 'は(wa)'가 조합된 말로 '…하지 않는다면'이라는 뜻이다. 상기 노래에서는 5구의 'まし(masi)와 호응하여 사실과 반대되는 일을 가상(假像)하고 있다. 다만 'ずは(zuwa)'는 '…하지 않고'로 해석되는 경우도 있다. 이때 'は'는 순접의 가정조건을 나타내는 앞의 경우와 달리, 앞에 오는 구절의 말뜻을 강조하는 계조사가 접속된 것이다.

15.

無題

오는 이 없는
내 집 마당에 벚꽃
심어 놓으니
예쁘게 핀 벚꽃에
초라함 더해지네

無題[1]

人もみぬ	hi-to-mo-mi-nu
宿に桜を	ya-do-ni-sa-ku-ra-wo
うゑたれば	u-e-ta-re-ba
花もてはやす[2]	ha-na-mo-te-ha-ya-su
身とぞなりぬる	mi-to-zo-na-ri-nu-ru

······································

出典 : 『고슈이와카슈』 春上 101번(『정집』 11)

1 『고슈이와카슈』 고토바가키는 '제목 미상(題知らず)'으로, 『정집』에는 '봄
(春)'으로 되어 있다. 이른바 '백수가(百首歌)'로 불리는 가군(歌群)가운데
수록된 노래이다. '백수가'는 봄·여름·가을·겨울·사랑 등을 소재로 각각
20수씩 읊어 총 100수로 구성된 정수가(定數歌)이다. 다만 『정집』에는 98수
(여름 노래와 사랑 노래 각 1수 누락)만 전하고 있다.

2 花もてはやす: 『고슈이와카슈』와 『정집』에는 '花もて**やつす**(hanamoteyatsusu)'
로 되어 있다. 출전과 상이한 본문과 더불어 이 노래는 해석이 꽤나 까다로

운 작품이다. 우선 ①'花もて'+'はやす'로 보느냐, ②'花'+'もてはやす'로 보느냐에 따라 해석이 달라지기 때문이다. ①의 'もて(mote)'는 수단·재료·이유·원인을 뜻하는 'もちて(以て. mochite)'의 축약형으로 '화사한 벚꽃으로 말미암아'라는 의미가 된다. 한편 ②의 'もて'는 동사 앞에 붙어 의미를 강조하거나 어조를 고르는 접두사로 간주한 결과다.

두 번째는 동사 'はやす(hayasu)'의 뜻이 '극구 칭찬하다. 한층 아름답게 보이게 하다'는 폭넓은 의미를 지녔기 때문이다. 먼저 전자의 뜻을 취하면 어여쁜 벚꽃에 감탄하며 홀로 감상하는 처지가 되었다는 뜻이 되며, 후자의 뜻을 취하면 벚꽃을 한층 아름답게 보이게 하는 초라한 처지가 되었다는 노래가 된다. 이때 양쪽 모두 앞의 ②(花+もてはやす)의 분석과 호응한다. 한편 출전의 'やつす(yatsusu 드러나 보이지 않도록 초라하게 모습을 바꾼다)에 따를 경우에도 행위 주체에 따라 해석이 나눠진다. 먼저 이즈미시키부 자신이 애써 화사하게 핀 벚꽃을 초라하게 만들었다는 해석이 가능하다('花+もてやつす'의 분석과 호응). 다른 하나는 찾아오는 이 하나 없어 초라한 자신의 처지에 더해 벚꽃의 자태와 비교되어 더욱 초라해진다는 해석이다('花もて+やつす'의 분석과 호응). 이러한 모든 가능성에도 불구하고 칙찬 와카집에서 이즈미시키부 노래를 채록한다는 기본 방침을 취한 저본의 편집자가 의도적으로 본문을 수정한 사실이 명백하므로 여기서는 출전의 본문에 준해 후자의 뜻으로 해석하였음을 밝혀둔다.

16.

無題

> 내 집 앞마당
> 벚꽃 애써 피어난
> 보람도 없네
> 주인 여하에 따라
> 사람들 보러 오니

無題[1]

わが宿の	wa-ga-ya-do-no
桜はかひも	sa-ku-ra-wa-ka-i-mo
なかりけり[2]	na-ka-ri-ke-ri
あるじからこそ[3]	a-ru-zi-ka-ra-ko-so
人も見にくれ	hi-to-mo-mi-ni-ku-re

· ·
出典 :『고슈이와카슈』 春上 102번(『정집』 12)

1 『고슈이와카슈』 고토바가키는 '제목 미상(題知らず)'으로, 『정집』에는 '봄(春)'
으로 되어 있다. 앞서 소개한 13번과 15번, 그리고 당해 16번이 모두 『고슈이
와카슈』의 100번, 101번, 102번에 나란히 선정 수록된 점은 주목할 만하다.
2 桜はかひも/ なかりけり : 벚꽃이 아무리 예쁘게 펴도 봐줄 사람이 없으니 아
무런 보람이 없다는 뜻이다.
3 あるじからこそ : 벚꽃의 아름다움이 아니라 그 꽃을 심은 주인의 매력 여하에
따라.

17.

無題

꽃 꺾어 보일
사람 하나 없으니
공연스레
벚꽃 피었단 소식
내게 알리지 마오

無題[1]

たれにかは	ta-re-ni-ka-wa
折りてもみせん[2]	o-ri-te-mo-mi-se-n
中中に[3]	na-ka-na-ka-ni
桜さきぬと	sa-ku-ra-sa-ki-nu-to
われにきかすな	wa-re-ni-ki-ka-su-na

出典:『쇼쿠센자이와카슈』春上 69번(『속집』 998)

1 『쇼쿠센자이와카슈』 고토바가키는 '제목 미상(題知らず)'으로, 『속집』에는 '음력 3월 말경에(三月晦方に)'로 되어 있으며 아쓰미치 왕자와 사별한 후 지은 만가군에 속해 있다. 이즈미시키부가 그토록 좋아하는 봄꽃(앞서 수록된 4번, 7번, 8번, 9번, 10번, 12번 노래)도 사랑하는 사람의 죽음 앞에서는 그 의미를 잃고 만다.

2 たれにかは/ 折りてもみせん: '그 누구에게 꽃을 꺾어서 보여줄까, 보여줄 사람은 아무도 없다'는 반어적 표현이다. 이는 '당신 아니면/ 누구에게 보이

리/ 매화꽃 빛깔/ 그리고 이 매향도/ 당신만이 잘 아니(君ならで/ たれにかは 見せむ/ 梅の花/ 色をも香をも/ 知る人ぞ知る 『고킨와카슈』 38)'라는 기노 도모노리(紀友則)의 작품을 염두에 둔 것으로 보인다.

3 中中に: 형용동사로 보면 '어설프게. 섣불리'라는 뜻이며, 부사로 보면 '오히려. 차라리'라는 뜻이 있다.

18.

교교한 달밤, 매화꽃에 곁들여 그 사람에게 보낸 노래

> 달빛과 꽃빛
> 구분할 수 없어라
> 봄날 밤이면
> 달빛은 그야말로
> 매화꽃빛 띠기에

月あかき夜、花にそへて人のもとによみてつかはしたりし[1]

いづれとも	i-zu-re-to-mo
わかれざりけり	wa-ka-re-za-ri-ke-ri
春の夜は	ha-ru-no-yo-wa
月こそ花の	tsu-ki-ko-so-ha-na-no
にほひ[2]なりけれ	ni-o-i-na-ri-ke-re

出典：『신쵸쿠센와카슈』春下 78번(『속집』 1073)

1 『속집』 고토바가키는 '달 밝은 날 밤, 매화꽃을 그 사람에게 보내며(月の明 かき夜, **梅の花**を人にやるとて)'로 되어 있다. 이를 참조하여 구체적으로 매 화꽃이라 옮겼다.

2 にほひ: 일반적으로 현대 일본어에서는 향기가 난다는 후각적 의미지만, 고 전 문학에서는 주로 아름답게 빛난다는 시각적 의미로 사용되었다.

19.

철쭉을 읊은 노래

바위틈 철쭉
꺾어 들고서 보네
내 님 입었던
홍화紅花로 물들인 옷
빛깔과 닮았기에

鸚鵡をよめる[1]

岩つつじ[2]	i-wa-tsu-tsu-zi
折りもてぞみる[3]	o-ri-mo-te-zo-mi-ru
せこ[4]がきし[5]	se-ko-ga-ki-si
紅染めの	ku-re-na-i-zo-me-no
衣[6]ににたれば	ki-nu-ni-ni-ta-re-ba

· ·

出典:『고슈이와카슈』春下 150번(『정집』19)

1 『정집』고토바가키는 '봄(春)'으로 되어 있으며, 일명 '백수가(白首歌)'라 불리는 연작시에 들어 있다.

한편 '鸚鵡 tsutsuzi'는 철쭉을 말하지만, 통상 예복으로 입던 남자의 의복(袍袍) 색깔을 뜻하기도 한다. 겉은 홍색(紅色), 안은 자색(紫色)으로 두 벌을 포개어 입는 겹옷 스타일의 옷차림으로 봄과 겨울에 착용했다. 따라서 '철쭉'이라는 말속에 '남자가 착용한 옷(의 색)'을 함의한다.

2 岩つつじ: 산길이나 바위틈에 자생하는 산철쭉으로 담홍색(淡紅色)의 작은 꽃을 피운다. 산철쭉을 본 순간 예전 사랑하는 사람이 입었던 붉은색 의복을 떠올리며 그리움을 드러낸 것이다.

3 折りもてぞみる: 3개의 동사, 즉 산철쭉을 꺾어(折り ori) 손에 들고(持て mote) 들여다본다(見る miru)는 행위를 통해 임을 향한 그리움을 생생하고 구체적인 형상으로 표현하였다. 한편 『마쿠라노소시(枕草子)』 가운데 〈풀꽃은〉이라는 장단에 '바위 사이에 핀 철쭉도 별다를 건 없지만 꽃가지 꺾어 손에 들고 바라본다는 노래는 과연 멋지다'는 대목이 있는데 이 표현을 염두에 둔 것으로 알려져 있다.

4 せこ(背子): 여성이 남성을 친밀하게 부른 말로 남편이나 연인을 가리킨다. 반대로 남성이 사랑하는 여성을 칭하는 말은 '妹(imo)'다. 이들 호칭은 『만요슈』에 다용되었지만 헤이안 시대에는 거의 사어화(死語化)되며, 그 대신 성별과 관계없이 사랑하는 사람을 지칭하는 '사람(人 hito)'이 다용되게 된다. 다만 상기 노래처럼 헤이안 시대 초기의 백수가에서 'せこ'는 흔히 볼 수 있는 호칭이다.

5 きし: '着し(kisi)'의 'し(si)'는 과거·회상(回想)의 조동사 'き(ki)'의 연체형(連体形)이다.

6 紅ぞめの/ 衣: 『고슈이와카슈』에는 '紅ぞめの/ 色(kurenaizomeno/ iro 홍화로 물들인/ 색)'로 되어 있다. 한편 '紅(kurenai)'는 홍화(紅花)의 별칭이자, 홍화 즙으로 물들인 선홍색을 뜻한다.

여름

夏

20.

5월 초하룻날 읊은 노래

　　벗꽃 빛깔로
　　물들인 봄옷에게
　　작별 고하고
　　두견새 기다리네
　　여름 첫날 아침에

四月のついたちの日よめる¹

　　　桜色に　　　　　　　sa-ku-ra-i-ro-ni
　　　そめし袂を²　　　　so-me-si-ta-mo-to-wo
　　　ぬぎかへて³　　　　nu-gi-ka-e-te
　　　山ほととぎす⁴　　　ya-ma-ho-to-to-gi-su
　　　今朝⁵よりぞまつ　　ke-sa-yo-ri-zo-ma-tsu

· ·
出典 :『고슈이와카슈』夏 165번(『정집』 21)

1 『정집』 고토바가키는 '여름(夏)'으로 되어 있다.
　'四月'은 음력이므로 현재의 5월에 해당한다. 이하, 이 책에 나오는 날짜는
　모두 음력이다.
2 桜色に / そめし袂を: '벚꽃 빛깔로 옷 짙게 물들여 입으리라 벚꽃이 완전히
　져버린 뒤의 추억거리로(桜色に衣はふかく染めて着む花の散りなむ後の形
　見に『고킨와카슈』 66)'라는 노래를 염두에 둔 것으로 보인다. 하지만 이즈
　미시키부는 봄꽃의 허망함과 집착을 노래한 전통적인 작법에서 벗어나 적

극적으로 각각의 계절에 집중하며 그 시점에 느낄 수 있는 경물에 위안을 받으며 기쁨을 느낀 듯하다. 한편 『고슈이와카슈』와 『정집』에는 '袂(tamoto 소맷자락)가 아닌 '衣(koromo 옷)'로 되어 있다.

3 ぬぎかへて: 음력 4월 1일은 입하, 즉 여름이 시작되는 날이다. 새로운 계절에 맞게 봄옷을 벗고서 (여름옷으로 갈아입고서)라는 뜻이다.

4 山ほととぎす: 당시 사람들은 여름의 시작과 함께 두견새가 산에서 온다고 여겼다. 여름날의 두견새는 가을날의 기러기와 더불어 귀족들에게 가장 많은 사랑을 받았다.

5 今朝: 『고슈이와카슈』와 『정집』에는 '今日(kyo 오늘)'로 되어 있다.

21.

無題

> 바로 어제도
> 벚꽃 그늘 아래서
> 지냈었기에
> 오늘도 떠나 버린
> 봄날 못내 아쉬워

無題[1]

昨日をば	ki-no-o-wo-ba
花のかげにて	ha-na-no-ka-ge-ni-te
くらしきて[2]	ku-ra-si-ki-te
今日こそいにし	kyo-u-ko-so-i-ni-si
春は惜しけれ	ha-ru-wa-o-si-ke-re

出典 : 『쇼쿠센자이와카슈』夏 211번(『속집』 1436)

1 『쇼쿠센자이와카슈』 고토바가키는 '5월 초하룻날 읊은 노래(四月一日によ み侍りける)'로, 『속집』에는 '4월 마지막 날, 「가는 봄을 아쉬워하는 마음」에 관한 한시를 짓고 나서 5월 초하루가 되었기에 이른 아침에 지은 노래(三月 晦に, 「惜春心」の文作りて, 四月朔になりぬれば, そのつとめての歌よむに)' 로 되어 있다.

2 くらしきて: 『속집』에는 '暮らしてき(kurasiteki 분명 지냈다)'로 되어 있다. 이 책의 저본과는 달리 여기 3구에서 노래 흐름이 한번 끊어진다.

22.

두견새를 읊은 노래

안 기다려도
걱정 많은 사람은
잠 못 이루니
산속 두견새 소리
가장 먼저 듣는다

ほととぎすをよめる¹

またねども	ma-ta-ne-do-mo
もの思ふ人は	mo-no-o-mo-o-hi-to-wa
おのづから	o-no-zu-ka-ra
山ほととぎす	ya-ma-ho-to-to-gi-su
先づぞききつる²	ma-zu-zo-ki-ki-tsu-ru

出典 :『쇼쿠슈이와카슈』夏 159번(『정집』22)

1 『쇼쿠슈이와카슈』고토바가키는 '여름노래 가운데(夏歌の中に)'로,『정집』
  에는 '여름(夏)'으로 되어 있다.
2 先づぞききつる: 수심에 잠긴 사람은 잠 못 들기에 특별히 고대하지 않아도
  자연스레 두견새 울음소리를 가장 먼저 듣게 된다는 노래다.

23.

無題

어느 마을서
맨 먼저 들었을까
두견새 소리
여름이 시작되면
어디든 와 주는데

無題[1]

たが里に	ta-ga-sa-to-ni
まづききつらむ	ma-zu-ki-ki-tsu-ra-n
郭公[2]	ho-to-to-gi-su
夏はところも	na-tsu-wa-to-ko-ro-mo
わかずきぬるを	wa-ka-zu-ki-nu-ru-wo

······································

出典 :『쇼쿠고센와카슈』 夏 172번(『속집』 1421)

1 『쇼쿠고센와카슈』 고토바가키는 '제목 미상(題知らず)'으로, 『속집』에는 '음 력 4월 마지막 날(四月晦日)'로 되어 있다.

2 郭公: 두견새는 여름을 알리는 철새로 당시 사람들에게 매우 친숙한 조류 였다.

24.

패랭이꽃이 한창인 것을 보고

언제 보아도
이 세상 꽃이라고
생각되지
않는 건 다름 아닌
석죽이었어라

なでしこの花のさかりなりけるをみて[1]

みるに猶	mi-ru-ni-na-o
この世の物と	ko-no-yo-no-mo-no-to
おぼえぬは[2]	o-bo-e-nu-wa
唐撫子[3]の	ka-ra-na-de-si-ko-no
花にぞありける	ha-na-ni-zo-a-ri-ke-ru

··

出典 : 『센자이와카슈』 夏 206번(『속집』 1066)

1 『속집』 고토바가키는 '패랭이꽃, 석죽 등을 보고(大和撫子、唐のなどを見
  て)'로 되어 있다.

2 おぼえぬは: 『센자이와카슈』와 『속집』에는 '생각되지 않기에(おぼえ**ねば**
  oboeneba)'로 되어 있다.

3 唐撫子: 헤이안 시대 중국으로부터 석죽이 들어온다. 『마쿠라노소시』에 '풀
  꽃은 패랭이꽃이 좋다. 석죽은 말할 나위도 없이 어여쁘다'는 대목이 있다.
  강변에 자생하는 일본 재래 패랭이꽃은 일본을 뜻하는 '야마토(大和)'를 붙

여 '야마토 나데시코(패랭이꽃)'로, 반면 중국에서 들여온 패랭이꽃은 '가라(唐 중국)'를 붙여 '가라 나데시코(석죽)'로 구분하여 불렀다.

이즈미시키부는 자신이 좋아하는 꽃을 연인과 함께 감상하고 싶다는 마음을 담아 '나의 앞뜰을/ 당신께 보여주고파/ 봄에는 매화/ 여름날 패랭이꽃/ 가을날의 싸리를(わが宿を/ 人に見せばや/ 春は梅/ 夏は常夏/ 秋は秋萩 『정집』 480)'이라는 노래를 지었다. 한편 아쓰미치 왕자는 '어여쁜 그대/ 지금 당장 보고파/ 산촌 담장 위/ 패랭이꽃과 같이/ 사랑스런 그대(あな恋し/ 今も見てしが/ 山がつの/ 垣ほに咲ける/ やまとなでしこ 『이즈미시키부 일기』)'라는 노래를 이즈미시키부에게 지어 보낸 적도 있다. 여러 가지 의미에서 패랭이꽃은 이즈미시키부에게 특별할 수 밖에 없는 꽃이었을 것이다. 이 밖에도 이즈미시키부는 '꽃 필 때부터/ 지켜보며 며칠을/ 보내 보아도/ 역시 패랭이꽃보다/ 어여쁜 꽃 없어라(咲きしより/ 見つつ日頃に/ なりぬれど/ なほ常夏に/ しく花はなし 『정집』 190)'라는 노래를 지었다.

25.

향료를 넣은 비단주머니를 곁들여 그 사람에게 보낸 노래

기구한 내가
뽑은 창포 보내서
당신마저도
힘겹게 만드는 건
아닌지 염려스러워

くす玉につけて人のもとにつかはしける¹

身のうき²に	mi-no-u-ki-ni
ひける菖蒲の	hi-ke-ru-a-ya-me-no
あぢきなく	a-zi-ki-na-ku
人の袖まで	hi-to-no-so-de-ma-de
ね³をやかくべき	ne-wo-ya-ka-ku-be-ki

···

出典:『쇼쿠고킨와카슈』夏 231번(『정집』742)

1 『정집』 고토바가키는 '다시, 그 사람에게(また、人に)'로 되어 있다.
  당시에는 5월 5일 단옷날, 나쁜 기운을 물리칠 목적으로 구스다마(藥玉)를
  방안에 걸어두었다. 구스다마는 각종 향료를 넣은 후 창포와 쑥 모양으로
  만든 조화를 오색실에 매어 길게 늘어트린 향료 주머니로, 가까운 사이에
  서로 주고받는 풍습이 있었다.
2 うき: '늪지(泥 uki)'와 '기구하다(憂き uki)'라는 뜻을 지닌 중의적 표현이다.
3 ね: '창포 뿌리(根 ne)'와, '울음소리(音 ne)'라는 뜻을 지닌 중의적 표현이다.
  노래에 사용된 うき(uki)・ひける(hikeru)・ね(ne)・かく(kaku)는 모두 창포와
  관련된 말이다.

26.

6월 장맛비를 읊은 노래

> 근심거리에
> 소매마저 젖었네
> 장맛비 속에
> 밭농사 짓는 농부
> 옷자락도 아닌데

五月雨をよめる[1]

ながめ[2]には	na-ga-me-ni-wa
袖さへぬれぬ	so-de-sa-e-nu-re-nu
五月雨に	sa-mi-da-re-ni
おりたつ田子の	o-ri-ta-tsu-ta-go-no
裳裾ならねど	mo-su-so-na-ra-ne-do

·················
出典 : (『정집』 35)

1 『정집』 고토바가키는 '여름(夏)'으로 되어 있다. '五月雨(samidare)'는 음력 5월에 내리는 비로, 현재의 6월 장맛비에 해당한다.

2 ながめ: '수심에 잠기다(眺め nagame)'와 '장맛비(長雨 nagame)'의 뜻을 지닌 중의적 표현이다. 장맛비가 내리는 가운데 논일을 하는 농부의 젖은 옷소매를 빌려 자신의 슬픔을 강조한 노래다. 당시 수심에 잠겨 흘린 눈물에 옷소매나 베개가 젖었다는 취지의 노래가 주류인데, 이처럼 슬픔의 눈물에 젖은 옷소매를 장맛비에 젖은 농부의 옷자락에 비교한 경우는 드물다. 고상

하고 기품이 있으며 아름다운 것을 추구한 당시 귀족들의 가풍에서 보면 다소 거칠고 세련되지 못한 감이 있겠지만, 그렇기에 오히려 이즈미시키부의 차별화된 작풍을 느낄 수 있는 노래다.

27.

횃불을

여름철 밤은
횃불 밝힌 사냥꾼
사슴 눈동자
조준하는 찰나보다
금세 날 밝는구나

照射を[1]

夏の夜は	na-tsu-no-yo-wa
ともし[2]の鹿の	to-mo-si-no-si-ka-no
めをだにも	me-wo-da-ni-mo
あはせぬ[3]程に	a-wa-se-nu-ho-do-ni
明けぞしにける	a-ke-zo-si-ni-ke-ru

出典 : 『신고슈이와카슈』夏 246번(『정집』 32)

1 『신고슈이와카슈』 고토바가키는 '횃불을 읊은 노래(照射をよめる)'로, 『정집』에는 '여름(夏)'으로 되어 있다.

2 ともし : 여름밤 사냥꾼이 사슴을 유인하기 위해 산속에서 밝힌 횃불을 가리킨다. 여러 갈래로 나뉜 산길 가운데 한곳을 제외한 모든 길에 등불을 켜두고 지켜보다가 횃불이 켜 있지 않은 길로 사슴이 들어오면 어둠 속에 빛나는 사슴의 눈을 표적으로 삼아 활을 쏘아 잡는 방식의 사냥이다. 사냥꾼이 사슴의 눈을 맞추는 눈 깜짝할 사이의 순간처럼 짧은 여름밤을 형용하기

위한 표현법이다.

3 めをだにも/ あはせぬ: '目を合わす(me-wo-a-wa-su)'는 사냥꾼이 '사슴의 눈을 조준하다'와, '눈을 감다(자다)'의 뜻을 지닌 중의적 표현이다.

28.
7월 큰 액막이 의식

괴로운 생각
모두 없어지라고
삼베 잎사귀
자르고 또 잘라서
액막이 하는구나

六月祓[1]

思ふこと	o-mo-o-ko-to
皆つきね[2]とて	mi-na-tsu-ki-ne-to-te
麻の葉を	a-sa-no-ha-wo
切りに切りても[3]	ki-ri-ni-ki-ri-te-mo
はらへつるかな	ha-ra-e-tsu-ru-ka-na

出典 : 『고슈이와카슈』 雜六 1204번(『정집』 39)

1 『고슈이와카슈』 고토바가키는 '6월 큰 액막이 의식을 읊은 노래(六月祓をよ
  める)'로, 『정집』에는 '여름(夏)'으로 되어 있다.
  7월 큰 액막이 행사는 음력 6월 말에 지난 반년간의 재액(災厄), 오예(汚穢
  지저분하고 더러움), 죄장(罪障 극락왕생이나 성불을 가로막는 죄업) 등을
  떨쳐버리기 위한 의식을 말한다. 불제(祓除)에 앞서 강물로 몸을 씻었으며,
  액막이 도구로서 삼베 잎을 잘라 강변에 세워 두었다.
2 皆つきね: '모두 없어져(皆盡きね minatsukine)'라는 말에 음력 6월을 뜻하는

'水無月(minazuki)'라는 말이 숨어 있다.

3 切りに切りても: 이즈미시키부 노래의 특색 가운데 하나인 동어(同語)의 반복 표현이다. 기원을 담아 정성껏 액막이하는 소소한 동작 속에 이즈미시키부의 깊은 고뇌가 담겨 있다.

29.

無題

오늘도 거듭
시간 들여 열심히
액막이하니
마麻 잎 이슬이 번진
홑겹 매미 날개옷

無題[1]

けふはまた	kyo-u-wa-ma-ta
しのにをりはへ[2]	si-no-ni-o-ri-ha-e
禊[3]して	mi-so-gi-si-te
麻の露ちる[4]	a-sa-no-tsu-yu-chi-ru
せみのはごろも[5]	se-mi-no-ha-go-ro-mo

·····································
出典 : 『신슈이와카슈』夏 305번

1 『신슈이와카슈』 고토바가키는 '제목 미상(題知らず)'으로 되어 있다.
2 しのにをりはへ: 'しのに(sinoni)'는 '①끊임없이, 자주 ②몹시, 매우, 열심히' 라는 뜻이며, 'をりはへ(orihae)'는 '시간을 들여, 오래도록'이라는 말이다.
3 禊: 물가에서 자신의 죄나 부정을 씻어내는 액막이 행위를 말한다.
4 麻の露ちる: 마(麻) 잎에 맺힌 이슬은 액막이를 위해 강변에 세워둔 마 잎에 튀긴 강물을 빗댄 말이다.
5 せみのはごろも: 더운 여름에 입는 홑옷을 매미의 얇은 날개에 빗댄 말이다.

가을
秋

30.

無題

가을이 오면
상록의 도키와 산
솔숲 바람도
물들어 버릴 정도로
온몸에 사무치네

無題[1]

秋くれば	a-ki-ku-re-ba
常磐の山の[2]	to-ki-wa-no-ya-ma-no
山風も[3]	ya-ma-ka-ze-mo
うつるばかりに[4]	u-tsu-ru-ba-ka-ri-ni
身にぞしみける	mi-ni-zo-si-mi-ke-ru

‥‥‥‥‥‥‥‥‥‥‥‥‥‥‥‥‥‥‥‥
出典:『신고킨와카슈』秋上 370번(『정집』51)

1 『신고킨와카슈』고토바가키는 '제목 미상(題知らず)'으로,『정집』에는 '가을
(秋)'로 되어 있다.

2 常磐の山: 교토시 북측 도키와(常磐) 부근에 위치한 산으로 와카의 소재가
된 명승지다. 도키와 산을 읊은 전통적인 작품으로 기노 요시모치(紀淑望)
의 '물들지 않는/ 상록의 도키와 산은/ 바람소리로/ 가을 오고 있음을/ 지금
듣고 있으리라(紅葉せぬ/ ときはの山は/ 吹く風の/ 音にや秋を/ 聞きわたるら
む『고킨와카슈』251)'는 노래가 있는데, 이즈미시키부는 도키와 산의 소나

무가 우거진 숲 사이로 부는 바람이 물들어 버릴 정도로 가을의 우수가 온
몸에 사무친다고 읊은 것이다.

3 山風も: 『정집』에는 '松風も(matsukazemo 솔바람도)'로 되어 있다.

4 うつるばかりに: 『정집』에는 '色付くばかり(irozukubakari 물들 정도로)'로 되
어 있다.

31.

칠월칠석

> 기다리는 것도
> 그날 지나는 것도
> 서글픈 날은
> 가을이 시작되는
> 칠월 칠석이구나

七月七日に[1]

としごとに	to-si-go-to-ni
待つも過すも	ma-tsu-mo-su-gu-su-mo
わびしきは	wa-bi-si-ki-wa
秋のはじめの[2]	a-ki-no-ha-zi-me-no
七日なりけり	na-nu-ka-na-ri-ke-ri

出典 : 『신센자이와카슈』秋上 347번(『정집』122)

1 『신센자이와카슈』 고토바가키는 '제목 미상(題知らず)'으로, 『정집』에는 '다시 열 가지 가제 가운데 칠월 칠석(又、十題、七月七日)'으로 되어 있다.

2 秋のはじめ: 음력 7,8,9월이 가을에 해당하므로, 7월은 가을이 시작되는 시점이다.

32.

가을노래 가운데

가을 논 옆에
뜸으로 이은 오두막
지붕 엉성해
새어드는 이슬에
도통 잠들 수 없네

秋のうたの中に[1]

秋の田の   a-ki-no-ta-no
庵にふける   i-o-ri-ni-hu-ke-ru
苫[2]をあらみ   to-ma-wo-a-ra-mi
もりくる露[3]の   mo-ri-ku-ru-tsu-yu-no
いやは寝らるる[4]   i-ya-wa-ne-ra-ru-ru

出典 : 『쇼쿠고센와카슈』 秋中 387번(『정집』 44)

1 『쇼쿠고센와카슈』 고토바가키는 '제목 미상(題知らず)'으로, 『정집』에는 '가
  을(秋)'로 되어 있다.
2 苫: 뜸. 사초나 억새를 거적처럼 엮어 만든 물건이다.
3 露: '이슬(露 tsuyu)'과 '전혀(조금도)'라는 뜻을 지닌 중의적 표현이다.
4 いやは: 'い(i)'는 수면(睡眠), 'やは(yawa)'는 반어의 뜻이다.

33.

無題

기구한 몸인
내게만 찾아오는
가을 아닌데
사소한 모든 것에
까닭 모를 서글픔

無題[1]

うしと思ふ	u-si-to-o-mo-o
わが身は秋[2]に	wa-ga-mi-wa-a-ki-ni
あらねども	a-ra-ne-do-mo
万につけて	yo-ro-zu-ni-tsu-ke-te
物ぞかなしき	mo-no-zo-ka-na-si-ki

....

出典 : (『정집』 42)

1 『정집』 고토바가키는 '가을(秋)'로 되어 있다.
2 秋: '가을(秋 aki)'과 '싫증(飽き aki)'의 뜻을 지닌 중의적 표현이다. 연인이
   자신에게 염증을 낸다는 의미와, 연인이 그리워지는 가을이 시작되었음을
   함의한다. 따라서 이 노래는 적적함이 더해 가는 가을은 연인이 내게 싫증을
   내어 마음이 멀어진 것도 아닌데 이유 없이 서글퍼진다는 노래로도 이해할
   수 있다.

34.

無題

가을바람은
대체 어떤 빛깔로
불어오기에
몸에 물이 들 만큼
서글퍼지는 걸까

無題[1]

秋ふくは	a-ki-hu-ku-wa
いかなる色の	i-ka-na-ru-i-ro-no
風なれば[2]	ka-ze-na-re-ba
身にしむ[3]ばかり	mi-ni-si-mu-ba-ka-ri
哀れなるらん	a-wa-re-na-ru-ra-n

出典：『시카와카슈』秋 109번(『정집』, 133, 869)

1 『시카와카슈』 고토바가키는 '제목 미상(題知らず)'으로, 『정집』에는 '바람(風)'으로 되어 있다.

2 いかなる色の/ 風なれば:『정집』869번에는 'いかなる風の/ 色なれば'로 되어 있다.

3 身にしむ: 'しむ(染む simu)'는 '어떤 빛깔이 스미거나 옮아서 물들다. 마음에 스미다(깊이 느끼다)'는 두 개 이상의 어휘적 의미를 가진 말이다. 가을바람이 몸에 스며들어 물든다는 것은 바람에도 색깔이 있다는 말이 되는데

이는 'しむ'의 다의성(多義性)을 살린 논리라 할 수 있을 것이다. 한편 이 노래와 달리 겨울 노래에 '부는 바람은/ 색은 안 보이지만/ 겨울이 오면/ 홀로 잠드는 이 밤/ 온몸에 사무치네(吹く風は/ 色も見えねど/ 冬来れば/ ひとりぬる夜の/ 身にしみける『고센와카슈』449)'라는 작자 미상의 작품도 있다.

35.

無題

이 밤 날 보러
온단 사람 없지만
가을밤이면
달을 보지 않은 채
누워 잘 생각 없네

無題[1]

たのめたる[2]	ta-no-me-ta-ru
人はなけれど	hi-to-wa-na-ke-re-do
秋の夜は	a-ki-no-yo-wa
月みで[3]寝べき	tsu-ki-mi-de-nu-be-ki
心ちこそせね	ko-ko-chi-ko-so-se-ne

出典:『신고킨와카슈』秋上 408번(『정집』56)

1 『신고킨와카슈』 고토바가키는 '제목 미상(題知らず)'으로,『정집』에는 '가을 (秋)'로 되어 있다.

2 たのめたる: '보러 온다고 약속한'이라는 뜻이다.

3 月みで: '달을 보지 않고서'라는 뜻으로『정집』도 동일한 내용으로 되어 있는데 반해『신고킨와카슈』에는 '月みて(tsukimite 달을 보고서)'로 되어 있다. 내용면으로는 전자의 '月みで'라는 표현이 온당하다고 판단된다.
달과 연인이 조합된 노래는 대개 연인을 기다리는 마음을 숨긴 채 주위 사

람들에게는 달을 감상할 목적으로 일어나 있다는 내용이 일반적이다. 예를 들면, '사람들에겐/ 산 위로 뜨는 달을/ 기다린다고/ 말해 놓고선 당신/ 오기만 기다리네(あしひきの/ 山より出づる/ 月待つと/ 人には言ひて/ 君をこそ待て 『슈이와카슈』 782)'라는 노래이다. 한편 이즈미시키부도 자신을 만나러 오겠다고 약속한 남자를 기다리다 속절없이 날이 새자 그 남자에게 '밤중에라도/ 져 버릴지 모르는/ 벚꽃 때문에/ 근심하는 체하며/ 지난 밤 지새웠네(夜のほ ども/ うしろめたなき/ 花の上を/ 思ひがほにて/ 明かしつるかな 『정집』 181)'이 라는 노래를 지어 보낸 적도 있다.

36.

無題

기러기 날며
우는 소리에 밖을
내어다 보니
온 세상 나뭇가지
어느새 물들었구나

無題[1]

雁が音の	ka-ri-ga-ne-no
きこゆるなべに[2]	ki-ko-yu-ru-na-be-ni
みわたせば	mi-wa-ta-se-ba
四方の木末も	yo-mo-no-ko-zu-e-mo
色付きにけり	i-ro-zu-ki-ni-ke-ri

....
出典:『후가와카슈』秋中 550번(『정집』 47)

1 『후가와카슈』 고토바가키는 '가을노래 가운데(秋歌の中に)'로, 『정집』에는 '가을(秋)'로 되어 있다.

2 なべに: 『후가와카슈』와 『정집』 모두 'なへに(naeni)'로 되어 있다. 어떤 일과 동시에 다른 일이 벌어지는 현상을 뜻하는 '… 함에 따라'라는 의미다. 이러한 표현이 사용된 노래에 '기러기들이/ 울기 시작하면서/ 곱디고운 빛/ 다쓰타 산에도/ 단풍 물들었구나(かりがねの/ 鳴きつるなへに/ 唐衣/ 竜田の山は/ もみぢしにけり『고센와카슈』 359)'라는 노래가 있다. 이처럼 가을이 깊어갈 즈음 시베리아로부터 일본으로 건너와 애절한 소리로 우는 기러기는 주로 단풍과 함께 가을 노래에 곧잘 등장한다.

37.

나팔꽃을

살아 있대도
영원한 건 아니니
허무한 세상
이치 알려 주는 건
아침나절 나팔꽃

朝がほを[1]

ありとしも[2]	a-ri-to-si-mo
たのむべきかは	ta-no-mu-be-ki-ka-wa
世の中を	yo-no-na-ka-wo
しらする物は	si-ra-su-ru-mo-no-wa
朝がほの花[3]	a-sa-ga-o-no-ha-na

....

出典 : 『고슈이와카슈』秋中 317번(『정집』 55)

1 『고슈이와카슈』 고토바가키는 '나팔꽃을 읊은 노래(朝顔をよめる)로, 『정집』
  에는 '가을(秋)'로 되어 있다.

2 ありとしも: 'しも(simo)'는 선행하는 말뜻을 강조하는 조사이다. 『정집』에는
  'ありとても(aritotemo 살아 있더라도)'로 되어 있다.

3 朝がほの花: 가을 들판에 피는 7종류 화초가운데 하나이다. 『만요슈』에서는
  싸리, 참억새, 칡, 패랭이꽃, 마타리, 등골나무, 아사가오(朝顔asagao) 등이
  이에 속한다. 이 중에서 중세 시대 이전까지 '아사가오'는 아침에 피었다

저녁에 시드는 식물을 총칭하던 말이다. 따라서 나팔꽃, 도라지, 무궁화 등이 모두 이에 해당하므로 어떤 꽃을 가리키는지 불명확하다. 이후 근세 시대부터 나팔꽃을 지칭하게 되었는데, 이 책에서도 이에 따랐다.

38.

안개를

마음 한가득
까닭 모를 서글픔
가을 안개가
내 마음속에서도
피어오른 탓일까

霧を[1]

晴れずのみ	ha-re-zu-no-mi
ものぞかなしき	mo-no-zo-ka-na-si-ki
秋霧[2]は	a-ki-gi-ri-wa
心のうちに	ko-ko-ro-no-u-chi-ni
立つにやあるらむ	ta-tsu-ni-ya-a-ru-ra-n

出典:『고슈이와카슈』秋上 293번(『정집』 57)

1 『고슈이와카슈』 고토바가키는 '제목 미상(題知らず)'으로, 『정집』에는 '가을
  (秋)'로 되어 있다.

2 秋霧: 안개는 대기 중의 수증기가 응결하여 지면이나 수면 가까이에 작은
  물방울이 떠 있어 연기처럼 보이는 자연현상이다. 이를 고대 일본에서는
  계절에 관계없이 '霞(kasumi)'라 불렀다. 하지만 헤이안 시대 이후 봄에 발생
  하는 안개는 '春霞(harugasumi)', 가을에 발생하는 안개는 '秋霧(akigiri)'로
  구분해서 부르게 되었다. 이는 후대에도 이어져 5/ 7/ 5음 17글자로 이루어

진 하이쿠(俳句)에서 계절감을 나타내는 말인 계어(季語)로도 정착하였다. 봄 안개(春霞)는 주로 먼 산에 핀 벚꽃을 감추는 베일에 비유되었으며, 가을철의 짙은 안개(秋霧)는 울적한 마음을 형상화하였다.

39.

풀벌레가 울기에

> 가을 풀벌레
> 각기 다른 소리로
> 우는 까닭은
> 마음속 서로 다른
> 슬픔 있어서인가

むしの歌よみしに[1]

鳴く[2]虫の	na-ku-mu-si-no
ひとつ声[3]にも	hi-to-tsu-ko-e-ni-mo
きこえぬは	ki-ko-e-nu-wa
心々に	ko-ko-ro-go-ko-ro-ni
ものやかなしき	mo-no-ya-ka-na-si-ki

....

出典:『시카와카슈』秋 120번(『정집』137, 870)

1 『시카와카슈』고토바가키는 '제목 미상(題知らず)'으로, 『정집』에는 '벌레
　(むし)'로 되어 있다.

2 鳴く: 벌레가 울다(鳴く naku)와, 사람이 울다(泣く naku)의 뜻을 지닌 중의적
　표현이다.

3 ひとつ声: '한목소리로'라는 뜻으로, 4구의 '서로 다른(心々に)이라는 말과
　대비를 이룬다. 이 노래는 헤이안 시대 귀족이자 가인인 후지와라노 도시유
　키(藤原敏行 ?~907)가 읊은 '가을밤이면/ 날 새는 줄 모른 채/ 우는 풀벌레/

나처럼 왠지 모를/ 슬픔 때문인 걸까(秋の夜の/ 明くるもしらず/ なく虫は/ わがごと物や/ 悲しかるらむ)'라는 노래를 염두에 둔 것으로 보인다. 다만 이즈미시키부는 풀숲에서 들리는 귀뚜라미와 방울벌레들의 각기 다른 울음소리를 듣고서 그들도 인간처럼 저마다 각기 다른 슬픔을 품고 있을 것이라고 파악한 점에서 기존 영법과는 차별화된다. 세상 일반에 대한 그녀의 폭넓은 공감능력과 섬세함이 더해진 작품이라 할 수 있을 것이다.

40.

無題

방울벌레가
목청껏 울어대는
가을밤이면
서글픔 차올라와
눈물짓는 일 늘어

無題[1]

鈴虫の	su-zu-mu-si-no
声ふりたつる[2]	ko-e-hu-ri-ta-tsu-ru
秋の夜は	a-ki-no-yo-wa
哀れにものの	a-wa-re-ni-mo-no-no
なり[3]まさるかな	na-ri-ma-sa-ru-ka-na

出典 : 『교쿠요와카슈』 秋上 608번(『정집』 48)

1 『교쿠요와카슈』 고토바가키는 '제목 미상(題知らず)'으로, 『정집』에는 '가을
  (秋)'로 되어 있다.
2 ふりたつる: '목청껏 울어대다'와, '방울을 열심히 흔들어대다'의 뜻을 지닌
  중의적 표현이다.
3 なり: '…이 되다(成り nari)'와, '울다(鳴り nari)'의 동음이의어로 중의적 표현
  이다.

41.

無題

　　　그 사람에게
　　　보이고 들려주고파
　　　싸리꽃 붉게
　　　물든 저녁 노을빛
　　　쓰르라미 소리를

無題[1]

　　　人もがな[2]　　　　　　hi-to-mo-ga-na
　　　みせもきかせも[3]　　　mi-se-mo-ki-ka-se-mo
　　　萩が花　　　　　　　　ha-gi-ga-ha-na
　　　さく夕かげの　　　　　sa-ku-yu-u-ka-ge-no
　　　日ぐらしの声　　　　　hi-gu-ra-si-no-ko-e

· ·
出典 :『센자이와카슈』秋上 247번(『정집』 50)

1 『센자이와카슈』고토바가키는 '제목 미상(題知らず)'으로,『정집』에는 '가을
(秋)'로 되어 있다.

2 人もがな: 'もがな(mogana)'는 실현되기 어려운 꿈이나 기대가 실제로 이루
어지기를 간절히 바라는 마음을 나타내는 종조사이다. 직역하면 '사람이 있
었으면 좋겠다'는 뜻으로 주어와 술어가 도치된 문장이다. 아름다운 풍경과
풀벌레 소리를 함께 공유하고 감상할 상대가 없음을 한탄한 것이다.

3 みせもきかせも:『정집』에는 '見せん聞かせん(misenkikasen 보이고파 들려주

고파)'으로 되어 있다. 한편 나라 시대(奈良時代 710~784) 가인인 오토모노 야카모치(大伴家持 717~785)는 '마당 앞뜰에/ 싸리꽃 피어 있는/ 저녁노을에/ 지금 당장 보고파/ 어여쁜 그녀 모습(わが宿の/ 萩の花咲く/ 夕かげに/ 今も見てしか/ 妹が姿を『古今六帖 kokinrokuzyou』 3636)이라는 노래를 읊었다. 홍자색 싸리꽃이 피어나고 쓰르라미의 아련한 울음소리가 정취를 더하는 해질녘이면 사랑하는 사람이 그리워진다는 면에서 일맥상통하지만, 이즈미시키부의 노래는 그러한 사람의 부재를 읊고 있어 서글픔이 배가된다.

42.

9월 마지막 날, 싸리나무 가지에 곁들여 그 사람에게 보낸 노래

> 언젠가 끝날
> 우리 사이 덧없이
> 끝나더라도
> 눈물에 젖은 내게
> 편지라도 해 주오

八月晦日に萩のえだにつけて人のもとにつかはしける[1]

かぎりあらむ	ka-gi-ri-a-ra-n
中ははかなく	na-ka-wa-ha-ka-na-ku
なりぬとも	na-ri-u-to-mo
露けき萩の	tsu-yu-ke-ki-ha-gi-no
上をだにとへ[2]	u-e-wo-da-ni-to-e

出典 : 『고슈이와카슈』 秋上 299번(『정집』 765)

1 『정집 고토바가키는 '9월말 그 사람에게 싸리나무 가지에 묶어 보낸 노래(八月晦、人のもとに、萩につけて)'로 되어 있다. 원문의 8월은 음력이므로 현재의 9월에 해당한다.

2 露けき萩の/ 上をだにとへ: 찾아오지 않는 임을 기다리다 이별을 예감하면서 눈물짓고 있는 자신을 '이슬에 젖은 싸리 입장'에 빗댄 것이다.

43.

음력 9월 9일

그대 살아갈
천추만세 시작인
구월 중양절
오늘 불로장생 빌며
축원의 국화 뜯네

九月九日[1]

君が経む	ki-mi-ga-he-n
千世のはじめの	chi-yo-no-ha-zi-me-no
長月の	na-ga-tsu-ki-no
けふ九日の	kyo-u-ko-ko-nu-ka-no
菊[2]をこそつめ	ki-ku-wo-ko-so-tsu-me

. . . .

出典 : (『정집』 150)

1 『정집』 고토바가키는 '9일(九日)'로 되어 있다.
2 菊: 나라(奈良 710~784년) 시대부터 궁중에서는 음력 9월 9일 중양절에 국화를 감상하는 연회를 베풀었다. 이 날 아침 사람들은 국화꽃 위에 얹어 두어 이슬을 흡수한 면포(이 면포로 얼굴을 닦으면 젊어진다는 속신이 있었다)와 국화꽃을 선물하면서 상대방의 불로장생을 기원하는 노래를 함께 보냈다.

44.

10월 새벽달을 바라보며

지금 나처럼
당신도 보고 있을
9월 긴긴 밤
새벽까지 뜬 달은
애수哀愁의 극치여라

長月の有り明けのそらをながめて

われならぬ   wa-re-na-ra-nu

人もさぞみむ   hi-to-mo-sa-zo-mi-n

長月[1]の   na-ga-tsu-ki-no

有り明けの月に   a-ri-a-ke-no-tsu-ki-ni

しるし[2]哀れは   si-ru-si-a-wa-re-wa

出典:『쇼쿠고센와카슈』秋下 446번(『정집』 897 ·『이즈미시키부 일기』)

1 長月: 음력 9월의 별칭이다.

2 しるし: 말의 의미가 불명확하다. 다만『쇼쿠고센와카슈』를 비롯하여『정집』
과『이즈미시키부 일기』에는 'しかじ(sikazi)'로 되어 있어 이에 따라 해석하
였다. 'しかじ'는 '及く(siku. 필적하다, 미치다)'라는 동사의 미연형(未然形)
에, 부정 의지의 뜻을 더하는 조동사 'じ(zi)'가 접속하여 '…에 못 미치다,
필적하지 못하다'는 말로 여기서도 이에 따라 해석하였다.

45.

산촌에 잠시 머물러 있었는데 시름에 잠긴 무렵이었기에

> 어찌 사람이
> 와 보려 하겠는가
> 덜기는커녕
> 시름 더 깊게 하는
> 이 가을 산촌

山里にあからさまにまかりて侍りけるに、もの思ふころにて侍りければ[1]

何しかは[2]	na-ni-si-ka-wa
人も[3]きてみむ	hi-to-mo-ki-te-mi-n
いとどしく	i-to-do-si-ku
もの思ひそふる[4]	mo-no-o-mo-i-so-u-ru
秋の山里[5]	a-ki-no-ya-ma-za-to

....

出典 : 『고슈이와카슈』 秋上 334번(『정집』 777)

1 『정집』 고토바가키는 '상심에 젖어있을 무렵, 산사에서 집으로 돌아오기 직전에(物思ふ頃、山寺にて、帰るとて)'로 되어 있다.

2 何しかは: 어조를 고르거나 의미를 강조하는 부조사 'し(si)'에, 반어(反語)의 뜻을 지닌 조사 'かは(kawa)'가 접속한 말로 '어찌 …하겠는가, 그럴 일은 없다'는 뜻이다.

3 人も: 『정집』에는 '又は(matawa 다시)'로 되어 있다.

4 そふる: 『정집』에는 '增さる(masaru 많아지다)'로 되어 있다.

5 秋の山里: 『정집』에는 '秋山寺に(akiyamaderani 가을날의 산사에)'로 되어 있다.

46.

가을 끝 무렵에

> 가을 끝났다
> 작별 고하며 가는
> 들녘의 모초茅草
> 나 싫다 떠난 사람
> 마음을 닮았구나

秋のくれに¹

秋はてて²	a-ki-ha-te-te
今はとかなし³	i-ma-wa-to-ka-na-si
浅茅原⁴	a-sa-zi-ha-ra
人の心に	hi-to-no-ko-ko-ro-ni
似たる物かな	ni-ta-ru-mo-no-ka-na

· · · · · · · · · · · · · · · ·

出典 : (『정집』 62)

1 『정집』 고토바가키는 '겨울(冬)'로 되어 있다.

2 秋はてて: '가을(秋 aki)이 완전히 끝나고'와 '완전히 염증(飽き aki)을 느끼고'의 뜻을 지닌 중의적 표현이다.

3 かなし: 『정집』에는 'かるる(karuru)'로 되어 있다. 'かるる'는 '시들다(枯るる)'와 '멀어져 가다(離るる)'의 동음이의어로 중의적 표현인데, 여기서는 이에 따라 해석하였다.

4 浅茅原: 모초로 가득한 들판을 말한다. 모초는 볏과의 여러해살이풀로 물가

에 군생(群生)한다. 5, 6월에 은백색 비단 털이 줄기 끝에 달리며 가을에는 누렇게 변하는데, 이처럼 변색된다는 점에서 와카에서는 곧잘 연인의 변심에 비유되곤 한다. 또한 '모초(浅茅 asazi)'는 '얕다(浅し asasi)'의 동음이의어로 애정이 깊지 않은 사람을 함의한다.

겨울
冬

47.

無題

앞산에 있는
덩굴 줄사철나무
겨울이 되니
깊은 산까지 단풍
짙게 물들었어라

無題¹

外山なる	to-ya-ma-na-ru
まさきのかづら²	ma-sa-ki-no-ka-zu-ra
冬くれば	hu-yu-ku-re-ba
深く³も色の	hu-ka-ku-mo-i-ro-no
なりまさるかな	na-ri-ma-sa-ru-ka-na

· ·

出典 : 『쇼쿠고센 와카슈』 冬歌 459번(『정집』 64)

1 『쇼쿠고센와카슈』 고토바가키는 '제목 미상(題知らず)'으로, 『정집』에는 '겨울(冬)'로 되어 있다.

2 まさきのかづら: 만초(蔓草)의 한 종류. 협죽도과(夾竹桃科)의 덩굴식물인 줄사철나무로 줄기가 다른 물체에 달라붙어 자라며 다른 나무들과 달리 초여름과 초겨울 두 차례에 걸쳐 단풍이 든다.

3 深く: '(색이) 짙게'라는 말에 '산속 깊이'를 함의한다. 이 노래는 '깊은 산중에/ 싸락눈 내리는 듯해/ 앞산에 있는/ 덩굴 줄사철나무/ 물들어버렸구나(深山には/ あられ降るらし/ 外山なる/ まさきの葛/ 色づきにけり『고킨와카슈』 1077)'를 염두에 둔 작품이다.

48.

無題

앞산에 부는
사나운 바람 소리
듣고 있자니
벌써부터 한겨울
혹독함 짐작되네

無題[1]

外山[2]ふく   to-ya-ma-hu-ku
あらしの風の   a-ra-si-no-ka-ze-no
音きけば   o-to-ki-ke-ba
まだきに[3]冬の   ma-da-ki-ni-hu-yu-no
奥[4]ぞしらるる   o-ku-zo-si-ra-ru-ru

· ·

出典 : 『센자이와카슈』 冬 396번(『정집』 302, 392)

1 『센자이와카슈』 고토바가키는 '제목 미상(題知らず)'으로, 『정집』에는 '観身額岸離根草、論命江頭不繫舟'로 되어 있다. 이는 중국 시인 라유(羅維)가 지은 한시로 '우리네 처지를 곰곰이 생각하면 뿌리가 끊겨 물가를 떠다니는 풀처럼 덧없고, 사람 목숨을 논하자면 강가에 매어 두지 않은 나룻배처럼 불안하다'는 뜻이다. 이를 후지와라 긴토(藤原公任)가 『和漢朗詠集 wakanroueisyu』라는 시가집에 '무상(無常)'이라는 주제에 수록하고, 이즈미 시키부가 다시 'みをくわんずればきしのひたひにねをはなれたるくさ、いのち

をろ(ん)ずればえのほ**と**りにつながざるふね(43글자)'라 훈독하여 한 글자씩 와카 첫 머리에 차례로 얹어 43수의 연작시를 지은 것이다. 이 중 상기 노래는 서른네 번째 글자인 '**と**(to)'로 시작된 노래다.

『정집』에는 43수(269번~311번)가 전부 수록되어 있는데 이 가운데 무려 11수나 역대 칙찬 와카집에 선정된다. 이런 점에서 이 연작시가 오랜 세월에 걸쳐 높이 평가되고 많은 사람들에게 꾸준히 애송되었음을 알 수 있다. 이 책에는 상기 노래 외에 50, 62, 93, 197, 217, 218, 220, 243, 266번 등 총 10수가 수록되어 있다.

2 外山: 마을에서 가까이에 위치한 산을 말하며, 반의어는 '奧山(okuyama 심산)'다.

3 まだきに: 이제 막 겨울이 시작된 지금부터.

4 冬の/ 奧: 깊은 겨울의 심한 추위인 엄동설한의 시기를 말하며, 앞의 '앞산(外山)'과 대비되는 말이다.

49.

無題

이 세상에서
좀 더 살아 볼까나
찬비 내리는
검은 구름 사이로
달 뜬다 생각하니

無題[1]

世の中に	yo-no-na-ka-ni
なほもふる[2]かな	na-o-mo-hu-ru-ka-na
しぐれ[3]つつ	si-gu-re-tsu-tsu
雲間の月の	ku-mo-ma-no-tsu-ki-no
いでや[4]と思へば[5]	i-de-ya-to-o-mo-e-ba

出典 : 『신고킨와카슈』冬 583번(『정집』63)

겨울비 내리는 먹구름 사이로 뜬 달을 보고 싶으니 이 세상에서 좀 더 살아가
겠다는 표면적인 의미에 머물지 않는 노래이다. 달은 중생의 미망을 깨우치는
진여의 이치를 비유한 진여월(眞如月)로, '구름'은 번뇌나 미망의 뜻으로 풀이
할 수 있다. 따라서 번뇌와 미망으로 가득 찬 자신의 일생이지만 살아가노라면
부처님의 진리를 깨달아 구원을 받을 수도 있다는 의미로도 감상할 수 있을
것이다.

1 『신고킨와카슈』 고토바가키는 '제목 미상(題知らず)'으로, 『정집』에는 '겨울

(冬)'로 되어 있다.

2 ふる: 비가 '내리다(降る huru)'와, 세월을 '보내다(經る huru)'의 뜻을 지닌 중의적 표현이다.

3 しぐれ: 늦가을부터 초겨울에 걸쳐 오다 말다 하는 찬비로, '눈물짓다'를 함의한다.

4 いでや: '자, 이제'라는 뜻의 '이데(いで)'와 '달이 뜨다(出で)'의 뜻을 지닌 중의적 표현이다.

5 思へば: 『신고킨와카슈』에는 '思へど(omoedo 생각하지만)'로 되어 있다.

50.

無題

들녘을 보니
억새 아래 기생하는
야고 풀들이
어느덧 시들어지는
겨울 돼 버렸구나

無題[1]

野べみれば	no-be-mi-re-ba
尾花が本の	o-ba-na-ga-mo-to-no
思ひ草[2]	o-mo-i-gu-sa
かれゆく[3]冬に	ka-re-yu-ku-hu-yu-ni
なりぞしにける	na-ri-zo-si-ni-ke-ru

....
出典 : 『신고킨와카슈』 冬 624번(『정집』 277)

1 『신고킨와카슈』 고토바가키는 '제목 미상(題知らず)'으로, 『정집』에는 '観身
額岸離根草、論命江頭不繫舟'로 되어 있다(이 책 48번 노래 각주 참조). 이
중 상기 노래는 9번째 'の no'로 시작된 작품이다.

2 思ひ草: 억새 뿌리에 기생하는 한해살이풀인 야고로, 동음이의어인 '근심
거리(思い種omoigusa)'를 함의한다. 이 노래에 선행하는 작품에 '길섶의 억
새/ 그늘에 기생하는/ 생각하는 풀/ 야고처럼 이제와/ 또 고민하진 않네(道
の辺の/ 尾花が下の/ 思ひ草/ 今更々に/ 何をか思はむ『만요슈』 2270)'라는

노래가 있다.

3 かれゆく: 초목이 '점점 시들다(枯れゆく kareyuku)'와, 사이가 '점점 멀어지다(離れゆく kareyuku)'의 뜻을 지닌 중의적인 표현이다.

51.

無題

무리 부르는
항구 물떼새 소리
맑게 퍼지고
언 물 위로 비치는
청징한 새벽 달빛

無題[1]

友さそふ[2]	to-mo-sa-so-u
みなとの千鳥	mi-na-to-no-chi-do-ri
声すみて	ko-e-su-mi-te
氷にさゆる[3]	ko-o-ri-ni-sa-yu-ru
明けがたの月	a-ke-ga-ta-no-tsu-ki

出典 : 『쇼쿠센자이와카슈』 冬 632번

1 『쇼쿠센자이와카슈』 고토바가키는 '제목 미상(題知らず)'으로 되어 있다.
2 友さそふ: 물떼새 울음소리를 자기 무리를 부르는 소리로 표현하였다.
3 氷にさゆる: 얼음 위로 교교한 달빛이 차갑게 비친다는 뜻이다. 'さゆる(冴ゆ
る sayuru)'는 '냉랭하다(얼다)'와 '청징하다'라는 뜻을 지닌 중의적 표현이다.

52.

無題

저 멀리 보니
나무 태워 숯 굽는
더운 열기로
눈 녹은 오하라 산大原山
얼룩져 얼룩덜룩

無題[1]

みわたせば[2]	mi-wa-ta-se-ba
まき[3]の炭やく	ma-ki-no-su-mi-ya-ku
気をぬるみ	ki-wo-nu-ru-mi
大原山[4]の	o-o-ha-ra-ya-ma-no
雪のむらぎえ	yu-ki-no-mu-ra-gi-e

....
出典 :『고슈이와카슈』冬 414번(『정집』 72)

1 『고슈이와카슈』고토바가키는 '제목 미상(題知らず)'으로, 『정집』에는 '겨울 (冬)'로 되어 있다.

2 みわたせば: 『고슈이와카슈』에는 'こりつめて(koritsumete 장작을 잘라 모 아)'로 되어 있다.

3 まき: 한자로는 '真木'인데 목재로 적합한 삼나무와 노송나무를 두루 일컫는다.

4 大原山: 교토 시 사쿄 구(左京区) 오하라(大原)에 있는 산으로, 니시쿄 구 (西京区)에 위치한 오하라야마(大原山)와는 다른 곳이다.

53.

無題

> 기다리는 임
> 지금 당장 오면은
> 어떻게 하나
> 차마 밟기 아까운
> 앞마당 흰 눈이여

無題[1]

待つ人の	ma-tsu-hi-to-no
いまもきたらば	i-ma-mo-ki-ta-ra-ba
いかがせん	i-ka-ga-se-n
踏ままく[2]惜しき	hu-ma-ma-ku-o-si-ki
庭の雪かな	ni-wa-no-yu-ki-ka-na

··

出典:『시카와카슈』 冬 158번(『정집』 171·『속집』 1468)

1 『시카와카슈』 고토바가키는 '제목 미상(題知らず)'으로, 『정집』에는 '앞마당
에 쌓인 눈(庭の雪)'으로 되어 있다.

2 踏ままく: '마쿠(maku)'는 추량의 조동사 'む(mu)'의 'く(ku)'어법. 'く'는 활용
어에 붙어 체언에 준하는 어휘로 만드는 조사이다. 이는 활용어의 연체형(連
体形)에 '…일(事), …점(所)'을 뜻하는 명사인 '아쿠(aku. あくがるakugaru의
아쿠aku)'가 접속된 것이다. '아쿠'가 접속하면서 두 개의 모음이 이어지면,
한쪽 모음이 탈락되든지 또는 두 개의 모음이 결합하여 다른 모음을 만들어
낸다는 설에 근거한다. 상기 노래는 전자의 경우로, 踏マム(humamu)+あく
(aku) → 踏ままく(humamaku 밟는 일)로 된 것이다.

54.

無題

상념에 잠겨
지내노라면 짧은
겨울 한낮도
긴 봄날을 여러 날
보낸 듯이 길구나

無題[1]

つれづれと	tsu-re-zu-re-to
ながめくらせば	na-ga-me-ku-ra-se-ba
冬の日も	hu-yu-no-hi-mo
春の幾日に	ha-ru-no-i-ku-ka-ni
おとらざりけり[2]	o-to-ra-za-ri-ke-ri

....

出典 : 『교쿠요와카슈』 雜一 2028번(『정집』164 · 『속집』1461)

1 『교쿠요와카슈』 고토바가키는 '음력 10월경, 어찌할 도리가 없는 상념에 젖
　어 읊은 노래(十月ばかりつれづれなりければよみ侍りける)'로, 『정집』에는
　'속절없는 상념(つれづれのながめ)'으로 되어 있다.
2 おとらざりけり: 『정집』과 『속집』에는 모두 'ことならぬかな(kotonaranukana 다
　르지가 않구나)'로 되어 있다.

55.

無題

헤아려보니
올해도 얼마 남지
않았구나
나이 드는 것만큼
서글픈 일은 없어

無題[1]

かぞふれば	ka-zo-u-re-ba
年の残り[2]も	to-si-no-no-ko-ri-mo
なかりけり	na-ka-ri-ke-ri
老いぬるばかり	o-i-nu-ru-ba-ka-ri
かなしきはなし	ka-na-si-ki-wa-na-si

出典 : 『신고킨와카슈』 冬歌 702번(『정집』79)

1 『신고킨와카슈』 고토바가키는 '한 해가 끝날 무렵, 나이가 들어 늙어짐을 한탄하며 읊은 노래(年の暮に、身の老いぬることを歎きてよみ侍りける)'로, 『정집』에는 '겨울(冬)'로 되어 있다.

2 年の残り: '남아 있는 한 해'라는 말에 '남아 있는 수명'을 함의한다. 한 해의 남겨진 날들을 헤아리며 자신에게 주어진 하루하루를 또렷이 의식하게 된다는 것은 나이가 들었다는 것을 의미한다. 한 해의 끝자락에서 생의 남은 시간들을 헤아리는 자신에게서 늙어짐을 확인하며 비애를 느낀다.

사랑

恋

56.

無題

임과의 만남
나의 생명줄인데
임 오지 않아
끊기려는데 어찌
슬프지 않으리오

無題[1]

逢ふことを	o-o-ko-to-wo
玉の緒にする	ta-ma-no-o-ni-su-ru
身にしあれば	mi-ni-si-a-re-ba
たゆる[2]をいかが	ta-yu-ru-wo-i-ka-ga
哀れと思はん[3]	a-wa-re-to-o-mo-wa-n

··
出典：『신쵸쿠센와카슈』恋四 934번(『정집』89)

1 『신쵸쿠센와카슈』 고토바가키는 '제목 미상(題知らず)'으로,『정집』에는 '사랑(恋)'으로 되어 있다.
2 たゆる: '왕래가 끊기다'는 말에 '생명줄이 끊기다'를 함의한다.
3 哀れと思はん:『정집』에는 '悲しと思はぬ kanasitoomowanu 슬프다 생각지 않네)'로 되어 있다.

57.

無題

상관없어라
먼 곳에 있더라도
한밤중 뜨는
산 능선 위 달처럼
바라볼 수만 있다면

無題[1]

さもあらばあれ	sa-mo-a-ra-ba-a-re
雲井乍らも	ku-mo-i-na-ga-ra-mo
山の端に	ya-ma-no-ha-ni
出でぬる夜半の[2]	i-de-nu-ru-yo-wa-no
月とだにみば	tsu-ki-to-da-ni-mi-ba

出典 : 『신쵸쿠센와카슈』恋五 957번(『정집』85)

1 『신쵸쿠센와카슈』 고토바가키는 '제목 미상(題知らず)'으로, 『정집』에는 '사랑(恋)'으로 되어 있다.

2 出でぬる夜半の : 『신쵸쿠센와카슈』에는 '出で入る宵の(ideiruyoino 뜬 초저녁 달처럼)'로, 『정집』에는 '出でいる夜の(ideiruyoruno 뜬 밤중 달처럼)'로 되어 있다.

58.
無題

검은 머리칼
엉망 되도록 울며
누워 있자니
맨 먼저 머리 만져준
그 사람이 그리워

無題[1]

黒髪の   ku-ro-ka-mi-no
みだれもしらず   mi-da-re-mo-si-ra-zu
うちふせば   u-chi-hu-se-ba
まづかきやりし   ma-zu-ka-ki-ya-ri-si
人ぞ恋しき[2]   hi-to-zo-ko-i-si-ki

出典:『고슈이와카슈』恋三 755번(『정집』86)

1 『고슈이와카슈』고토바가키는 '제목 미상(題知らず)'으로,『정집』에는 '사랑
(恋)'으로 되어 있다.

2 黒髪の…人ぞ恋しき: 이즈미시키부의 대표작으로 손꼽히는 작품 가운데 하
나다. 그런데 검은 머리카락이 헝클어진 이유에 대해서는 두 가지 해석이
있다. 먼저 요사노 아키코(与謝野晶子)는 '머리카락이 흐트러지는 것도 아
랑곳 하지 않고 슬픔에 젖어 엎드려 울고 있으면 가장 먼저 매만져 주었던
그 사람이 그리워'라고 해석하였다. 또한 그 남자를 첫 남편 다치바나노 미

치사다(橘道貞)라고 상정하였다. 이에 대해 데라다 토루(寺田透)와 시노즈카 스미코(篠塚純子)는 열렬한 정사(情事)를 나눈 뒤 흐트러진 머리가 자기 몸을 휘감아 싼 상태에서 머리를 쓰다듬어 주며 자기 얼굴을 들여다보는 남자의 모습이 사랑스럽다는 노래로 해석하였다. 또한 시노즈카 스미코(篠塚純子)는 남녀가 격렬하게 사랑을 나눈 뒤의 환희를 공유하면서 이어지는 생생한 감동을 여체(女體)로 표현한 것이라는 견해를 덧붙였다.

31자로 이루어진 노래 한 수를 둘러싼 해석의 폭이 넓고 탄력적이다. 과거의 사랑인지, 아니면 현재의 사랑인지. 첫사랑에 대한 기억의 소환과 상실감인지, 아니면 현재의 충만한 사랑의 감동인지. 이들 상반된 해석 가운데 어떤 식으로 감상할지는 오롯이 독자의 몫으로 남겨둔다. 이 같은 감상 포인트의 다양한 가능성은 이즈미시키부 노래의 또 다른 매력이라 할 수 있을 것이다. 한편 후지와라 데이카(藤原定家 1162~1241)는 이 노래를 토대로 하여 '매만져 주던/ 그 검은 머리카락/ 한 가닥까지/ 누우면 선명하게/ 그 모습 떠오르네(かきやりし/ その黒髪の/ すぢごとに/ うちふすほどは/ 面影ぞ立つ 『신고킨와카슈』 1390)'라는 작품을 남겼다.

59.

無題

눈물의 강물
같은 한 몸 안에서
흐르는데도
사랑의 불길만은
끄지 못하는구나

無題[1]

涙川[2]	na-mi-da-ga-wa
同じ身よりは	o-na-zi-mi-yo-ri-wa
流るれど[3]	na-ga-ru-re-do
恋[4]をば消たぬ	ko-i-wo-ba-ke-ta-nu
物にぞありける	mo-no-ni-zo-a-ri-ke-ru

出典:『고슈이와카슈』恋四 802번(『정집』93)

1 『고슈이와카슈』고토바가키는 '제목 미상(題知らず)'으로,『정집』에는 '사랑(恋)'으로 되어 있다.

2 涙川: 하염없이 흐르는 눈물을 강물에 비유한 것이다.

3 同じ身よりは/ 流るれど: 사랑의 괴로움에 흘리는 눈물도, 연인을 향해 불타오르는 뜨거운 사랑도 모두 같은 한 몸 안에서 비롯된 것인데.

4 恋: '恋(kohi 사랑)'라는 말에 '火(hi 불꽃)'를 함의한다.

60.

날 만나러 온다던 사람을 이제나저제나 하고 기다리다 앞뜰 댓잎에 싸락눈
이 흩날려 떨어지는 소리를 듣고

대나무 잎에
싸락눈 사각대며
흩날리는 밤
결코 홀로 잠자리
들고픈 마음 없어

たのめたる男をいまやいまやと待ちけるに、前なる竹の葉にあられのふり
かかるをききて[1]

竹の葉に　　　　　　ta-ke-no-ha-ni
霰ふる夜は　　　　　a-ra-re-hu-ru-yo-wa
さらさらに[2]　　　　sa-ra-sa-ra-ni
独りは寝べき　　　　hi-to-ri-wa-nu-be-ki
心ちこそせね[3]　　　ko-ko-chi-ko-so-se-ne

....

出典:『시카와카슈』恋下 254번(『속집』1232)

1 『속집』 고토바가키는 '싸락눈(霰)'으로 되어 있다.
2 さらさらに: 물건이 서로 가볍게 스치는 소리를 나타내는 의성어 'さらさら
(sarasara 사각사각)'와, 뒤에 부정어를 수반하여 '결코, 절대로'라는 뜻을 지
닌 '更更に(sarasarani)'의 뜻을 지닌 중의적 표현이다.

恋
113

3 竹の葉に … 心ちこそせね: 한껏 기대에 부풀어 기다렸건만 온다던 사람은 오지 않고 차가운 날씨에 싸락눈이 휘날리기 시작한다. 싸락눈은 빗방울이 찬바람을 만나 얼어 떨어지는 쌀알 같은 눈이다. 심리적인 쓸쓸함에 육체적인 외로움이 더해진 채 애써 잠자리에 들지만 실망감과 허전함에 쉽사리 잠들지 못한다. 추운 겨울밤, 사랑하는 이를 간절히 기다리는 작자에게 앞마당 댓잎에 싸락눈이 흩날려 사각대는 소리는 자신을 찾아온 연인의 옷자락 스치는 소리로 들릴지도 모른다. 이제나저제나 연인이 오기만을 기다리는 간절한 마음과 헛된 미련이 담긴 노래다.

61.

오랫동안 사귄 남자로부터 '나를 잊지 마시오'라고만 적힌 편지가 왔기에

변심이란 걸
지금껏 몰랐는데
이제부터는
당신 마음 살피며
똑같이 따라 하리

久しく語らひたる男のかたより、「わするな」とのみいひおこすれば[1]

いさやまた	i-sa-ya-ma-ta
かはるもしらず	ka-wa-ru-mo-si-ra-zu
今こそは	i-ma-ko-so-wa
人の心を	hi-to-no-ko-ko-ro-wo
みてもならはめ	mi-te-mo-na-ra-wa-me

....

出典:『교쿠요와카슈』恋四 1691번, 『신고슈이와카슈』恋二 1076번(『정집』 212, 628)

1 『교쿠요와카슈』 고토바가키는 '잊지 말라는 말만 적어 보내온 편지에 대한
답가(忘るなとのみいひける人の返事に)'로, 『신고슈이와카슈』는 '다른 사람
과 사귀는 남자가, 잊지 말라는 말만 적어 보내왔기에(人語らひける男の許よ
り、忘るなとのみ云ひおこせ侍りければ)'로 되어 있다.
한편 『정집』 212번 고토바가키는 '변심한 남자로부터 "잠시 잠깐 변심하
지 말고 내가 베던 베개를 다른 사람이 베게 하지 말고 기다리시오"라는
전갈이 왔기에(心変りたる男の、「まくらしばし、思ひ変るな」となんいふに)'로,

중복 수록된 628번에는 '다른 여자와 관계를 맺은 남자가 "나를 잊지 마시오"라는 말만 적어 보내왔기에(人語らひたる男のもとより、「忘るな」とのみいひおこすれば)'로 되어 있다.

62.

無題

통곡에 젖은
옷소매 닳고 닳아
없어졌는데
여전히 괴로운 일
끝나지 않는구나

無題[1]

音を泣けば[2]	ne-wo-na-ke-ba
袖はくちても	so-de-wa-ku-chi-te-mo
うせぬめり	u-se-nu-me-ri
猶うき事ぞ[3]	na-o-u-ki-ko-to-zo
つきせざりける	tsu-ki-se-za-ri-ke-ru

··
出典 : 『센자이와카슈』恋五 905번(『정집』282, 377)

1 『센자이와카슈』고토바가키는 '제목 미상(題知らず)'으로, 『정집』에는 '観身
額岸離根草、論命江頭不繫舟'로 되어 있다(이 책 48번 노래 각주 참조).
2 音を泣けば: 소리를 내어 울다보니.
3 猶うき事ぞ: 『정집』377번은 원문과 동일하지만, 282번에는 '**身の**うき**時**ぞ
(minoukitokizo 처지가 괴로운 때)'로 되어 있다.

63.

대재수大宰帥 아쓰미치 왕자님에게서

말하지 말고
있었어야 했는데
어설픈 말에
괴로움만 더해져
견디기 힘든 오늘

大宰師敦道親王のもとより[1]

うち出ででも[2]   u-chi-i-de-de-mo
ありにしものを   a-ri-ni-si-mo-no-wo
中中に   na-ka-na-ka-ni
苦しきまでも   ku-ru-si-ki-ma-de-mo
歎くけふかな   na-ge-ku-kyo-u-ka-na

· ·

出典 :『신쵸쿠센와카슈』恋一 642번(『이즈미시키부 일기』)

1 『신쵸쿠센와카슈』고토바가키는 '이즈미시키부에게 보낸 노래(いづみ式部
  につかはしける)'로 되어 있다.

  대재부(大宰府 dazaihu)의 장관(帥 sotsu 또는 sochi)직을 겸한 아쓰미치 왕
  자는 레이제이 (冷泉. 재위기간 967~1011)왕의 넷째 아들로 27세에 요절한
  다(1007년). 사망하기 직전까지 이즈미시키부와는 사랑하는 사이였다. 이즈
  미시키부는 왕자와의 신분을 초월한 사랑이야기를 『이즈미시키부 일기』에
  남겼다. 일기는 1003년 5월, 아쓰미치 왕자가 일 년 전 고인이 된 친형의

연인이었던 이즈미시키부에게 편지를 보내 호감을 보이는 대목부터 시작된다. 상기 노래는 그 무렵 아쓰미치 왕자가 이즈미시키부에게 보낸 노래로, 이 책에는 이 노래를 필두로 66번까지 총 4수가 수록되어 있다.

2 うち出ででも: 'うち出で(uchiide)'는 'うち出づ(uchiizu 입 밖에 내다)'의 미연형이고, 'でも(demo)'의 'で(de)'는 '…하지 않고, …하지 않은 채'라는 뜻이므로 '입 밖에 내어 말하지 않은 채'라는 뜻이 된다. 여기서 'も(mo)'는 앞 말의 뜻을 강조하는 조사이다.

64.

답가

오늘 단 하루
괴롭다니 내 마음
헤아려 주오
그리움에 힘겹던
지나간 나날들을

かへし

今日のまの　　　　kyo-u-no-ma-no
心にかへて　　　　ko-ko-ro-ni-ka-e-te
思ひやれ　　　　　o-mo-i-ya-re
ながめつつのみ　　na-ga-me-tsu-tsu-no-mi
過す月日を[1]　　　su-gu-su-tsu-ki-hi-wo

....

出典 : 『신쵸쿠센와카슈』恋一 641번(『이즈시키부 일기』)

1 今日のまの … 過す月日を: 앞의 63번 아쓰미치 왕자의 노래 말미에 '견디
　기 힘든 오늘'이라는 말을 되받아 '그리움에 힘겹던/ 지나간 나날들을'이라
　는 말로 받는다. 결국 이즈미시키부는 아쓰미치 왕자의 구애의 편지에 대해
　사별한 그의 형인 다메타카 왕자를 향한 절절한 사모의 정으로 받아넘긴
　것이다.

65.

같은 왕자님에게서

나의 고백을
흔한 사랑이라고
생각 마시게
오늘 아침 이 마음
견줄 데도 없으니

同じみこより[1]

恋といへば	ko-i-to-i-e-ba
世のつねのとや	yo-no-tsu-ne-no-to-ya
思ふらむ	o-mo-o-ra-n
けさの心は	ke-sa-no-ko-ko-ro-wa
たぐひだになし	ta-gu-i-da-ni-na-si

· ·

出典 : 『신쵸쿠센와카슈』恋三 823번(『이즈미시키부 일기』)

1 『신쵸쿠센와카슈』 고토바가키는 '이른 아침에 보낸 노래(あしたにつかはし
ける)'로 되어 있다.
『이즈미시키부 일기』에는 1003년 4월 아쓰미치 왕자가 이즈미시키부와 처
음으로 사랑을 나눈 뒤, 날이 밝자 귀가해서는 곧바로 그녀에게 보낸 노래로
되어 있다.

66.

답가

흔한 사랑이라
결코 생각지 않네
당신과 같이
나 또한 처음 겪는
절절한 사랑이니

かへし[1]

世のつねの　　　　　　yo-no-tsu-ne-no
こととも更に　　　　　ko-to-to-mo-sa-ra-ni
おもほえず　　　　　　o-mo-o-e-zu
はじめて物を　　　　　ha-zi-me-te-mo-no-wo
思ふ身なれば[2]　　　　o-mo-o-mi-na-re-ba

出典 : 『신쵸쿠센와카슈』恋三　826번(『정집』877 · 『이즈미시키부 일기』)

1 『정집』고토바가키는 '그 사람에게 답한 노래(人のかへりごとに)'로 되어 있다.
2 身なれば : 『정집』과 『이즈미시키부 일기』에는 '朝は(asitawa 오늘 아침은)'
　로 되어 있다.

67.

사모하는 여인에게 처음으로 편지를 보내는 남자를 대신하여 지은 노래

이상타 마오

어떤 낯선 사내를

매일 밤마다

꿈에서 봤을 텐데

그게 바로 나라오

男のはじめて人の許につかはしけるに、かはりてよめる[1]

おぼめくな	o-bo-me-ku-na
誰ともなくて	ta-re-to-mo-na-ku-te
よひよひに	yo-i-yo-i-ni
夢にみえけん[2]	yu-me-ni-mi-e-ke-n
われぞ其の人	wa-re-zo-so-no-hi-to

······························

出典 :『고슈이와카슈』恋一 611번 수록(『속집』 1115)

1 『정집』 고토바가키는 '다른 여인에게 보낼 노래를 남자를 대신하여(男の、 人のもとにやるに代りて)'로 되어 있다. 사랑하는 여인에게 보낼 노래를 당사 자인 남자 대신 이즈미시키부가 지은, 이른바 대작(代作)이다.

2 夢にみえけん: 예로부터 꿈은 신비로운 것이며 동시에 내재된 마음이 표출 된 것으로 받아들여졌다. 일본 고전에서도 다양하게 다루어졌는데『만요슈』 에서는 자신이 누군가를 그리워하면 꿈속에 상대방이 나타난다는 속설에 근거한 노래를 비롯하여 누군가를 그리워하면 자기 영혼이 상대방 꿈속에

들어간다는 노래 등, 상반된 속설에 근거한 노래가 시대별로 달리 공존한다. 전자의 예로는 '계속 그리며/ 잠을 잔 탓인 걸까/ 매일 밤마다/ 빠짐없이 꿈속에/ 나타나는 당신(思ひつつ/ 寝ればかもとな/ ぬばたまの/ 一夜もおちず/ 夢にし見ゆる 『만요슈』 3738)'이라는 노래가 있다. 후자의 경우는 '나 혼자서만/ 속수무책으로 당신/ 그리는 요즘/ 죽어가는 내 모습/ 꿈에 보지 못했소(すべもなき/ 片恋をすと/ このころに/ 我が死ぬべきは/ 夢に見えきや 『만요슈』 3111)'라는 노래다. 한편 상기 노래도 후자의 속설에 근거한 작품이다.

68.

無題

당신 그리는
내 마음 바서져도
그 어느 하나
없어지지 않고서
내 가슴에 있구나

無題[1]

君こふる	ki-mi-ko-o-ru
心は千々に	ko-ko-ro-wa-chi-zi-ni
くだくとも[2]	ku-da-ku-to-mo
ひとつもうせぬ	hi-to-tsu-mo-u-se-nu
物にぞありける	mo-no-ni-zo-a-ri-ke-ru

出典 : 『고슈이와카슈』 恋四 801번(『정집』 91)

1 『고슈이와카슈』 고토바가키는 '제목 미상(題知らず)'으로, 『정집』에는 '사랑
(恋)'으로 되어 있다.
2 くだくとも: 『정집』에는 'くだく**れど**(kudakuredo 바서지지만)'로 되어 있다.

69.

한동안 찾아오지 않는 사람에게

> 덧없는 세상
> 당신 말고 누구에게
> 위로받을까
> 내 마음도 모르고
> 오지 않는 그대여

久しくとはぬ人に[1]

うき世をも	u-ki-yo-wo-mo
また誰にかは	ma-ta-ta-re-ni-ka-wa
なぐさめむ	na-gu-sa-me-n
思ひしらずも	o-mo-i-si-ra-zu-mo
とはぬ君かな	to-wa-nu-ki-mi-ka-na

出典 : 『고슈이와카슈』 恋三 746번

1 『고슈이와카슈』 고토바가키는 '제목 미상(題知らず)'으로 되어 있다.

70.

無題

> 그도 그럴지
> 나도 쌀쌀맞게 굴어
> 시험해 보리
> 매정했던 사람은
> 잊기 어려운 법이니

無題[1]

われもいかに[2]	wa-re-mo-i-ka-ni
つれなくなりて	tsu-re-na-ku-na-ri-te
心みむ	ko-ko-ro-mi-n
つらき人こそ	tsu-ra-ki-hi-to-ko-so
忘れがたけれ	wa-su-re-ga-ta-ke-re

出典：『고슈이와카슈』恋四 776번

1 『고슈이와카슈』 고토바가키는 '제목 미상(題知らず)'으로 되어 있다.
2 われもいかに:『고슈이와카슈』에는 'われといかで(waretoikade 내 쪽에서 어떻게든)로 되어 있다.

71.

無題

오늘도 내게
이토록 냉담하니
저 홀로 돋는
이부키 산 쑥처럼
외사랑 계속되려나

無題[1]

けふも又	kyo-u-mo-ma-ta
かくや伊吹の[2]	ka-ku-ya-i-bu-ki-no
さしも草[3]	sa-si-mo-gu-sa
さらば我のみ	sa-ra-ba-wa-re-no-mi
もえ[4]やわたらん	mo-e-ya-wa-ta-ra-n

出典 : 『신고킨와카슈』恋― 1012번

1 『신고킨와카슈』고토바가키는 '제목 미상(題知らず)'으로 되어 있다.
2 伊吹の: 이부키 산(伊吹山 'ibukiyama'라고도 읽음)의 '伊吹(ibuki)'에 '言ふ (ihu 말하다)'를 함의한다. 다만 이부키 산의 소재에 관해서는 의견이 분분하다. 현재의 도치기(栃木) 현이라는 견해가 있는 반면, 기후 현과 시가 현에 걸쳐 위치한 이부키 산이라는 견해도 있다. 향후 면밀한 연구가 요망되는 가운데 현실적으로 교토와 가까운 후자일 가능성에 힘이 실린다.
3 さしも草: 쑥의 별칭이다. 다만 이 말 안에는 'さしも(sasimo 별로)'와 '艾

(mogusa 쑥의 별칭)'라는 말이 들어 있다. 이 노래와 취지는 다르지만 후지와라노 사네카타(藤原実方)는 '이토록 당신/ 사모하는데 말도/ 못하니 당신/ 모르리 이부키 산/ 쑥처럼 타는 내 사랑(かくとだに/ えやは**伊吹の**/ **さしも草**/ さしも知らじな/ もゆる思ひを『고슈이와카슈』612)'이라는 노래를 지었다.

4 もえ: 'もえ(moe)'는 '싹트다(萌え moe)'와 '정열이 솟다(燃え moe)'의 뜻을 지닌 중의적 표현이다.

72.

無題

마른풀 모아
단잠 자는 멧돼지
그만큼 깊이
잠들지는 못해도
이러진 말았으면

無題[1]

かるもかき	ka-ru-mo-ka-ki
臥す猪の床の	hu-su-i-no-to-ko-no
いを安み	i-wo-ya-su-mi
さこそねざらめ	sa-ko-so-ne-za-ra-me
かからずもがな[2]	ka-ka-ra-zu-mo-ga-na

出典 : 『고슈이와카슈』恋四 821번(『정집』234 · 『속집』933)

1 『고슈이와카슈』는 '제목 미상(題知らず)'의 사랑 노래로 되어 있다. 『정집』
에는 '아쓰미치 왕자가 돌아가신 무렵(帥の宮亡せ給ひての頃)'으로, 『속집』
에는 '시름에 잠긴 무렵(物思ひ侍りける頃)'으로 되어 있다. 이들 고토바가키
에 따르면 상기 노래는 아쓰미치 왕자가 사망한 1007년 10월 2일 무렵에
지은 만가(挽歌)가 된다. 다만 죽은 자를 그리워하는 만가도 어느 면에서는
연가(戀歌)라 할 수 있을 것이다.

2 かからずもがな: 'かからず(kakarazu)'는 '斯かり(kakari 이러하다)'는 동사의

미연형에 부정의 조동사 'ず(zu)'가 접속하여 '이러하지 않다'는 뜻이다. 이어지는 'もがな(mogana)'는 희망의 뜻을 보태는 조사이다. 노래 본문에 '이런'에 해당하는 내용이 어떤 상태인지에 관한 단서는 전무하다. 다만 『고슈이와카슈』와 『정집』, 그리고 『속집』에 달린 고토바가키를 참조하면, 사랑하는 사람과의 사별로 인한 상실감과 그의 부재로 인한 외로움에 잠 못 이루며 그리워하는 괴로운 심정을 호소한 것으로 보인다.

恋
131

73.

남몰래 사귀는 사람이 있던 무렵

무슨 일이든
마음속 깊은 곳에
담아 뒀는데
눈물은 어찌하여
맨 먼저 아는 걸까

忍びて人にもの申し侍りけるころ[1]

何ごとも	na-ni-go-to-mo
心にこめて	ko-ko-ro-ni-ko-me-te
忍ぶるを	si-no-bu-ru-wo
いかで涙の	i-ka-de-na-mi-da-no
まづ知りぬらん[2]	ma-zu-si-ri-nu-ra-n

·····································

出典 : 『쇼쿠고킨와카슈』恋一 1023번(『정집』709)

1 『정집』 고토바가키는 '줄곧 시름에 잠겨 지내니 서글퍼져서(物思ひつづくる
  に、悲しければ)'로 되어 있다.

2 '세상 시름도/ 괴로움도 알리지/ 않았건만/ 가장 먼저 아는 건/ 눈물이었구
  나(世の中の/ うきもつらきも/ つげなくに/ まづ知るものは/ 涙なりけり『고킨와
  카슈』 941)'라는 노래를 염두에 둔 작품으로 보인다.

74.

간혹 편지를 보내오던 남자가 쥘부채를 보여 주기에 달이 그려진 곳에
적은 노래

스쳐 지나는
달 같은 당신 한번
믿어 보리라
잊지 말라고 할 만큼
깊은 사이 아니지만

時々文おこせける男の、扇をみせければ、月かきたる所に[1]

雲ゐゆく	ku-mo-i-yu-ku
月[2]をぞたのむ	tsu-ki-wo-zo-ta-no-mu
忘るなと	wa-su-ru-na-to
いふべき中の	yu-u-be-ki-na-ka-no
わかれならねど[3]	wa-ka-re-na-ra-ne-do

....

出典 : 『쇼쿠슈이와카슈』 恋三 952번(『속집』 1362)

1 『속집』 고토바가키는 '이 사람이 부채를 보여 주기에 달이 그려져 있는 곳에
(この人、扇など見するに、月書いたる所に)'로 되어 있다.
'이 사람'에 대한 설명은 직전에 수록된 속집 1361번 노래 고토바가키에 명
시되어 있다. 그대로 인용하면 '간혹 편지를 보내오던 남자가 비츄(현재의
오카야마 현)라는 곳에 간다며 "날 잊지 마시오"라 말하기에(時々文おこせ
ける男の、備中と云ふ所に行くとて、「忘るな」といひたるに)'로 되어 있다. 결

국 상기 74번 고토바가키는 『속집』 1361번과 1362번 고토바가키의 내용을 적절히 섞었음을 확인할 수 있다.

2 雲ゐゆく月: 하늘 위를 흔적도 없이 스쳐 지나는 달을 뜻하는데, 여기서는 상대방 남자를 빗댄 말이다. 당시에는 먼 길 떠나는 사람에게 와카나 그림을 그린 부채를 선물하곤 했는데, 여기서는 달이 그려진 부채였던 것이다. 일본어로 부채는 '扇(ahugi)'로 '逢ふ(ahu 만나다)'를 함의한다. 즉 남자는 이즈미 시키부에게 '다시 만나자'는 메시지를 전한 것이다.

3 忘るなと/ いふべき中の/ わかれならねど: '간혹 편지를 보내오던' 남자였기에 우리가 이별을 아쉬워하며 작별을 고할 만큼 깊은 사이는 아니라고 선을 그은 것이다.

75.

약속하고서 오지 않은 사람에게, 그다음 날 아침에

주저되어서
노송나무 대문도
열어 뒀는데
어째서 겨울밤만
밝아버린 것일까

たのめてこぬ人を、つとめて[1]

休らひに[2]	ya-su-ra-i-ni
真木の戸をこそ	ma-ki-no-to-wo-ko-so
ささざらめ	sa-sa-za-ra-me
いかに[3]明けつる	i-ka-ni-a-ke-tsu-ru
冬の夜[4]ならん	hu-yu-no-yo-na-ra-n

⋯⋯⋯⋯⋯⋯⋯⋯⋯⋯⋯⋯⋯⋯⋯⋯⋯⋯
出典 :『고슈이와카슈』雜二 920번(『정집』634)

1 『고슈이와카슈』고토바가키는 '온다는 약속 지키지 않아 홀로 밤을 지새우
 게 만든 남자에게 보낸 노래(来むといひてただに明してける男のもとにつか
 はしける)'로, 『정집』고토바가키는 '약속하고서 오지 않은 사람에게, 그 다
 음 날 아침에(頼めて見えぬ人に、つとめて)'로 되어 있다.

2 休らひに: 머뭇거려지며 망설여져서.

3 いかに明けつる: 『정집』에는 'いかで(어떻게 ikade)'로 되어 있다. '밤이 밝다
 (明けつる)'는 '문을 열다(開けつる)'와 동음이의어로 중의적 표현이다.

4 冬の夜: 다른 계절에 비해 겨울밤은 길어 좀처럼 날이 밝지 않는데, 누군가
 를 기다리며 홀로 지새우는 밤은 더욱 길게만 느껴진다.

76.

비가 세차게 내리는 날, '빗물 같은 눈물이 소매에'라고 적어 보내 온
사람에게

당신에게서
잊힌 채 사는 나의
옷소매야말로
초라한 처지 알리는
비 그칠 날 없어라

雨のいたう降るに、「涙の雨も袖に」などいひたる人に[1]

みし人に	mi-si-hi-to-ni
わすられてふる[2]	wa-su-ra-re-te-hu-ru
袖にこそ	so-de-ni-ko-so
身をしる雨[3]は	mi-wo-si-ru-a-me-wa
いつもをやまね	i-tsu-mo-wo-ya-ma-ne

....

出典 : 『고슈이와카슈』 恋二 703번(『정집』 642 · 『속집』 906)

1 『고슈이와카슈』 고토바가키는 '비가 세차게 내리는 날, "눈물이 빗물처럼
　소매에"라 말한 사람에게(雨のいたう降る日、涙の雨の袖になどいひたる人
　に)'로 되어 있다. 한편 『정집』에는 '비가 세차게 내리는 날, "눈물이 비처럼"
　이라 말한 사람에게(雨のいたう降る日、「涙の雨の」などいひたるに)로, 『속
　집』에는 '비가 내리는 날, "눈물의 비가 소매에"라고 말한 사람에게(雨の降
　る日、「涙の雨の袖に」などいひたる人に)'로 되어 있다. 여기서 '涙の雨'는

'잿빛 상복/ 소매는 구름인 걸까/ 하여 눈물의 비가/ 끝없이 흐르는 걸까(墨染の/ 衣の袖は/ 雲なれや/ *涙の雨の*/ 絶えず降るらん 『슈이와카슈』 1297) 라는 노래 구절에서 따온 것으로 보인다.

2 ふる: '세월이 흐르다(経る)'와 '비가 내리다(降る)'의 뜻을 지닌 중의적 표현 이다.

3 身をしる雨: 연인에게 사랑받지 못하는 자신의 초라한 처지를 알리는 빗물 이라는 뜻이다. '일일이 나를 사랑하는지 사랑 않는지 묻고 싶어도 묻기 어 려웠는데, 비가 와서 만나러 올 수 없다는 말에 당신께 사랑받지 못하는 초라한 내 처지를 알게 되어 흘리는 눈물처럼 내 초라한 처지를 아는 비는 세차게   내리네(数々に思ひ思はずとひがたみ**身を知る雨**はふりぞまされる 『고킨와카슈』 705)'라는 아리와라노 나리히라(在原業平)의 노래에서 따온 말이다. 즉 '상대방 마음을 알아차릴 수 있는 근거가 되는 빗물'이라는 말에, 상대방 마음을 확인하고 흘리는 눈물 같은 빗물을 함의한다.

77.

오랫동안 오지 않던 사람이 어렵사리 왔다가, 또다시 감감무소식이기에

연락 끊고서
나를 힘겹게 한 채
끝냈더라면
지금쯤은 까맣게
당신 잊었을 텐데

久しくとはぬ人の、からうじておとづれて、また音もせぬに[1]

中々に[2]	na-ka-na-ka-ni
うかりしままに	u-ka-ri-si-ma-ma-ni
やみにせば	ya-mi-ni-se-ba
忘るる程に	wa-su-ru-ru-ho-do-ni
なりもしなまし[3]	na-ri-mo-si-na-ma-si

·······················
出典:『고슈이와카슈』 恋三 745번(『정집』 657)

1 『고슈이와카슈』 고토바가키는 '오랫동안 오지 않은 사람이 찾아왔다가 또다시 감감무소식이기에 읊은 노래(久しう間はぬ人のおとづれて、またも間はずなり侍りければよめる)'로, 『정집』에는 '오랫동안 오지 않은 사람이 어렵사리 왔다가, 또다시 감감무소식이기에(久しう間はぬ人、辛うじて音して、またも間はねば)'로 되어 있다.
2 中々に: '연락을 끊은 채 차라리 (연락하지 않았다면)'라는 뜻이다.
3 …せば …まし: 현실과 반대되는 일을 가상(假想)하는 전형적인 문형이다.

연락이 두절된 채 관계가 끝났더라면 어렵지만 단념했을 텐데 어중간하게
다시 찾아와 애태우는 남자에게 자신의 연정과 미련을 여과 없이 드러내
보인 것이다.

78.

간혹 찾아오는 사람이, 해 질 녘 어떤 심정인지 묻기에

당신 보고픈

내색 감추며 종일

힘겹더라도

꿈에 꼭 보인다면

그나마 괜찮지만

時々來る人の、くれゆくほどにとはれたるに[1]

眺め[2]つつ　　　　　na-ga-me-tsu-tsu

事あり顔に[3]　　　　ko-to-a-ri-ga-o-ni

くらしても　　　　　ku-ra-si-te-mo

かならず夢に　　　　ka-na-ra-zu-yu-me-ni

みえばこそあらめ[4]　mi-e-ba-ko-so-a-ra-me

....

出典:『고슈이와카슈』恋二 679번에는 사가미(相模) 작품으로 수록(『정집』 660)

1 『고슈이와카슈』 고토바가키는 '간혹 사랑을 나누는 남자가, "해 질 녘만큼"
  이라 말하기에 읊은 노래(時時物言ふ男、暮れゆくばかりなど言ひて侍りけれ
  ばよめる)'로, 『정집』에는 '간혹 오는 사람이 "해 질 녘만큼"이라 적어 보내
  왔기에(時々来る人のもとより、「暮れゆくばかり」といひたれば)'로 되어 있다.
  여기서 '해 질 녘만큼'이라는 구절은 '현실에서도/ 꿈에서도 그리운/ 그대와
  밤에/ 만나니 해 질 녘만큼/ 기쁠 때는 없어라(現にも/ 夢にも人に/ 夜し逢へ
  ば/ 暮れゆくばかり/ うれしきはなし『슈이와카슈』725)'는 노래의 4구에서

사랑
140

따온 것으로 보인다.

2 眺めつつ: '眺め(nagame)'는 시름에 잠겨 지낸다는 뜻으로 와카에서는 주로 사랑과 관련된 경우가 많다. 여기서는 고토바가키에 명시되어 있듯이 어쩌다가 띄엄띄엄 오는 상대방 남자의 무성의한 태도에 기인한 것으로 보인다.

3 事あり顔に: '무슨 사정이 있는 듯한 모습으로'라는 뜻이다. 속내는 감추고 뭔가 다른 걱정거리가 있다는 표정을 가장한다는 뜻으로, 교제중인 남자와의 관계가 주위사람들에게 알려지면 곤란하다는 사실을 짐작케 한다.

4 かならず夢に/ みえばこそあらめ: 어쩌다가 한 번씩 찾아오는 사람이 이즈미시키부와 만날 수 있는 해 질 녘이면 기쁘다는 어이없는 전갈에 일침을 가한 것이다. 매일 오지도 않는 당신을 직접 만나기는커녕 꿈속에서라도 꼭 만날 수만 있다면, 온종일 그리움에 지쳐 힘겨운 시간을 보내더라도 해 질 녘이면 기쁠 것이라고 꼬집어 말한 것이다.

79.

어딘가로 떠나는 사람에게

여기 살 때는
냉담한 당신이어도
힘이 됐는데
멀리 떠나 버리면
얼마나 그리울까

ものへゆく人に[1]

ある程は	a-ru-ho-do-wa
うきをみつつも	u-ki-wo-mi-tsu-tsu-mo
慰みつ	na-gu-sa-mi-tsu
かけはなれなば	ka-ke-ha-na-re-na-ba
いかに忍ばん	i-ka-ni-si-no-ba-n

出典 : 『신센자이와카슈』 雜別 738번(『정집』 663)

1 『신센자이와카슈』 고토바가키는 '함께 사랑을 나눴던 사람이 지방으로 간다
   는 소식을 듣고 보낸 노래(もろともに契りける人の、ゐ中へ行くを聞きてつか
   はしける)'로 되어 있다.

80.

전염병이 돌아 세상이 어수선한 무렵, 연락 없는 사람에게

한 치 앞 모를
이 세상 어찌 된다
생각하고서
태평스레 안부도
물어 오지 않는가

世の中いたくさわがしきころ、とはぬ人に[1]

世の中は	yo-no-na-ka-wa
いかになりゆく	i-ka-ni-na-ri-yu-ku
物とてや[2]	mo-no-to-te-ya
心のどかに	ko-ko-ro-no-do-ka-ni
おとづれもせぬ	o-to-zu-re-mo-se-nu

出典 : (『정집』 185 · 『속집』 1134, 1338)

1 『정집』 고토바가키는 '전염병이 돌아 세상이 어수선한 무렵, 그 사람에게서
  오랫동안 연락이 없기에(世の中さわがしき頃、語らふ人の久しう音せぬに)'로
  되어 있다.
2 物とてや: 『정집』에는 '物とてか(monototeka)'로 되어 있는데 의는 동일하다.

恋
143

81.

사랑하는 사람이 두 명 있는데, 먼 곳에 가 있는 사람을 기다리며

> 그를 그리며
> 이 사람 구실삼아
> 기다리는 새
> 누굴 기다리는지
> 분간 안 되는구나

思ふ人ふたりながら遠き所にあるを待つとて[1]

これにつけ	ko-re-ni-tsu-ke
かれによそへて	ka-re-ni-yo-so-e-te
待つ程に	ma-tsu-ho-do-ni
たれを誰とも	ta-re-wo-ta-re-to-mo
わかれざりけり	wa-ka-re-za-ri-ke-ri

....
出典 : (『속집』 1504)

1 『속집』 고토바가키는 '라고 나도 모르게 적고 말았다. 그러면서도 〈내 옷소
  매 아닌〉이라 생각했는데 먼 곳으로 참배하러 갔던 사람도 "오늘은 분명
  돌아 오셨을 텐데 오시지 않네"라고 시녀들이 말하는 것을 들으니 더욱 이
  런 생각만 들어서(と書かれぬ、さるは、「袖よりほかの」とおぼえしものを、遠き
  所に詣でにし人も、「今日は帰り給ひぬらん」と言ふを聞くにも、かくのみおぼ
  ゆるぞ)'라고 되어 있다.
  상기 노래는 『속집』 말미에 일기 형식으로 읊은 연작 가운데 들어 있는데,

'라고'로 시작되므로 바로 앞에 수록된 1503번 노래를 받는다. 점심 무렵에 그 사람에게서 '직접 만나 할 말이 많소'라 적힌 편지를 받고 '내 마음도 이토록'이라 적은 뒤 지어 보낸 노래가 바로 1503번 노래다. 즉 '이처럼 흐르는 눈물이 그치는 날, 나의 박복함을 알았을 때라 생각하니 오늘 아침에는 눈물만 하염없이 흘러내립니다'라는 노래를 자기도 모르게 적었다는 인용격 조사로 시작된 것이다. 한편 고토바가키 가운데 '〈내 옷소매 아닌(袖よりほかの)〉'이라는 인용구는 '나만 아니라/ 풀잎마저 수심에/ 젖어 있구나/ 내 소매 아닌 풀잎에도/ 눈물 같은 이슬이(我ならぬ/ 草葉も物は/ 思ひけり/ **袖より外に**/ 置ける白露『고센와카슈』1281)'라는 노래의 4구를 가져온 것으로 보이지만 이 노래와는 무관하므로 인용 의도가 불분명하다.

사랑하는 사람에게서 직접 만나 하고픈 이야기가 많다는 편지를 받자 이즈미시키부는 그를 그리워하다가, 먼 곳에 가있던 사람이 돌아왔다는 소식을 접하자 다시 이 사람을 그리워한다. 그런 자신을 향해 지금 자신이 누구를 기다리는지 정녕 분간할 수 없다 말한다. 다만 그런 와중에도 자신이 누군가를 기다린다는 사실은 분명하다 말한다. 두 사람을 동시에 그리워할 수 있는가라는 물음에 관한 노래라 할 수 있을 것이다.

82.

그 사람이 '만나러 오겠다'며 기다리게 해 놓고선 오지 않은 그다음 날
아침에

> 흰눈썹뜸부기라도
> 문 두드리듯 울면
> 노송나무 문
> 열어나 봤을 텐데
> 울적한 맘 달래려

人の「こむ」とたのめてみえざりつる、つとめて[1]

水鶏[2]だに	ku-i-na-da-ni
たたく音せば	ta-ta-ku-o-to-se-ba
眞木の戸を	ma-ki-no-to-wo
心やりにも	ko-ko-ro-ya-ri-ni-mo
明けてみてまし	a-ke-te-mi-te-ma-si

· ·

出典 :『후가와카슈』恋四 1228번(『정집』807)

1 『후가와카슈』 고토바가키는 '그 사람이 온다고 약속하고서 오지 않았으므
   로, 그다음 날 아침에 읊은 노래(人のこんと頼めて見え侍らざりける、つとめて
   よめる)'로, 『정집』에는 '온다고 약속하고, 오지 않은 다음 날 아침에(来むと
   頼めて、見えずなりにけるつとめて)'으로 되어 있다.

2 水鶏: 울음소리가 문 두드리는 소리와 닮아서 이 새가 우는 것을 '두드리다
   (たたく tataku)'라고 한다.

83.

내 집 근처에 그 사람이 사랑하는 여자가 산다는 이야기를 듣고 그에게
보낸 노래

　　내 집 근처에
　　사는 그 여자 집에
　　와 있는 당신
　　오늘도 오지 않아
　　말로만 듣는구나

ちかき所にかたらふ人ありと聞きける人につかはしける

　　天の川[1]　　　　　　　a-ma no-ga-wa
　　おなじ渡り[2]に　　　　o-na-zi-wa-ta-ri-ni
　　ありながら　　　　　a-ri-na-ga-ra
　　けふも雲ゐの　　　　kyo-u-mo-ku-mo-i-no
　　よそに聞くかな　　　yo-so-ni-ki-ku-ka-na

出典：『쇼쿠센자이와카슈』恋三 1385번(『속집』 1282)

1 天の川: 자신을 만나러 오지 않는 남자를 견우가 직녀를 만나기 위해 일
　년에 한 번 건넌다는 은하수에 빗대었다.
2 渡り: '근처(辺り watari)'와 '건너다(渡り watari)'의 뜻을 지닌 중의적 표현이
　다. 또한 '건너다(渡り watari)'는 초구의 '天の川(amanogawa)'와 연관된 말
　(緣語 engo)이다.

84.

10월 새벽달이 뜬 무렵

> 다른 곳에서
> 나와 한마음으로
> 지금 새벽달
> 바라보고 있는지
> 당신에게 묻고파

長月の有り明けのころ[1]

よそにても	yo-so-ni-te-mo
同じ心に	o-na-zi-ko-ko-ro-ni
有り明けの	a-ri-a-ke-no
月はみるやと	tsu-ki-wa-mi-ru-ya-to
誰にとはまし	ta-re-ni-to-wa-ma-si

出典:『쇼쿠센자이와카슈』恋三 1420번(『정집』 898・『이즈미시키부 일기』)

1 『쇼쿠센자이와카슈』 고토바가키는 '10월 새벽달이 뜬 무렵 읊은 노래(長月
の有り明けの比よみ待りける)'로, 『정집』에는 '10월경, 새벽달이 뜬 무렵(九月
ばかり、有り明けに)'으로 되어 있다. 한편 『이즈미시키부 일기』에 따르면, 두
사람 사이에 균열이 생긴 10월 즈음에 새벽달을 바라보며 이즈미시키부가
지은 5수(상기 노래 포함)를 아쓰미치 왕자에게 보내면서 소원했던 둘의 관
계가 회복되면서 그들의 사랑이 결실을 맺게 되는 중요한 변곡점이 된다.

85.

10월경 하룻밤을 같이 보낸 뒤 새벽녘 돌아간 사람에게

당신은 가고
울타리엔 안개만
짙게 머물러
마음은 싱숭생숭
허공만 바라보네

九月ばかり暁かへりける人のもとに[1]

人はゆき	hi-to-wa-yu-ki
霧は籬に	ki-ri-wa-ma-ga-ki-ni
立ちどまり	ta-chi-do-ma-ri
さもなかぞら[2]に	sa-mo-na-ka-zo-ra-ni
詠めつるかな	na-ga-me-tsu-ru-ka-na

出典 : 『후가와카슈』恋二 1123번(『정집』 182 · 『속집』 1320)

1 『정집』 고토바가키는 '10월 경, 새벽닭 울음소리에 쫓기듯 그 사람이 가버렸
기에(九月ばかり、鶏の音にそそのかされて、人の出でぬるに)'로 되어 있다.
2 なかぞら: '허공(中空 nakazora)'과 '어딘가에 마음을 빼앗겨 들떠 있는 상태
('なかぞらに nakazorani)'를 뜻하는 형용동사의 동음이의어로 중의적 표현
이다.

86.

슬퍼할 일이 많을 때

갖가지 근심
애태우는 마음은
이리 다른데
하나같이 같은 색
눈물로 젖은 소매여

なげくことしげきころ¹

さまざまに   sa-ma-za-ma-ni
思ふ心は   o-mo-o-ko-ko-ro-wa
あるものを   a-ru-mo-no-wo
おしひたすらに²   o-si-hi-ta-su-ra-ni
ぬるる袖かな   nu-ru-ru-so-de-ka-na

出典 : 『고슈이와카슈』恋四 817번

1 『고슈이와카슈』 고토바가키는 '제목 미상(題知らず)'으로 되어 있다.
2 おしひたすらに: '하나같이(osihitasurani)'라는 말에, '흠뻑 적시다(押し浸す osihitasu)'를 함의한다.

사랑
150

87.

매정하게 굴며 나를 괴롭게 한다는 걸 모르고, '당신을 믿소'라 말하는 사람에게

> 습관에 따라
> 마음도 길드는 법
> 당신보다 더
> 매정하게 대하리
> 깨달을지 모르니

つらきをみしらで、「たのむ」といひたる人に[1]

> 心をば   ko-ko-ro-wo-ba
> ならましものぞ[2]   na-ra-ma-si-mo-no-zo
> あるよりも   a-ru-yo-ri-mo
> いざつらからむ   i-za-tsu-ra-ka-ra-n
> 思ひしるやと   o-mo-i-si-ru-ya-to

....

出典:(『정집』687)

1 『정집』고토바가키는 '"내게 너무 냉정한 당신이지만 마음에 담아 두지 않고 오직 당신 사랑만을 기대하고 있소"라 말하는 사람에게(「いとかくつらきをも知らでなむ頼む」といふ人に)'로 되어 있다.

2 心をば/ ならましものぞ:『정집』에는 '心をば/ ならは(wa)しものぞ'로 되어 있다. 상기 본문대로라면 해석에 무리가 있어 『정집』의 본문에 따라 해석하였다. 한편 이 노래는 '습관에 따라/ 마음 달라진다고/ 하지만 그대/ 단 한순간도 어찌/ 잊을 수가 있으리(心をぞ/ ならはしものと/ いふなれど/ 片時の間も/ えやは忘るる『元真集motozanesyu』252)'를 염두에 둔 것으로 보인다.

恋
151

88.

분별없이 나를 원망하는 사람에게

셋쓰 지방의
고야昆陽에 오라고
해야 하거늘
만날 틈 없어라
틈 없는 갈대 집처럼

わりなくうらむる人に[1]

津の国の　　　　　　　tsu-no-ku-ni-no
こや[2]とも人を　　　　ko-ya-to-mo-hi-to-wo
いふべきに　　　　　　yu-u-be-ki-ni
ひまこそなけれ[3]　　　hi-ma-ko-so-na-ke-re
蘆のやへぶき　　　　　a-si-no-ya-e-bu-ki

··
出典 : 『고슈이와카슈』恋二　691번(『정집』699)

1 『고슈이와카슈』고토바가키는 '제목 미상(題知らず)'으로 되어 있다.
　이즈미시키부 작품 가운데 가장 먼저 칙찬 와카집에 선정 수록된 노래이다.
　만나자는 남자의 요청에 부응하지 못하자 분별없이 원망하는 남자에게 보
　낸 노래다. 이 노래는 그 자체로도 충분히 이즈미시키부의 대표작으로 손꼽
　히는 작품이지만, 본 역서 257번 노래('冥きより冥き道にぞ入りぬべきはるか
　に照らせ山の端の月')와 함께 우열에 관한 논쟁이 끊임없이 이어지면서 수
　많은 가론서(歌論書)에 인용된 노래로도 유명하다.

당대 가단의 일인자였던 후지와라노 긴토(藤原公任)는 당해 88번을 257번 노래보다 훌륭하다고 판정하였다. 긴토는 동음이의어를 사용한 중의적 표현과 비유, 노래에 등장하는 지명과 동일한 이미지를 지닌 어휘의 구사 등 복잡한 기교를 사용했다는 점에서 높은 점수를 준 것으로 보인다. 다만 그의 아들인 사다요리(定賴)의 말을 빌리면, 당시 세간에서는 257번 노래를 이즈미시키부 작품 가운데 가장 뛰어난 노래로 평가했던 것으로 보인다. 그런 가운데 중세 시대의 가인인 가모노 쵸메이(鴨長明 1155?~1216)는 '노래의 우열은 시대에 따라 변함으로 후대 사람이 결정해야 한다'는 입장을 고수하면서도 자신의 가론서인 『無名抄mumyousyo』에서는 257번 노래를 수작(秀作)으로 평가하였다.

2 こや: 지명인 '고야(昆陽 오사카와 효고 현 일부를 지칭하는 셋쓰 지방에 위치)'와, '오라(來や koya)'는 뜻을 지닌 중의적 표현이다. 또한 5구(蘆のやへぶき)와 관련된 말(緣語 engo)로 '오두막(小屋 koya)'을 함의한다.

3 ひまこそなけれ: 'ひま(hima)'는 시간적인 여유를 뜻하는 '틈(暇)'과, 사이가 벌어져 난 자리를 뜻하는 '틈(隙)'의 중의적 표현이다. 갈대로 이은 오두막에 틈새가 없는 것처럼 틈이 나지 않아 만날만한 기회가 없다고 표현한 것이다.

89.

無題

새벽달 보고
마음을 빼앗겨선
날 남겨 두고
가 버린 그의 잔상을
멍하니 떠올리네

無題[1]

有り明けの	a-ri-a-ke-no
月みすさびに	tsu-ki-mi-su-sa-bi-ni
おきて[2]いにし	o-ki-te-i-ni-si
人の名殘を	hi-to-no-na-go-ri-wo
詠めしものを	na-ga-me-si-mo-no-wo

出典 :『센자이와카슈』恋五 907번(『정집』167 ·『속집』1464)

1 『센자이와카슈』고토바가키는 '제목 미상(題知らず)'으로,『정집』과『속집』
에는 '새벽녘 달(あかつきの月)'로 되어 있다.
2 おきて: 잠자리에서 '일어나서(起きて okite)'와 '홀로 남겨 두고서(置きて okite)'
라는 뜻을 지닌 중의적 표현이다.

사랑
154

90.

無題

이토록 그리면
견디다 못 해 죽으리
상관없었던
그 사람 바로 나의
목숨줄이었구나

無題[1]

かく恋ひば	ka-ku-ko-i-ba
たへで死ぬべし	ta-e-de-si-nu-be-si
よそにみし	yo-so-ni-mi-si
人こそおのが	hi-to-ko-so-o-no-ga
命なりけれ	i-no-chi-na-ri-ke-re

出典 : 『쇼쿠고센와카슈』 恋一 696번(『정집』 92)

1 『쇼쿠고센와카슈』 고토바가키는 '사랑노래 가운데(恋の歌の中に)'로, 『정집』에는 '사랑(恋)'으로 되어 있다.

91.

'만나기로 약속한 날까지 도저히 기다리지 못하고 죽을 것 같소'라는 남자의 전갈에 답한 노래

우리 만남이
이뤄질지 아닐지
확인도 않고
죽어 버릴 것 같단
사람을 어찌 할까

たのめける男、え待ちつくまじきよし申しけるかへりごとに[1]

逢ふ事の	o-o-ko-to-no
ありやなしやも	a-ri-ya-na-si-ya-mo
みもはてで[2]	mi-mo-ha-te-de
絶えなん玉の	ta-e-na-n-ta-ma-no
緒を如何せん	o-wo-i-ka-ga-se-n

⋯⋯⋯⋯⋯⋯⋯⋯⋯⋯⋯⋯⋯⋯⋯⋯⋯⋯⋯

出典 : 『쇼쿠고센와카슈』 恋二 712번(『속집』 922, 1163)

1 『속집』 922번에는 '"만나기로 약속한 날까지 도저히 기다릴 수 없어 죽을 것 같소"라 말한 남자에게(「頼めたるほどえ待たじ、死ぬべし」といひたる男に)'로, 1163번에는 '"만나기로 약속한 날까지 도저히 기다릴 수 없소"라 말한 남자에게(「頼めたる程をえ待つまじ」といひたる男に로 되어 있다.

2 みもはてで: 'mihate'라는 말에 부정의 뜻을 보태는 접속조사 'de(で)'가 조합된 말이다. 'mihate'는 '끝까지 지켜보다(見果て mihate)'와 '죽다(身果て mihate)'라는 뜻을 지닌 중의적 표현이다.

92.

無題

> 베개조차도
> 동침한 걸 모르니
> 소문 안 나리
> 그러니 말 마시라
> 봄밤 꿈같은 만남

無題[1]

枕だに	ma-ku-ra-da-ni
しらねば[2]いはじ	si-ra-ne-ba-i-wa-zi
みしままに	mi-si-ma-ma-ni
君かたるなよ	ki-mi-ka-ta-ru-na-yo
春の夜の夢	ha-ru-no-yo-no-yu-me

....

出典 : 『신고킨와카슈』 恋三 1160번(『속집』 1175)

1 『신고킨와카슈』 고토바가키는 '제목 미상(題知らず)'으로, 『속집』에는 '생각지도 않았는데 나를 속여 하룻밤을 함께 보낸 사람에게(思ひかけず計りて, 物言ひたる人に)'로 되어 있다.
　베개와 사랑이 조합된 노래는 연인과의 사랑이 세인의 입방아에 오르내리지 않기를 바라는 내용이 일반적이다. 이에 반해 이즈미시키부는 자신이 수락하지 않은 사람과의 무리한 육체관계와 베개를 조합하여 읊었다는 점에서 특기할 만하다.
2 枕だに/ しらねば: 두 사람만의 비밀스런 동침을 아는 베개, 그 베개조차 베지 않았으니 베개조차도 알지 못한다는 뜻이다.

93.

無題

줄이 약해서
끊겨 흩어져 버린
구슬이라고
사람들 여길 테지
내가 흘린 눈물도

無題[1]

緒をよわみ	o-wo-yo-wa-mi
みだれて落つる	mi-da-re-te-o-tsu-ru
玉とこそ	ta-ma-to-ko-so
涙も人の	na-mi-da-mo-hi-to-no
めにはみゆらめ	me-ni-wa-mi-yu-ra-me

出典 : 『신쵸쿠센와카슈』恋四 935번(『정집』283)

1 『신쵸쿠센와카슈』 고토바가키는 '제목 미상(題知らず)'으로, 『정집』에는 '観身額岸離根草、論命江頭不繫舟'로 되어 있다(이 책 48번 노래 각주 참조).

94.

‘너무 사랑하는데’라는 말을 적어 보내온 사람에게 답한 노래

> 그리운 마음
> 구마노熊野 바닷가의
> 문주란처럼
> 겹겹이 쌓여만 가
> 잊힐 줄 알면서도

「幾重ね」¹といひおこせたる人のかへりごとに

とへ²と思ふ	to-e-to-o-mo-o
心ぞ絶えぬ³	ko-ko-ro-zo-ta-e-nu
忘るるを	wa-su-ru-ru-wo
かつみ熊野⁴の	ka-tsu-mi-ku-ma-no-no
浦の浜木綿⁵	u-ra-no-ha-ma-yu-u

....

出典:『쇼쿠고센와카슈』恋五 942번(『정집』 750)

1 幾重ね(ikukasane): 남자가 적어 보내온 ‘너무 사랑하는데(幾重ね 본래 뜻은 겹겹이, 한없이)’라는 말은 옛 노래의 일부를 따온 것이다. 염두에 둔 노래로 추정되는 2수가 있다. 먼저 ‘구마노 해변/ 문주란처럼 너무/ 사랑하는데/ 그댄 나보다 다른/ 사람 사랑하는가(み熊野の/浦の浜木綿/幾重ね/我より人を/思ひますらむ『古今六帖』 1935)’라는 노래다. 자신의 한없는 사랑을 강조하면서 상대방을 의심하고 질투하는 마음을 담은 노래다. 두 번째는 ‘구마노 해변/ 문주란처럼 너무/ 사랑하는데/ 그런 나를 당신은/ 거리를 두려 하네(み熊野の/ 浦の浜ゆふ/ 幾かさね/ 我をば君が/ 思ひ隔つる『古今六

帖』2634)'라는 노래다. 이 노래 역시 문주란 잎이 여러 겹으로 포개져 있는 모습에 자신의 한없는 사랑을 빗대면서 냉담한 상대방에게 원망을 전한 노래다. 과연 어떤 노래를 염두에 두고 '幾重ね'라는 말을 보냈는지 남자의 의도는 알 길이 없다. 다만 이들 노래는 자신의 깊은 사랑을 강조하면서 상대방에 대한 의심과 질투, 그리고 멀어져만 가는 연인에 대한 한탄을 담고 있다. 따라서 고토바가키에 등장하는 남자 역시 이들 노래를 염두에 두고 표면적으로는 자신의 한없는 사랑을 강조하는 한편 어떤 연유에서든 이즈미시키부를 책망한 것으로 보인다.

2 とへ: '찾아와 주오(問へ toe)'와 '여러 겹(十重 toe)'이라는 말의 동음이의어로 중의적 표현이다. 남자가 찾아와 주기를 요청하는 말에 더해 그를 향해 겹겹이 쌓여가는 그리움을 표현한 것이다. 이로써 남자의 왕래가 뜸했음을 미루어 짐작할 수 있다.

3 心ぞ絶えぬ: 계조사 'ぞ(zo)'로 인해 부정의 조동사 'ず(zu)'의 연체형 'ぬ(nu)'로 맺어진 형태의 문장으로, '(찾아와 주길 바라는) 마음은 끝이 없다'는 뜻이다.

4 み熊野: 와카야마(和歌山) 현과 미에(三重) 현에 걸친 지역을 아우르는 '구마노(熊野)'라는 지명에 접두어 'み(mi)'가 붙은 말이다. 여기서 미칭(美稱)의 접두어 '미'는 '見(알다 mi)'라는 말의 동음이의어로 중의적 표현이다. 앞의 말과 이어져 남자에게 잊힐 것을 '안다(見)'는 뜻이 된다.

5 浜木綿: 따뜻한 해안가에 자생하는 문주란은 여름철에 하얀 꽃을 피운다. 잎이 여러 겹으로 포개어져 있다는 점에서 '몇 겹(幾重 ikue)' 또는 '여러 겹(百重 momoe)'이라는 말을 이끌어내는 말(序言 zyogotoba)로도 사용된다. 가키노모토노 히토마로(柿本人麻呂)의 '구마노 해변/ 문주란 잎 여러 겹/ 포개져 있듯/ 너무도 그리운데/ 만날 수가 없구나(み熊野の/ 浦の浜木綿/ 百重なす/ 心は思へど/直に逢はぬかも『만요슈』496번)'라는 노래가 『슈이와카슈』(668번)에 다시 실릴 정도로 구마노(熊野) 바닷가의 문주란은 유명해졌다. 각주 1번에 인용한 2수와 달리 이 노래에는 연인을 향한 한결같은 사랑과 그리움, 좀처럼 만날 수 없는 안타까움과 한시라도 빨리 만나고 싶다는 애틋한 마음이 담겨 있다. 아마도 이즈미시키부는 이 노래를 염두에 두고서 말로는 한없이 사랑한다면서 직접 만나러 오지 않는 남자의 얄팍한 사랑에 일침을 가한 답가로 되받은 것으로 보인다.

95.

無題

> 보여도 주고
> 나 또한 보고픈 임
> 아침이면 늘
> 일어나 마주하는
> 거울이면 좋으련만

無題[1]

見えもせむ	mi-e-mo-se-n
見もせん人を	mi-mo-se-n-hi-to-wo
朝ごとに	a-sa-go-to-ni
おきてはむかふ	o-ki-te-wa-mu-ko-o
鏡ともがな	ka-ga-mi-to-mo-ga-na

出典 : 『신쵸쿠센와카슈』 恋四 928번(『정집』 82)

1 『신쵸쿠센와카슈』고토바가키는 '제목 미상(題知らず)'으로, 『정집』에는 '사
  랑(恋)'으로 되어 있다.

96.

無題

꿈에서조차
못 보고 지새 버린
동틀 무렵의
그리움이야말로
슬픈 사랑의 극치

無題[1]

夢にだに	yu-me-ni-da-ni
みであかしつる	mi-de-a-ka-si-tsu-ru
暁の	a-ka-tsu-ki-no
恋[2]こそ恋の	ko-i-ko-so-ko-i-no
かぎりなりけれ	ka-gi-ri-na-ri-ke-re

....

出典 : 『신쵸쿠센와카슈』 恋三 825번(『속집』 1053)

1 『신쵸쿠센와카슈』 고토바가키는 '제목 미상(題知らず)'으로, 『속집』에는 '달
랠 길 없는 무료함에 두서없이 떠오르는 생각들을 적어 모아 보니 노래가
되었다. 한낮 그리움/ 해 질 무렵 서글픔/ 초저녁 시름/ 한밤중 홀로 깨어/
동틀 녘 사모의 정, 이를 나눠서 읊은 노래(つれづれの尽きせぬままに、お
ぼゆる事を書き集めたる歌にこそ似たれ 昼偲ぶ 夕べの眺め 宵の思ひ 夜中
の寝覚 暁の恋 これを書きわけたる)'로 되어 있다. 이 가운데 상기 노래는
'동틀 녘 사모의 정(暁の恋)'을 읊은 것이다. 하루를 한낮, 해 질 녘, 초저녁,

한밤중, 동틀 녘 등 5개의 시간대로 나눈 뒤 각 시간대별로 그리움, 서글픔, 시름, 사모의 정 등을 배치하여 심사(心思)를 세분화한 섬세함이 돋보이는 연작시다. 총 50수(현존 작품은 46수)로 구성된 연작시 가운데 이 책에는 상기 노래 외에 4수(120번, 140번, 267번, 269번)가 채록되었다.

2 恋: 당시의 '恋(kohi)'는 양쪽이 한마음으로 서로 좋아하는 현재의 '사랑 (love)'과는 다르다. 즉 현재 목전에 없는 사람을 그리워하는 마음, 만날 수 없는 상대방을 애타게 원하는 마음을 뜻한다. '恋ふ(kohu)'의 명사형인 '恋 (kohi)'는 '乞ひ(kohi 구걸하다. 원하다)'와 동음이의어로 상대방에게 사랑을 애걸하는 마음을 함의한다.

97.

無題

몸에 사무쳐
서글퍼지는구나
그 언제 적에
염증의 가을바람
무관하다 여겼나

無題[1]

身にしみて	mi-ni-si-mi-te
哀れなるかな	a-wa-re-na-ru-ka-na
いかなりし	i-ka-na-ri-si
秋[2]ふく風を	a-ki-hu-ku-ka-ze-wo
音にききつる[3]	o-to-ni-ki-ki-tsu-ru

出典:『쇼쿠고센와카슈』恋四 914번(『정집』177·『속집』1147)

1 『쇼쿠고센와카슈』고토바가키는 '제목 미상(題知らず)'으로 되어 있다. 한편 『정집』에는 '몹시 깊은 시름에 잠긴 무렵 바람이 세차게 불기에(ものいみじう 思ふ頃、風のいみじう吹くに)'로,『속집』에는 '깊은 시름에 잠겨 지낼 때, 바람이 불던 무렵(いたう物思ふに、風の吹く頃)'으로 되어 있다.

2 秋: '가을(秋 aki)'이라는 말에 동음이의어인 '염증. 싫증(飽き aki)'을 함의한다. 이 작품이 사랑노래로 분류되어 있다는 점을 감안하면 '염증', 즉 연인의 변심에 무게가 실린다.

3 音にききつる: 『쇼쿠고센와카슈』에는 '音にききくる(otonikikikuru 소리로 들려올까)'로 되어 있다. 한편 『정집』에는 'よそに聞きけん(yosonikikiken 남 일로 여겼을까)', 『속집』에는 'ことに聞くらん(kotonikikuran 다르게 들은 걸까)'으로 시제(현재 또는 과거)가 각기 다르다. 하지만 의미에 있어서 큰 차이는 없다. 사랑으로 인한 시름이 없던 시절에는 가을바람이 불어도 별생각 없었는데, 사랑하는 사람의 마음이 가을바람처럼 차가워진 지금은 연인의 염증을 함의한 가을바람이 야속하고 서럽기만 하다는 의미다.

98.

'어떻게든 직접 한 번 만나고 싶소'라는 편지를 보내온 사람에게

억겁의 세월
나는 고통 속에서
살아야 할까
당신과의 단 한 번
만남으로 인해서

「いかでただ一度たいめせん」といひたる人に[1]

世々をへて[2]   yo-yo-wo-he-te
われやはものを   wa-re-ya-wa-mo-no-wo
思ふべき   o-mo-o-be-ki
ただ一度の   ta-da-hi-to-ta-bi-no
あふ事により   o-o-ko-to-ni-yo-ri

出典 : 『교쿠요와카슈』恋一 1287번(『정집』 508)

1 『교쿠요와카슈』고토바가키는 이와 동일하며, 『정집』에는 '어떤 사람이었더라, 그 사람이 '단 한번이라도 만나고 싶소'라고 말하기에(いかなる人にか「いかでただ一度対面せん」といひたるに)'로 되어 있다.

2 世々をへて: '내세까지도'를 함의한다. 한 번만(一度 ichido) 만나고 싶다는 남자에게 이즈미시키부는 남녀의 만남을 가벼이 여기는 당신과 달리 자신은 단 한 번의 만남도 영원히 잊지 못한다며, 한 번 만남으로 끝낼 사이라면 시작도 말자는 거절의 뜻을 완곡하게 전한 것이다.

99.

음력 칠월 칠석날, '당신을 만나러 가리다'라는 전갈을 보내온 사람에게

> 직녀성에게
> 실 바친 뒤 오늘 밤
> 틈나면 잠시
> 들러 주오 밀려오는
> 은하수 강물처럼

七月七日、「こん¹」と申したる人に

七夕に	ta-na-ba-ta-ni
かして²こよひの	ka-si-te-ko-yo-i-no
いとまあらば	i-to-ma-a-ra-ba
たちより来かし	ta-chi-yo-ri-ko-ka-si
天の川浪³	a-ma-no-ka-wa-na-mi

出典 : 『교쿠요와카슈』恋四 1631번(『속집』 1193)

1 こん: 직역하면 '오겠다'이지만, 상대방 쪽에 중심을 둔 표현이므로 '가리다'로 해석하였다.

2 七夕にかして: 직녀성에게 실을 바치는 것을 '貸す(kasu)'로 표현한 데서 '직녀성에게 사용하게 하고'라는 뜻으로도 사용되었다. 한편 칠석날 밤에 오색 실을 견우와 직녀 두 별에게 바쳐 길쌈과 바느질의 숙달을 빌던 중국의 걸교전(乞巧奠)이 당시 일본에서도 그대로 재현되었으며 이후 서도나 음악 등의 숙달을 비는 의식으로 확대된다. 또한 두 별이 만난다는 고사에서 비롯

되어 연애의 성취를 빌기도 했다. 다만 이들 의식은 주로 여성과 관련이 깊은 행사였다. 따라서 상기 노래에서 상대방 남자에게 '직녀성에게 실을 바치고'라는 말은 약간 부자연스럽다. 이런 점을 고려하면 '貸す(kasu)'를 '사용하게 하고'라는 의미로 보고, 상대방 남자가 교제 중인 여자에게 다른 남자와 만날 선택권을 사용하게 하고 오늘은 내게 와 달라는 의미로도 감상할 수 있을 것이다. 이는 오늘날의 밸런타인데이(Valentine Day)처럼 사랑하는 사람들에게 특별한 날인 칠석날, 자신을 찾아 주겠다는 남자에게 기쁨과 고마운 마음을 전한 것으로 보인다.

3 天の川浪: 마치 밀려갔다 밀려오는 은하수 강물처럼 자기 집에 들러 달라는 뜻이다.

100.

원래 사랑하는 사이인 남자가 다른 연인을 만들었는데 그 여자에게

> 해 질 녘이면
> 당신 처지마저도
> 한탄스러워
> 기다리던 그때의
> 내 맘과 같을 테니

はやう物申しける男のかよひける女のもとへ[1]

ゆふぐれは	yu-u-gu-re-wa
人の上さへ[2]	hi-to-no-u-e-sa-e
歎かれぬ	na-ge-ka-re-nu
待たれし頃に	ma-ta-re-si-ko-ro-ni
思ひあはせて	o-mo-i-a-wa-se-te

出典 :『교쿠요와카슈』恋五 1823번(『정집』821)

1 『교쿠요와카슈』 고토바가키는 '원래 연인이던 남자가 나를 버리고 다른 여자와 사귀었는데 또다시 다른 여자 집에 들락거린다는 소문을 듣고, 버림받은 여자에게 저녁 무렵 보낸 노래(早う物申しける男の通ひける女の許へまからずなりて、ほかになむあると聞きければ、かの女のもとへ夕暮に申しつかはしける)'로 되어 있다. 한편 『정집』에는 '지금은 다른 여자 집에 들락거린다는 소식을 접하고 그 남자가 직전에 사귀던 여자에게 해 질 녘 보낸 노래(「今はほかに」と聞く人のもとに、夕暮にいひやる)'로 되어 있다. 즉 이즈미시

키부가 노래를 보낸 상대방은 이전 자신의 연적(戀敵)인 동시에 이제는 자신처럼 그 남자에게 버림받은 처지의 여인임을 알 수 있다.

2 さへ: 첨가의 뜻을 나타내는 부사이다. 이를 통해 해 질 녘이면 아직도 버림받은 그때 그 무렵의 초라함과 상실감에 가슴 저려오는데, 이전 자신의 연적이었던 여자가 이제는 그맘때 자신처럼 해 질 녘 오지 않는 남자를 하염없이 기다릴 것이라는 생각에 가슴 아파한다. 이즈미시키부의 넉넉한 심성과 가슴 따뜻한 인간애를 느낄 수 있는 대목이다.

101.

나를 버린 사람이 예전 내게 보냈던 편지가 남아있는 걸 보고

편지를 보니
변함없는 사랑에
더욱 애달파
글에 담긴 그 마음
흔적조차 없으니

わすれにける人の文の殘りけるをみて[1]

かはらねば	ka-wa-ra-ne-ba
ふみこそみるに	hu-mi-ko-so-mi-ru-ni
哀れなれ	a-wa-re-na-re
人の心は	hi-to-no-ko-ko-ro-wa
あとはかもなし[2]	a-to-ha-ka-mo-na-si

·······················
出典 :『교쿠요와카슈』恋五 1819번(『속집』1162)

1 『속집』고토바가키는 '나를 버린 사람이 예전에 내게 보냈던 편지를 보고(忘れにける人の文のあるを見て)'로 되어 있다.

2 あとはかもなし: 초구의 '변함이 없다(かはらねば)'는 말과 대비된다. 사랑하는 마음이 담긴 편지는 예전 그대로인데 그 마음을 적은 사람의 마음은 온데간데없이 사라졌다는 뜻이다.

102.

無題

> 그 언제까지
> 살아 있을지 모를
> 이 세상에서
> 언제쯤 만나자는
> 말의 허망함이여

無題[1]

経べき世の	hu-be-ki-yo-no
かぎりもしらず[2]	ka-gi-ri-mo-si-ra-zu
その程に[3]	so-no-ho-do-ni
いつと契らむ	i-tsu-to-chi-gi-ra-n
事のはかなさ	ko-to-no-ha-ka-na-sa

· ·

出典 : 『쇼쿠고센와카슈』 恋三 795번(『속집』 1223)

1 『쇼쿠고센와카슈』 고토바가키는 '하다못해 언제쯤이라는 말만이라도 듣고 싶다는 사람에게(せめてはそのほどといはんをだにきかばやと申しける人に)' 로, 『속집』에는 '"언제쯤이라는 말만이라도 듣고 싶다"는 남자에게(「その程 とだに言はむを聞かん」という男に)'로 되어 있다.

2 かぎりもしらず : 『속집』에는 '限りを知らで(kagiriwosirade 끝을 알지 못하고)' 로 되어 있다.

3 その程に : 『속집』에는 'その程の(sonohodono 그 무렵쯤의)'로 되어 있다.

103.

어딘가로 떠난 사람이 한동안 소식이 없기에 어찌 된 일인지 알아보니
'가까운 며칠 안에 만나러 가리다'라는 전갈이 왔지만 그날도 지나버렸기에

예전 당신이

나를 잊을 것이라

마음속으로

예감한 적 있는데

그대로 들어맞다니

ものへいにし人の久しく音もせぬを、物などとはするに、「このほど」といひ
けるも過ぎければ

忘れなむ　　　　　　　　wa-su-re-na-n

ものぞと思ひし　　　　　mo-no-zo-to-o-mo-i-si

そのかみの　　　　　　　so-no-ka-mi-no

心のうら[1]ぞ　　　　　　ko-ko-ro-no-u-ra-zo

まさしかりける　　　　　ma-sa-si-ka-ri-ke-ru

出典 : 『신칸본』 54번

1 心のうら: 마음속에서 스스로 점치는(예언하는) 일을 뜻하는데 여기서는 '예
　감'으로 옮겼다. '우라'는 '속(裏 ura)'과 '점(占·卜 ura)'이라는 뜻을 지닌 중의
　적 표현이다. 이와 유사한 취지의 노래에 '이토록 깊이/ 당신 그리게 될 줄/
　이미 알았소/ 내 마음속 예감이/ 정말로 맞았구나(かく恋ひむ/ ものとは我も/
　思ひにき/ 心の占ぞ/ まさしかりける 『고킨와카슈』 700)'라는 작품이 있다.

104.

이번이 마지막 만남이라고만 생각되는 연인에게 보낸 노래

우리 만남은
물론이거니와
내 목숨마저
이 만남을 끝으로
마지막이 되려나

ただこのたびとばかり思ふ人につかはす[1]

あふ事は	o-o-ko-to-wa
更にもいはず	sa-ra-ni-mo-i-wa-zu
命さへ	i-no-chi-sa-e
ただこのたびや	ta-da-ko-no-ta-bi-ya
かぎりなるらん	ka-gi-ri-na-ru-ra-n

....
出典 :『쇼쿠고센와카슈』恋三 842번(『속집』1294)

1 『속집』 고토바가키는 '우리의 만남도 이번이 마지막이라 생각되는 연인과
만나니 죽을 것 같이 마음이 아파 괴로웠기에 집으로 돌아와, 조금 전 만났
을 때 몹시 애절했다는 글월을 보내며 곁들인 노래(この度ばかりと思ふ人に
逢ひて、胸を死ぬばかり病みて、折しもあはれなりし事など書きてやる)'로 되
어 있다.

105.

남몰래 사귀는 남자가 바스락거리는 옷자락 소리가 시끄럽다며
가 버렸기에

> 소식 없으면
> 견디기 힘겨운데
> 몸 가까이서
> 소리 난다며 꺼리는
> 사람도 있었구나

しのびたる男のいたく鳴るきぬを、かしがましとてのけければ[1]

音せぬは[2]	o-to-se-nu-wa
苦しきものを	ku-ru-si-ki-mo-no-wo
身にちかく	mi-ni-chi-ka-ku
なる[3]とていとふ	na-ru-to-te-i-to-o
人もありけり	hi-to-mo-a-ri-ke-ri

出典:『시카와카슈』雜上 326번(『정집』 262, 686)

1 『정집』 고토바가키는 '그 사람이 나를 만나러 와서는 풀 먹인 비단 속옷
  스치는 소리가 나자 벗어 두고 돌아가 버린 다음 날 아침(ある人の、物
  言ひに来て、単衣の鳴りければ、脱ぎおきて出でにけるつとめて)'으로 되어
  있다.

2 音せぬは: '音(oto)'는 '옷자락이 스치는 소리'와 '소식'이라는 뜻을 지닌 중
  의적 표현이다. 상기 노래에서는 부정형이 함께 사용되어 '옷자락 스치는

소리가 나지 않다'는 뜻과 '소식을 끊고 찾아오지 않다'는 뜻을 담고 있다.

3 なる: 'なる(naru)'는 '옷자락 소리가 나다(鳴る naru)'와 '친한 사이가 되다
(馴る naru)'의 중의적 표현이다.

106.

그 사람에게서 '아무래도 가지 못할 것 같소'라는 전갈이 왔기에 답한 노래

오지 말라고
말한 사람 없는데
당신 스스로
마음속에 설치한
나코소勿来 관문인 듯

人のもとより、「えまうでこぬ」など申して侍りける返り事に[1]

なこそ[2]とは	na-ko-so-to-wa
誰かはいひし	ta-re-ka-wa-i-i-si
いはねども	i-wa-ne-do-mo
心にすうる	ko-ko-ro-ni-su-u-ru
関とこそみれ	se-ki-to-ko-so-mi-re

···

出典:『교쿠요와카슈』恋三 1550번(『속집』1329)

1 『속집』고토바가키는 '그 사람이 오지 못하겠다는 전갈을 보내왔기에(人の もとより、え行かぬ事などいひたるに)'로 되어 있다.

2 なこそ: '오지 말라(な来そ nakoso)'와 당시 주요한 관문(關門)명인 '나코소(勿来 nakoso)'의 동음이의어로 중의적 표현이다. 나코소 관문(勿来関 nakosonoseki) 은 지금의 후쿠시마 현(福島県) 이와키 시(市)에 있었다.

107.

그 사람에게서 '어제 한밤중에 찾아갔는데 당신은 내가 온 줄도 모르고
잠든 것 같아 그냥 돌아왔소'라는 전갈이 왔기에

　　자고 있다고
　　짐작을 하셨다면
　　소리를 내서
　　깨우면 좋을 것을
　　한밤중일지라도

人の、「夜ふけてきたりけるを、聞きつけで寝たるがすること」などいひたるに[1]

臥しにけり[2]	hu-si-ni-ke-ri
さしも思はば	sa-si-mo-o-mo-wa-ba
笛竹の[3]	hu-e-ta-ke-no
音をぞせまし	o-to-wo-zo-se-ma-si
夜ふけたりとも	yo-hu-ke-ta-ri-to-mo

....

出典 : 『고슈이와카슈』雜二 909번(『정집』732)

1　『고슈이와카슈』고토바가키는 '남자가 밤늦게 찾아왔는데, 잠들었다는 말을
　　듣고 돌아가 버렸으므로, 그다음 날 아침 남자가 이러저러했다는 내용을
　　적어 보내왔기에 답한 노래(男の夜更けてまうで来て侍りけるに、寝たりと聞き
　　て帰りにければ、つとめて、かくなむありしと、男のいひおこせて侍りける返り
　　事に)'로 되어 있다. 한편 『정집』에는 '그 사람이 "어제 밤늦게 찾아갔건만

당신은 내가 온 줄도 모르고 잠들었구려"라는 전갈을 이튿날 아침에 보냈기
에(人の、「夜更けて来たりけるを、聞きつけで寝たりける」など、つとめていひ
たるに)'로 되어 있다.
2 臥しにけり: 단도직입적으로 '자고 있었다'고 잘라 말하는 이즈미시키부의 당
당함과 끈기 있게 버티지 못한 남자의 미온적인 태도가 대비되어 흥미롭다.
3 笛竹の: 뒷말인 '音(oto)'를 이끌어 내기 위해 관용적으로 붙는 말(枕詞
makurakotoba)이다.

108.

몸이 안 좋던 무렵 그 사람에게

죽어 없어질
이승서의 마지막
추억거리로
단 한 번만이라도
당신 만나고 싶어

こころあしきころ、人に[1]

あらざらむ	a-ra-za-ra-n
このよの外の	ko-no-yo-no-ho-ka-no
思ひ出に	o-mo-i-i-de-ni
今一たびの	i-ma-hi-to-ta-bi-no
あふこともがな	o-o-ko-to-mo-ga-na

出典:『고슈이와카슈』恋三 763번(『정집』 753)

1 『고슈이와카슈』 고토바가키는 '평상시와 달리 상태가 좋지 않던 무렵, 그 사람에게 보낸 노래(心地例ならず侍りける頃、人のもとにつかはしける)'로 되어 있다.

「百人一首 hyakuninissyu」에도 수록된 노래다. 죽음을 예감한 병상에서 이 세상 떠나는 마지막 소원이 사랑하는 사람과의 만남이라 절규한다. 여기서 만남이란 단순히 얼굴을 보는 이상의 육체적 관계를 의미한다. 그렇기에 더욱 더 이 와카는 이즈미시키부라는 인물을 다시 생각하게 만든다. 생애 마지막 순간에 간절히 보고 싶던 대상이 누구였는지는 미지수다. 이를 둘러싸고 연구자들 사이에 의견이 분분하다. 이즈미시키부 가집 어디에도 그가 누구인지 알 수 있는 실마리는 없는데, 설령 그가 누구인지 확정할 수 있다 하더라도 그건 중요해 보이지 않는다.

저승으로 가기 전 이승에서의 마지막 추억거리로 사랑하는 사람을 만나겠다는 이즈미시키부는 죽음을 목전에 두고도 부질없는 사랑에 집착한 욕망 가득한 여인이었을까. 그녀와 동시대를 산 보통 사람이라면 사랑을 넘어 집착에 가까운 연인일지라도 내세에는 자신의 극락왕생을 빌며 현세에서의 애집(愛執)을 넘은 관계를 갈구하는 내용으로 마무리했을 것이다. 하지만 이즈미시키부는 사후(死後)의 구원이 아닌 사랑하는 사람과 현세에서의 마지막 만남을 갈구한다. 당시 세간에서 요구하는 시대적 도덕성을 향해 항의라도 하듯 현세에서의 바로 이 순간, 자기 자신에게 충실하고 솔직한 한 사람으로서 최후를 맞고자 한다. 언뜻 인간의 유한성과 존재 의미에 관한 통렬한 외침으로 들린다. 상기 작품은 사랑 노래가 아닌 철학적 화두를 건네는 선문답으로 접근해야 할지도 모를 일이다.

恋

109.

한동안 오지 않던 사람이 '당신 형편이 나쁘지 않으면 만나러 가리다'라는
전갈을 보내왔기에

오신다 해도
길다운 길 없어라
찾는 이 없어
내 집은 온통 띠만
무성히 자랐구나

久しう音づれぬ人の、「びむなかるまじうはまゐらむ」と申したれば[1]

もしも来ば	mo-si-mo-ko-ba
道のまぞなき	mi-chi-no-ma-zo-na-ki
宿はみな	ya-do-wa-mi-na
淺茅が原[2]と	a-sa-zi-ga-ha-ra-to
なりはてにけり	na-ri-ha-te-ni-ke-ri

······················
出典 : (『정집』 242)

1 『정집』 고토바가키는 '어떤 사람이 오겠다고 하기에(ある人の、来むといひた
  るに)'로 되어 있다. 여기서는 오랫동안 오지 않던 사람이 '당신 형편이 나쁘
  지 않으면 만나러 가리다(びむなかるまじうはまゐらむ)'라며 이제와 새삼스
  럽게 이즈미시키부 쪽 형편을 운운한 것이다.
2 淺茅が原: 띠가 무성한 들판은 찾아오는 사람이 없음을 우회적으로 표현한
  것이다. 띠는 볏과의 여러해살이풀로 줄기 높이가 30~80cm로 키가 작은 풀
  이다.

110.

잠깐 다른 곳에 가면서 그 사람에게

어느 곳으로
간다는 말 정도는
전했을 텐데
찾아와 줄 사람이
내게 있었더라면

ものへゆくとて、人に[1]

何方へ	i-zu-ka-ta-e
ゆくとばかりは	yu-ku-to-ba-ka-ri-wa
告げてまし	tsu-ge-te-ma-si
とふべき人の	to-o-be-ki-hi-to-no
あるみと思はば	a-ru-mi-to-o-mo-wa-ba

出典：『고슈이와카슈』雜二 924번(『정집』755)

1 『고슈이와카슈』 고토바가키는 '잠시 다른 곳에 가면서, 그 사람에게 보내놓
 은 노래(ものへまかるとて、人の許にいひおき侍りける)'로 되어 있다. 상기 고
 토바가키는 『정집』과 동일하다. 여기서 'ものへゆく(monoeyuku)'는 가는 곳
 을 정확히 밝히지 않은 표현인데, 여성의 경우에는 주로 절에 가는 것을
 말한다.

恋
183

111.

평소에 발길이 뜸한 편인 사람에게

이번 만남이
끝이라 생각하니
흐르는 눈물
한도 끝도 없는 건
눈물뿐이었구나

つねにたえまがちなる人に¹

このたびを	ko-no-ta-bi-wo
かぎりとみるに	ka-gi-ri-to-mi-ru-ni
おつれども²	o-tsu-re-do-mo
つきせぬ³物は	tsu-ki-se-nu-mo-no-wa
涙なりけり	na-mi-da-na-ri-ke-ri

出典 : (『속집』 1376)

1 『속집』 고토바가키는 '평소 뜸하게 찾아오던 남자가 아예 발길을 끊었다며
  그 남자에게 보낼 노래를 대신 지어 달라고 부탁한 노래(常に絶え間がちな
  る男、訪れぬにやるとて、人のよませし)'로 되어 있어 대작(代作)임을 알 수
  있다.
2 おつれども: 『속집』에는 '音づれは(otozurewa 찾아오는 것은)'로 되어 있다.
3 つきせぬ: 2구의 'かぎり(kagiri 끝)'와 상반된 말이다.

112.

앞뒤가 맞지 않는 일로 나를 원망하는 사람에게

내게 냉담한
당신 포기해 버린
육체이기에
나의 마음으로도
어찌할 순 없어라

わりなきことにてうらむる人に

うしとみて	u-si-to-mi-te
思ひすて[1]にし	o-mo-i-su-te-ni-si
身にしあれば	mi-ni-si-a-re-ba
わが心[2]にも	wa-ga-ko-ko-ro-ni-mo
任せやはする	ma-ka-se-ya-wa-su-ru

出典 :(『속집』1374)

1 思ひすて: 기본형 '思ひ捨つ(omoisutsu)'는 '단념(포기)하다'는 뜻이다. 남자 쪽에서 계속 냉담한 태도를 취하자 힘겹게 마음을 정리한 이즈미시키부에게 남자가 다시 사귀자는 제안을 해온 것으로 보인다. 바로 이것이 고토바가키의 '앞뒤가 맞지 않는 일'에 해당한다.

2 わが心: 3구의 '身(mi 육체)'에 대비되는 말이다.

113.

괴로울 정도로 내게 냉담한 사람이 의례적으로 들렀기에

끊고 맺음이
분명한 나였으면
이 사람 아직
살아 있네 정도로
보아 넘겼을 텐데

心うしと思ふ人の、大かたにきたるに[1]

うきをしる	u-ki-wo-si-ru
心なりせば	ko-ko-ro-na-ri-se-ba
世の中に	yo-no-na-ka-ni
ありけりとだに[2]	a-ri-ke-ri-to-da-ni
みてやみなまし	mi-te-ya-mi-na-ma-si

....
出典 : (『정집』 773)

1 『정집』에는 '어딘지 모르게 야속하다 생각되는 사람이 일부러 나를 보러 온
 게 아니라 다른 용건으로 찾아왔기에(**なま**心うしと思ふ人、大方に来たるに)'
 로 되어 있다. 여기서 '心うし(kokorousi)'는 남녀사이에서 매정한 태도를 취
 하는 연인 때문에 괴로워하는 심경을 뜻한다.
2 だに: 『정집』에는 'のみ(nomi 만)'로 되어 있다.

114.

그 사람이 새알을 보내왔기에

몇 개씩 몇 단
새알 쌓아 올려야
믿게 되려나
잠시 잠깐 살다가는
덧없는 사람마음을

かりの子を人のおこせたるに[1]

いくつづつ　　　　　i-ku-tsu-zu-tsu
いくつかさねて[2]　　i-ku-tsu-ka-sa-ne-te
たのままし[3]　　　　ta-no-ma-ma-si
かりのこの世[4]の　　ka-ri-no-ko-no-yo-no
人の心は　　　　　　hi-to-no-ko-ko-ro-wa

....
出典 : 『쇼쿠센자이와카슈』 雜體 757번(『정집』 715)

1 『쇼쿠센자이와카슈』 고토바가키는 '새알을 그 사람이 보내왔기에 읊은 노래
(かりの子を人のおこせて侍りければ、よみ侍りける)'로, 『정집』은 상기 고토
바가키와 동일하다.

　여기서 새알은 기러기나 오리, 가마우지 등 물새의 알을 말한다. 원래 기러
기는 일본어로 'かり(kari)'지만 일본에는 기러기가 산란하지 않는 것으로 알
려져 있다. 따라서 손에 넣기 힘든 진귀한 선물임을 암시할 수도 있지만
불분명하기에 새알로 해석하였다. 한편 'かり(kari)'는 '임시, 가짜(假 kari)'라

는 말과 동음이의어인 관계로 주로 상대방의 바람기를 질책하거나 암시하는 노래에 사용되곤 한다.

2 いくつづつ/ いくつかさねて: 중국 고사에서 유래한 말로 위태로운 상태를 비유적으로 이르는 누란(累卵)을 말한다. 와카에서는 주로 실현 불가능한 일을 비유할 때 사용된다.

3 たのままし: 'まし(masi)'는 추량의 조동사로, 의문을 나타내는 말과 함께 쓰여 결단을 내리기 어렵다는 뜻을 더한다. 여기서는 사람 마음을 믿기 어렵다는 의미로 쓰였다. 이와 유사한 취지로 '설령 새알을/ 열 개씩 열 단 쌓는/ 것이 가능타/ 해도 당신 마음은/ 믿을 수가 없다네(かりの子を/ とをづつとを/ かさぬとも/ 人のこころを/ いかがたのまん『伊勢物語』50段)'라는 노래가 있다. 바람기가 의심되는 연인을 힐난하는 장면에 나오는 유명한 노래다. 이러한 연유로 새알을 보내온 남자의 마음을 있는 그대로 받아들일 수 만은 없는 상황이다.

사랑이란 게 참으로 복잡미묘해서 연인의 사소한 몸짓 하나, 무의미한 말 한마디에도 불안해하고 안절부절못하게 되고 만다. 새알을 선물한 남자의 마음이 고맙고 기쁘면서도, 한편으로는 'かり(kari)'라는 말이 들어간 선물에 혹시 남자가 자신의 덧없는 일시적인 사랑을 전달하려 한 것은 아닌지 불안해진다. 하지만 새알의 의미를 정반대로 해석할 수도 있다. 즉 선물을 보낸 남자 쪽에서 보면 이즈미시키부 마음을 믿을 수 없다는 속내를 내비치면서 그녀의 반응을 살펴보고 싶은 마음이 있었을지도 모른다.

이처럼 시각에 따라 달라지는 선물의 의미에 대해 이즈미시키부는 그러한 모든 것들이 부질없다 말한다. 잠시잠깐 살다가는 허망한 인간의 목숨, 그 짧은 인생에서 벌어지는 사랑의 행위와 마음은 어쩔 수 없이 일시적일 수밖에 없다는 논리를 펼친 것이다. 인간의 유한성을 언급하면서 이 세상 아래 영원한 것은 아무것도 없다는 철학적 화두를 던지며 남자에게 선문답이라도 하듯 답가를 보낸 것이다.

4 かりのこの世: '덧없는 이 세상(假の此の世 karinokonoyo)'이라는 말에 '새알(かりの子 karinoko)'을 함의한다.

115.

'당신이 잠든 발치에서 자고 싶소'라는 편지를 보내온 사람에게

잠들지 못해
침상 한가운데에
앉아 있기에
발치도 머리맡도
결정할 수 없어라

「あとにねばや」と申したる人に[1]

ねられねば	ne-ra-re-ne-ba
とこ中にのみ	to-ko-na-ka-ni-no-mi
おきゐつつ	o-ki-i-tsu-tsu
跡も枕も	a-to-mo-ma-ku-ra-mo
さだめやはする[2]	sa-da-me-ya-wa-su-ru

....
出典 : (『속집』 1456)

1 『속집』 고토바가키는 '이렇다 할 특별한 점이 없는 남자가 "당신 발치에서 자고 싶다"고 하기에(異なる事なき男の、「あねに寝ん」と云ひたるに)'로 되어 있다. '발치에서 자고 싶소(あとにねばや)'라는 말은 하룻밤을 함께 보내고 싶다며 조심스럽게 의향을 타진한 것이다. 동침할 수만 있다면 이즈미시키 부가 누운 발치에서라도 자고 싶다는 뜻을 전한 것이다.

2 跡も枕も/ さだめやはする: 잠 못 이루고 잠자리에서 일어나 앉아 있기에 머리맡과 발치를 가릴 수 없다는 뜻이다. '머리맡서도/ 발치 쪽에서도/ 당신

恋
189

그리는/ 마음 파고 들어와/ 그저 밤 지새우네(枕より/ あとより恋の/ せめくれ
ば/ せむ方なみぞ/ 床中にをる『고킨와카슈』1023)'라는 노래를 염두에 두
고 상대방에게 그리움을 전한 것이다.

116.

3월경, 답장을 주지 않는 여인에게 보낸다며 남자가 대작代作을 부탁한
노래

당신이 적은
글씨체만이라도
보여 주시오
사랑 나눌 정도는
안 된다 하더라도

二月ばかりに、女の返事せぬに、男のよませし[1]

あとをだに	a-to-wo-da-ni
草のはつかに	ku-sa-no-ha-tsu-ka-ni
みてしがな	mi-te-si-ga-na
結ぶばかりの	mu-su-bu-ba-ka-ri-no
程ならずとも	ho-do-na-ra-zu-to-mo

· ·
出典 : 『신고킨와카슈』 恋一 1023번(『속집』 911)

1 男のよませし: 이즈미시키부 가집을 통해 그녀가 다른 사람으로부터 곧잘
대작(代作)을 의뢰받았음을 알 수 있다. 심지어 『이즈미시키부 일기』에는
현재 사귀고 있는 왕자로부터 자기의 옛 여인에게 보낼 노래를 대신 지어달
라는 의뢰를 받는다. 물론 현재 두 사람은 연인 사이지만 그럼에도 남자의
전 애인에게 보낼 노래를 부탁받은 심경은 어떠했을까. 자기의 노래 실력을
인정받았다는 기쁨도 있겠지만 역시 씁쓸하지 않았을까. 한편 상기 노래의
대작을 부탁한 남자와 이즈미시키부의 관계는 불투명하다.

117.

無題

애를 써 봐도
벗어 낼 수 없는 건
돌고 돌아서
장안에 퍼져 버린
헛소문이라는 옷

無題[1]

ぬぎすてむ	nu-gi-su-te-n
かた[2]なき物は	ka-ta-na-ki-mo-no-wa
唐衣[3]	ka-ra-go-ro-mo
たちとたち[4]ぬる	ta-chi-to-ta-chi-nu-ru
名にこそありけれ	na-ni-ko-so-a-ri-ke-re

出典 : 『교쿠요와카슈』 恋一 1352번(『속집』 921, 1196)

1 『교쿠요와카슈』 고토바가키는 '근거도 없는 소문이 퍼진 무렵(なき名たちける比)'으로 되어 있다. 한편 『속집』 921번에는 '부당한 일로 근심할 무렵(あやしき事を思ふ頃)'으로, 1196번에는 '부당한 일을 그저 한탄하며(あやしき事をのみ思ひて)'로 되어 있다.

2 かた: '방법(方 kata)'과 '어깨(肩)'의 뜻을 지닌 동음이의어이다.

3 唐衣: 소매가 넓고 옷자락이 발뒤꿈치까지 달하는 중국풍 옷을 말하는데, 한때는 진귀하고 아름다운 옷이라는 의미로도 사용되었다. 헤이안 시대 이

사랑
192

후에는 입다(着る kiru), 재단하다(裁つ tatsu), 끈(紐 himo), 옷소매(袖 sode)
등의 시어를 이끌어 내는 말(枕詞 makurakotoba)로 쓰였다. 한편 중국을 뜻
하는 '唐(kara)'는 '없는, 텅 빈(空 kara)'이라는 말과 동음이의어로 '근거 없
는 헛소문, 누명'을 함의한다.

4 たちとたち: 'たち(tachi)'는 '재단하다(裁ち)'와 '소문이 나다(立ち)'의 동음이
의어로 중의적 표현이다. '재단하다(裁ち)'는 초구의 '벗다(ぬぎ nugi)', 3구
의 '옷(衣 koromo)' 등과 함께 의복과 관련된 말(緣語 engo)이다.

恋
193

118.

오래지 않아 변심할 것 같아 관계를 맺지 않은 사람이 마냥 찾아오기에

> 차갑게 식을
> 사랑 뒤 당신 마음
> 생각 안 하면
> 마음 내키는 대로
> 사랑하며 지내련만

ながらへてもあらじとうたがひてあはぬ人の、常にまうできければ[1]

つらからむ	tsu-ra-ka-ra-n
後の心を[2]	no-chi-no-ko-ko-ro-wo
思はずは	o-mo-wa-zu-wa
あるに任せて	a-ru-ni-ma-ka-se-te
すぎぬべき世を	su-gi-nu-be-ki-yo-wo

出典：『교쿠요와카슈』恋三 1520번(『속집』 914, 1167)

1 『속집』 914번 고토바가키에는 '오래 가지 않을 사랑이라고 생각되는 사람과 교제를 시작하고 나서 결코 남녀관계를 맺지 않았기에(久しうあらずやあらん と思ふ人の、物言ひ初めて、絶えて逢はぬに)'로 되어 있다. 한편 중복 수록 된 1167번 고토바가키에는 '오래 가지 않을 사랑이라고 생각되는 사람과 친해진 뒤에도 결코 남녀관계를 맺지 않았는데 여전히 찾아오기에(久しくは あらずやあらんと思ふ人のもとに、物を言ひそめて、絶えて逢はぬに、常に来 れば)'로 되어 있다.

2 つらからむ/ 後の心を: 직역하면 '괴로워하게 될 나중의 마음을'이다. 사랑이 시작되기 전부터 이 사랑이 곧 끝나 버릴 것임을 직감하고 자신이 겪게 될 괴로움의 크기를 (생각하지 않는다면)'이라는 뜻이다. 오래 지속될 것 같지 않다는 말은 상대방이 바람기가 많은 남자임을 완곡하게 표현한 것이다.

119.

부임지로 떠난 남자에게서, '돌아갈 때까지 목숨 부지하고 싶소'라는 내용의 편지가 왔기에

살고 싶다는

당신은 아무쪼록

살아남기를

기다림에 겨워서

나는 죽어 있으리

ものへまかりける男、かへらむまでの命惜しきよし申しおこせて待りければ[1]

惜しむらん	o-si-mu-ra-n
人の命は	hi-to-no-i-no-chi-wa
ありもせよ	a-ri-mo-se-yo
待ちにしたへぬ	ma-chi-ni-si-ta-e-nu
身こそなからめ	mi-ko-so-na-ka-ra-me

出典 : 『쇼쿠고센와카슈』 恋三 846번(『정집』 436 · 『속집』 1337)

1 『쇼쿠고센와카슈』 고토바가키와 동일하다. 『정집』에는 '부임지로 간 사람이 '좀 더 목숨을 부지하고 싶소'라고 말하기에(物へいく 人、「今しばしの命の 惜しき」といひたるに)'로, 『속집』에는 '부임지로 간 사람에게서 "당분간은 죽고 싶지 않소 지금은 좌우지간 살고 싶소"라는 전갈이 왔기에 답한 노래(物 へいにし 人のもとより、「今しばし命なむ惜しき、今はとかく生くべし」といひた る返事に)'로 되어 있다. 따라서 『쇼쿠고센와카슈』와 『속집』은 과거형(もの

へまかり**ける男**, もの**へいにし人**)'으로, 『정집』은 현재형(物へ**いく人**)으로 되어 있어 차이를 보인다.

지방관 임기는 최소 4년이므로 그 기간 동안 남자와는 만나지 못한다. 그런데 남자는 석별의 정과 아쉬움을 호소하기는커녕 어쨌든 귀경할 때까지 살고 싶다는 것이다. 그에게 중요한 건 도읍지로 살아 돌아오는 것이다. 이에 이즈미시키부는 남자의 장수를 빌며 자신은 그리움에 지쳐 죽어지리라는 서늘한 반응을 보인다. 본거지로의 생환에 목숨을 건 남자와, 그와의 이별을 아쉬워하는 여인의 심경이 극명하게 대비를 이룬다.

120.

無題

견줄 데 없이
쓸쓸하고 슬픈 건
안 올 거라고
단념하고서 기다림
해제한 해 질 무렵

無題[1]

たぐひなく	ta-gu-i-na-ku
かなしき物は	ka-na-si-ki-mo-no-wa
いまはとて	i-ma-wa-to-te
またぬゆふべ[2]の	ma-ta-nu-yu-u-be-no
詠めなりけり	na-ga-me-na-ri-ke-ri

出典 : 『쇼쿠고센 와카슈』 恋五 958번(『속집』 1026)

1 『쇼쿠고센 와카슈』 고토바가키는 '제목 미상(題知らず)'으로, 『속집』에는 '달
랠 길 없는 무료함에 두서없이 떠오르는 생각들을 적어 모아 보니 노래가
되었다. 한낮 그리움/ 해 질 무렵 서글픔/ 초저녁 시름/ 한밤중 홀로 깨어/
동틀 녘 사모의 정, 이를 나눠서 읊은 노래(つれづれの尽きせぬままに、おぼ
ゆる事を書き集めたる歌にこそ似たれ 昼偲ぶ 夕べの眺め 宵の思ひ 夜中の
寝覚 暁の恋 これを書きわけたる)'로 되어 있다. 이 가운데 상기 노래는 '해
질 무렵 서글픔(夕べの眺め)'을 읊은 것이다(이 책 96번 노래 각주 참조).

사랑
198

2 ゆふべ: 해 질 녘은 여인이 사랑하는 남자와의 만남을 앞둔 가슴 설레는 시각이다. 하지만 연인과 헤어진 경우, 더욱이 상기 노래처럼 연인과 사별한 경우에 맞이하는 해 질 녘은 비할 데 없이 가혹하고 슬픈 체념의 시간이 될 것이다. 한편 고대 일본의 결혼은 일반적으로 통혼(通婚)이다. 즉 남자가 여자 집에 해 질 녘 찾아가 동침한 뒤 새벽녘에 귀가하는 형태이다. 참고로 당시에는 하루를 낮과 밤으로 나눌 때, 밤이 시작되는 시간대가 '해질 녘(夕べ yuube)'이다. 夕べ(yube 해 질 녘) → 宵(yoi 초저녁) → 夜中(yonaka 한밤중) → 暁(akatsuki 동틀 무렵) → 曙(akebono 새벽) → 朝(asita 아침) 의 순서로 시간의 흐름을 파악했다.

恋
199

121.

無題

하염없이
하늘만 보게 되네
그리운 사람
하늘에서 내려와
내게 올 리 없는데

無題

つれづれと   tsu-re-zu-re-to
空ぞみらるる²   so-ra-zo-mi-ra-ru-ru
思ふ人   o-mo-o-hi-to
あまくだりこん   a-ma-ku-da-ri-ko-n
ものならなくに   mo-no-na-ra-na-ku-ni

....

出典 :『교쿠요와카슈』恋二 1467번(『정집』81)

1 『교쿠요와카슈』고토바가키는 '백수가 가운데(百首歌の中に)'로, 『정집』에
　는 '사랑(恋)'으로 되어 있다.
2 みらるる: 자신의 의지와 상관없이 저절로 하늘을 바라보게 된다는 뜻이다.
　'드넓은 하늘/ 사랑하는 그 사람/ 정표(情表) 아닌데/ 어찌 수심 잠길 적마다
　/ 눈이 가는 것일까(大空は/ 恋しき人の/ 形見かは/ もの思ふごとに/ ながめ
　らるるらむ『고킨와카슈』743)'를 염두에 둔 작품으로 보인다.

122.

無題

내 박복함도
당신의 무정함도
뻔히 알면서
불타는 이 그리움
가당키나 한 걸까

無題[1]

身のうきも	mi-no-u-ki-mo
人のつらさも	hi-to-no-tsu-ra-sa-mo
しりぬるを	si-ri-nu-ru-wo
こはたが誰を	ko-wa-ta-ga-ta-re-wo
恋ふるなるらん	ko-o-ru-na-ru-ra-n

出典:『교쿠요와카슈』恋四 · 1671번(『정집』 567)

1 『교쿠요와카슈』 고토바가키는 '제목 미상(題知らず)'으로, 『정집』에는 '다시 그 사람에게(また、人に)'로 되어 있다.

123.

사랑하는 사람이 '당신이 죽은 뒤에도 잊지 않을 것이오'라고 말하고선
내가 아프다는 소식을 듣고도 오랫동안 오지 않기에

죽은 뒤에도

그리워해줄 사람

없는 처지여

살아 있을 때마저

찾는 사람 없구나

かたらふ人の、「なくなりなむ世までと忘れじ」といふが、ここちわづらふと
きくを、久しくとはぬに[1]

忍ばれん   si-no-ba-re-n

ものとはみえぬ   mo-no-to-wa-mi-e-nu

わが身かな   wa-ga-mi-ka-na

ある程をだに   a-ru-ho-do-wo-da-ni

誰かとひける   ta-re-ka-to-i-ke-ru

出典: 『쇼쿠고센와카슈』 恋五 945번(『정집』 217 · 『속집』 1172)

1 『쇼쿠고센와카슈』 고토바가키는 '사랑하는 남자가 죽을 때까지 나를 잊지
  않겠다 말하고선 몸이 아파 힘겨운데도 오랫동안 연락 않기에 읊어 보낸
  노래(かたらひける男、なからん世まで忘れじと頼めけるが、なやむこと侍りけ

るを、久しくとはざりけるにつかはしける)'로, 『정집』에는 '당신이 이 세상 떠난 뒤에도 사랑하겠다던 사람이 내가 아파도 연락이 없기에(「亡くならん世までも思はん」などいふ人の、煩ふ頃、音せぬに)'로 되어 있다.

124.

그냥 아는 사이였던 사람이 남녀관계를 맺은 뒤 냉랭하기에

> 남녀 사이란
> 역시 알 수 없구나
> 그냥 남일 땐
> 이리 원망할 거라
> 생각 못 했었는데

大かたもの申しける人の、むつまじくなりて後つらきに[1]

世こそ猶	yo-ko-so-na-o
さだめがたけれ	sa-da-me-ga-ta-ke-re
よそなりし	yo-so-na-ri-si
時は恨みむ	to-ki-wa-u-ra-mi-n
ものとやはみし	mo-no-to-ya-wa-mi-si

··

出典 : 『교쿠요와카슈』恋五 1806번(『속집』1178)

1 『속집』에는 '예전에 단지 아는 사이였던 사람이 쌀쌀맞게 굴기에(過ぎにし 方は、ただ大方にて見し人の、つらきに)'로 되어 있다.

125.

남몰래 사랑하는 사이인 사람이 궁중에서 숙직할 때 입은 보랏빛 상의를
두고 갔기에 돌려주면서

　　　드러내 놓고
　　　소문내지 마세요
　　　지치 뿌리로
　　　염색한 옷 입고서
　　　내게 와 함께 잤다고

忍びたる人の宿直ものに、むらさきの直垂をとりにやるとて[1]

　　　色に出でて　　　　　　　i-ro-ni-i-de-te
　　　人にかたるな　　　　　　hi-to-ni-ka-ta-ru-na
　　　むらさきの　　　　　　　mu-ra-sa-ki-no
　　　ねずりの衣[2]　　　　　 ne-zu-ri-no-ko-ro-mo
　　　きて[3]ねたりきと　　　 ki-te-ne-ta-ri-ki-to

· ·
出典 : (『정집』 249 · 『속집』 1182)

1 『정집』 고토바가키는 '보랏빛 직물로 만든 상의를 두고 갔기에 돌려보내며
　요리노부에게 전한 노래(紫の織物の直垂を置きたりけるを、やるとて、よりの
　ぶに)'로 되어 있다. 이를 근거로 '남몰래 사랑하는 사람(忍びたる人)'이 미
　나모토노 요리노부(源頼信 968~1048)임을 알 수 있다. 헤이안 시대 중기의
　뛰어난 무장으로 알려진 요리노부는 후지와라노 미치나가(藤原道長)를 주

군으로 섬긴 경력이 있다. 한편 『속집』에는 '남몰래 사랑하는 사이인 사람이 궁중에서 숙직할 때 보랏빛 상의를 주면서(忍びたる人の宿直するに、紫の直垂をやるとて)'로 되어 있다.

2 ねずりの衣: 'ね(ne)'는 '뿌리(根)'와 '동침(寢)'의 동음이의어로 중의적 표현이다.

3 きて: '입고서(着て)'와 '와서(来て)'라는 뜻을 지닌 중의적 표현이다.

126.

그 사람이 지방으로 내려가는 내게 쥘부채를 보내왔는데, 부채에 그려진
신사 그림 옆에 '기도한 보람이여'라고 적혀 있는 곳에

> 떠나는 내게
> 기도드린 보람
> 있다 말하니
> 이제야 당신 마음
> 확실히 깨달았네

ゐなかへゆく人の、扇などおこせて、神の社かきたる所に、「いのりつるし
るしも」とあるところに[1]

祈りつる[2]	i-no-ri-tsu-ru
心のほどを	ko-ko-ro-no-ho-do-wo
みてぐらの[3]	mi-te-gu-ra-no
さしてはいまは	sa-si-te-wa-i-ma-wa
思ひしりぬる[4]	o-mo-i-si-ri-nu-ru

出典 : (『속집』 1262)

1 『속집』 고토바가키는 '그 사람이 쥘부채에 신사를 그린 그림 옆에 '기도드린
　 대로''라 적었기에(人の扇に神の森書きて、「祈りつるしるき」などいひたるに)'
　 로 되어 있다.
　 당시 쥘부채는 헤어지는 사람에게 작별의 아쉬움을 전하며 다시 만나자는

뜻을 담은 선물로 쓰였다. 일본어로 쥘부채는 '扇 ahugi'라 적고 'ougi'로 발음한다. 즉 '만나다'라는 뜻의 '逢ふ ahu'를 함의한다는 점에 착안한 것이다. 한편 이 노래는 상대방과의 관계가 명확히 제시되지 않아 노래에 담긴 진위를 파악하기 어려운 면이 있다. 다만 이 노래가 저본에 '사랑'노래로 분류되어 있다는 점을 감안하여 연인에게 보낸 노래로 파악하였다. 남자가 '기도한 보람'이라는 글귀를 적어둔 것에 대해 현재 일어난 이별을 그간 남자가 빌었음을 확인하였다는 뜻으로, 먼 길 떠나는 자신의 눈물겨운 심경과 대비시킨 노래로 감상할 수 있을 것이다.

2 祈りつる: 『속집』에는 '祈り**ける**(inorikeru)'로 되어 있다.

3 みてぐらの: '보고(見て mite)'라는 말과 '신에게 소원을 빌며 받치는 물건(幣 mitegura)'이라는 말이 합쳐진 중의적 표현이다. 동시에 뒤에 이어지는 'さして(sasite 확실히)'를 이끌어내기 위해 관용적으로 따라붙는 말(枕詞 makurakotoba)로도 기능한다.

4 いまは/ 思ひしりぬる: 『속집』에는 '今**ぞ**(imazo 바로 지금)/ 思ひ**みだるる**(omoimidaruru 마음 혼란스러워)'로 되어 있다.

127.

사소한 일로 남자가 불만을 토로하며 '끝내자'고 말하기에

끝낸다 하니
너무나도 괴로워
내 눈물만이
아아! 언제까지나
그치지 않는구나

はかなき事につけて男の恨みて、「絶えなむ」と申しけるに

うけれども	u-ke-re-do-mo
わがみづからの	wa-ga-mi-zu-ka-ra-no
涙こそ	na-mi-da-ko-so
哀れたえ[1]せぬ	a-wa-re-ta-e-se-nu
ものにはありけれ	mo-no-ni-wa-a-ri-ke-re

出典 :『교쿠요와카슈』恋五 1766번(『속집』 1186)

1 たえ: '絶ゆ(tayu)'는 '끊어지다, 멎다'는 뜻이다. 남자로부터 관계의 단절(絶え tae)을 통고받고 속절없이 눈물만 흘릴 수밖에 없는(絶えせぬ taesenu) 무기력함이 대비되어 슬픔을 극대화한다.

128.

인연이 끊어진 남자에게서 연정이 담긴 편지를 받고 답한 노래

당신 하는 말
믿을 길이 없기에
그저 당신과
같은 세상 산다는
생각만으로 사네

絶えにける男のもとより、哀れなることどもいひて侍りけるかへり事に[1]

たのむべき	ta-no-mu-be-ki
かたもなければ	ka-ta-mo-na-ke-re-ba
同じ世に	o-na-zi-yo-ni
あるはあるぞと	a-ru-wa-a-ru-zo-to
思ひてぞふる	o-mo-i-te-zo-hu-ru

出典 : 『교쿠요와카슈』恋五 1771번(『정집』 782)

1 『정집』에는 '허무하게 끝나 버린 남자로부터 연정이 담긴 편지를 받고 답한 노래(はかなうて絶えにし男のもとより、あはれ事いひたるかへりごとに)'로 되어 있다.

129.

간혹 편지를 보내오던 남자가 오랫동안 연락하지 않기에

> 매정한 탓에
> 헤어진 사람보다
> 잊기 힘든 건
> 아무런 표현 않고
> 끝내고 가 버린 사람

時々文おこせける男の、久しく音せぬに[1]

うき[2]よりも	u-ki-yo-ri-mo
忘れ難きは	wa-su-re-ga-ta-ki-wa
つらからで[3]	tsu-ra-ka-ra-de
ただに絶えにし	ta-da-ni-ta-e-ni-si
中にぞありける	na-ka-ni-zo-a-ri-ke-ru

出典 :『교쿠요와카슈』恋五 1734번(『속집』 1293)

1 『교쿠요와카슈』고토바가키는 '간혹 편지를 보내오던 남자가 오랫동안 연락하지 않기에 보낸 노래(時々ふみおこせける男の久しく音せぬにつかはしける)'로, 『속집』에는 '간혹 편지를 건네던 남자가 오랫동안 연락하지 않기에(時々文などおこする男の、久しう音せぬに)'로 되어 있다.

2 うきよりも: '憂し(usi)'는 자기 내면에 자리한 괴로움과 고통을 뜻한다. 따라서 '괴로움을 견디다 못해 헤어진 사람보다도'라는 의미가 된다.

3 つらからで: '辛し(tsurasi)'는 자신을 대하는 상대방의 냉담한 태도에 대해

괴로워하거나 고통스러워하는 감정을 나타낸다. 여기서는 부정형으로 사용되었으므로 '상대방이 쌀쌀맞게 대하지도 않고 따라서 별반 괴롭지도 않았는데'라는 의미가 된다.

130.

無題

꿈에서나마
그 사람 만나고파
잠들려 하면
베개마저 들썩여
잠들 수가 없어라

無題[1]

夢にだに	yu-me-ni-da-ni
みばやとすれば	mi-ba-ya-to-su-re-ba
敷き妙の[2]	si-ki-ta-e-no
枕もうきて[3]	ma-ku-ra-mo-u-ki-te
いこそねられね	i-ko-so-ne-ra-re-ne

··

出典：『쇼쿠고슈이와카슈』恋二　735번(『정집』 87)

1 『쇼쿠고슈이와카슈』 고토바가키는 '사랑 노래 가운데'로, 『정집』에는 '사랑
  (恋)'으로 되어 있다.
2 敷き妙の: 뒷말의 '枕(makura 베개)'를 이끌어 내기 위해 관용적으로 붙는
  말(枕詞 makuragotoba)이다.
3 枕もうきて: 『정집』에는 '枕うごきて(makuraugokite 베개가 움직여서)'로 되
  어 있다.

131.

無題

원망하고픈
사람조차 이제는
없는 몸인데
어찌 눈물은 내 몸에
남아 있는 걸까

無題[1]

うらむ[2]べき	u-ra-mu-be-ki
かた[3]だに今は	ka-ta-da-ni-i-ma-wa
なきものを	na-ki-mo-no-wo
いかで涙[4]の	i-ka-de-na-mi-da-no
身に殘りけん	mi-ni-no-ko-ri-ke-n

· ·

出典：『쇼쿠센자이와카슈』恋五 1627번(『정집』 581)

1 『쇼쿠센자이와카슈』고토바가키는 '제목 미상(題知らず)'으로, 『정집』에는
'그 사람이 왔다가 돌아가 버린 11월 무렵에(人の来て帰りぬる、十月ばかり
に)'로 되어 있다.

2 うらむ: 'うらむ(怨む uramu)'라는 말속의 'ura'와 동음이의어인 '浦(ura 바닷
가)'를 함의한다.

3 かた: '方(kata 방법)'의 동음이의어인 '潟(kata 갯벌)'를 함의한다.

4 涙: '涙(namida 눈물)'라는 말에 동음이의어인 '波(nami 파도)'를 함의한다.

132.

새벽 닭울음소리가 들리자 황망히 돌아간 사람에게

이제나저제나
기다린 사람에게
새벽 알리는
닭의 무정함이여
괴로운 이별이여

暁、鳥のなくをききて、いそぎ歸りける人に[1]

いつしかと	i-tsu-si-ka-to
待ちける人[2]に	ma-chi-ke-ru-hi-to-ni
一声も	hi-to-ko-e-mo
きかする鳥の	ki-ka-su-ru-to-ri-no
うきわかれかな[3]	u-ki-wa-ka-re-ka-na

出典:『신센자이와카슈』恋三 1410번(『속집』1327)

1 『속집』에는 '새벽 닭울음소리를 듣고 집을 나서는 사람에게(暁に鳥の鳴くを 聞きて出づる人に)'로 되어 있다.

2 いつしかと/ 待ちける人: '한시라도 빨리 돌아가고 싶은 마음에 새벽을 알리 는 닭이 울기를 기다리던 사람'이라는 뜻에 '이제나저제나 남자가 오기만을 기다리던 자신'을 함의한다.

3 鳥の/ うきわかれかな: 'うき(uki 무정하다, 괴롭다)'는 앞말인 '鳥(tori 닭)'의 술어인 동시에 뒷말인 'わかれ(wakare 이별)'를 수식한다.

133.

비가 몹시 세차게 내린 다음 날 아침, '어젯밤 폭우 속에 어찌 지내셨소'
라는 왕자님의 편지에 답변 드린 노래

밤이 새도록
당신 생각에 잠겨
지새웠어라
창문 흔들어 대는
빗소리를 들으며

雨おどろおどろしうふるつとめて、「こよひはいかに」と、宮よりある御かへり
ごとに[1]

夜もすがら	yo-mo-su-ga-ra
なに事をかは	na-ni-go-to-wo-ka-wa
思ひつる	o-mo-i-tsu-ru
まどうつ雨の	ma-do-u-tsu-a-me-no
音を聞きつつ	o-to-wo-ki-ki-tsu-tsu

出典 : (『정집』 229. 『이즈미시키부 일기』)

1 『정집』 고토바가키는 '큰비가 내리는 날 아침, "어젯밤에는 어찌 지냈소"라
는 왕자님의 전갈에 전해드린 답가(大雨の朝、「宵はいかが」と、宮よりある御
返事)'로 되어 있다. 여기서 왕자님은 아쓰미치 왕자(이 책 63번 노래 각주
참조)를 가리킨다.

134.

이시야마데라石山寺에 머물고 있는데, 한동안 연락이 없으시던
왕자님으로부터

> 관문 넘어서
> 오늘 안부 전할지
> 몰랐으리라
> 나 항상 그대만을
> 연모하고 있는데

石山にこもりたるに、久しく音信たまはで、その宮より[1]

関[2]こえて	se-ki-ko-e-te
けふぞとふとは	kyo-u-zo-to-o-to-wa
人はしる	hi-to-wa-si-ru
思ひたえせぬ	o-mo-i-ta-e-se-nu
心づかひを	ko-ko-ro-zu-ka-i-wo

....

出典 : (『정집』222. 『이즈미시키부 일기』)

1 『정집』 고토바가키는 '이시야마데라에 머물고 있는데, 한동안 연락이 없으
　시던 소치노미야께서(石山に籠りたるを、久しう音もし給はで、帥の宮)'로 되
　어 있다. 여기서 이시야마(石山)는 현재의 시가(滋賀) 현 오쓰(大津) 시에
　위치한 사찰 이시야마데라(石山寺)를 말한다.
2 関: 현재의 시가 현 오쓰 시와 교토 후(京都府)의 경계에 위치한 오사카(逢
　坂) 관문을 가리킨다.

恋

135.

답변 드린 노래

　　내게 오는 길
　　까맣게 잊어버린 줄
　　알았었는데
　　관문 힘겹게 넘어
　　연락 주시다니요

御かへりごと[1]

　　あふみぢ[2]は　　　　　o-o-mi-zi-wa
　　忘れにけりと　　　　　wa-su-re-ni-ke-ri-to
　　みし物を　　　　　　　mi-si-mo-no-wo
　　関路うち越え　　　　　se-ki-zi-u-chi-ko-e
　　とふ人やたれ[3]　　　　to-o-hi-to-ya-ta-re

出典 : (『정집』 223, 888. 『이즈미시키부 일기』)

1 『정집』 고토바가키는 '답가(返し)'로 되어 있다.

2 あふみぢ: 발음상으로는 'oomizi'이지만 표기는 'ahumizi'이다. '오미로 가는 길(ahumizi 近江路)'과 '만나러 가는 길(ahumizi 逢ふ道)'이라는 말의 동음 이의어를 살린 중의적 표현이다. '오사카 관문'은 오미(近江 발음은 'oumi' 이지만 표기는 'ahumi'로 상이함) 지방에 있다는 점을 살린 표현이다.

3 とふ人やたれ: 편지를 주리라 예상 못했다며 감사의 마음을 전한 것이다.

136.

그 사람이 답가를 달라기에

아침나절에
분명 말랐으리라
소맷자락에
흠뻑 젖었다 말한
팔베개 소맷자락

人こひしに[1]

今朝のまに　　　　　ke-sa-no-ma-ni
今は乾ぬらむ　　　　i-ma-wa-hi-nu-ra-n
夢ばかり　　　　　　yu-me-ba-ka-ri
ぬるとみえつる　　　nu-ru-to-mi-e-tsu-ru
手枕の露[2]　　　　 ta-ma-ku-ra-no-tsu-yu

出典：(『정집』 901. 『이즈미시키부 일기』)

1 고토바가키의 문장은 비문(非文)으로, 『정집』 고토바가키는 '그 사람에게 보
  낸 답가(人のかへりごとに)'로 되어 있다. 한편 상기 노래는 『이즈미시키부
  일기』에는 11월 어느 날 밤, 아쓰미치 왕자가 보낸 '초겨울 비도/ 이슬도
  닿지 않은/ 사랑의 팔베개 이상히도 젖어 있는/ 팔베개 소맷자락(時雨にも/
  露にもあてで/ 寝たる夜を/ あやしく濡るる/ 手枕の袖)'이라는 노래에 대해 이
  즈미시키부가 그다음 날 아침에 보낸 답가로 되어 있다. 왕자님은 어젯밤
  흘린 눈물에 옷소매가 젖었다고 하지만 내가 보기엔 아주 조금밖에 젖지

않았기에 지금쯤은 말라 버렸을 것이고 또한 내 생각도 하지 않을 것이라는 뜻이다. 이를 토대로 상기 고토바가키에서 '답변(返事)'이라는 말이 생략된 것으로 간주하여 '人返事乞ひしに'라는 입장에서 상기와 같이 해석하였다.

2 露: '이슬'이라는 말이지만 여기서는 왕자가 이즈미시키부를 걱정하고 귀히 여기는 사랑의 눈물을 함의한다.

137.

無題

나를 두고서
가버린 사람 꿈속
만남 아닌데
오늘따라 아쉬워
옷소매만 적시네

無題¹

おきてゆく²	o-ki-te-yu-ku
人は夢にも³	hi-to-wa-yu-me-ni-mo
あらねども	a-ra-ne-do-mo
けさは名残の	ke-sa-wa-na-go-ri-no
袖⁴もかはかず	so-de-mo-ka-wa-ka-zu

- -

出典 :『교쿠요와카슈』恋二 1450번(『속집』1325)

1 『교쿠요와카슈』고토바가키는 '제목 미상(題知らず)'으로, 『속집』에는 '세상 사 모든 것이 허망하다는 이야기만 밤새도록 하다가, 날이 새자 연인이 돌아 가 버린 이른 아침에(世の中はかなき事など、夜一夜言ひ明かして、帰りぬる つとめて)'로 되어 있다.

2 おきてゆく: 'おき(oki)'는 '잠자리에서 일어나서(起き)'와 '나를 남겨 두고서 (置き)'라는 뜻을 지닌 중의적 표현이다.

3 夢にも/ あらねども: '허망한 꿈속에서 그를 만난 것이 아니라 현실 속에서

직접 그를 만났는데도'라는 의미이다. 한편 『속집』에는 '露には(tsuyuniwa)/ あらねども'로, 이슬은 아닌데 헤어짐이 아쉬워 흘린 눈물로 옷소매가 촉촉이 젖어든다는 취지가 된다.

4 名残の/ 袖: '헤어짐이 서글퍼 흘린 눈물에 젖은 옷소매'라는 뜻이다.

138.

無題

> 목숨이나마
> 마음대로 된다면
> 냉담한 사람
> 원망하는 세상서
> 연명하지 않을 텐데

無題[1]

命だに	i-no-chi-da-ni
心なりせば	ko-ko-ro-na-ri-se-ba
人つらく	hi-to-tsu-ra-ku
人うらめしき	hi-to-u-ra-me-si-ki
世にへましやは	yo-ni-he-ma-si-ya-wa

出典 : 『교쿠요와카슈』 恋四 1705번(『속집』 1074)

1 『교쿠요와카슈』 고토바가키는 '사랑 노래 가운데(恋歌の中に)'로, 『속집』에
　 는 '혼잣말로(独り言に)'로 되어 있다.

139.

無題

흰 눈 헤집고
돋아난 새싹처럼
설레게 하는
마음에 품은 내 님
만나 보고 싶어라

無題¹

下ぎゆる²   si-ta-gi-yu-ru
雪まの草の   yu-ki-ma-no-ku-sa-no
めづらしく   me-zu-ra-si-ku
わが思ふ人に   wa-ga-o-mo-o-hi-to-ni
あひみてしがな   a-i-mi-te-si-ga-na

· ·
出典 :『고슈이와카슈』恋一 635번(『정집』 76)

1 『정집』 고토바가키는 '겨울(冬)'로 되어 있다.

2 下ぎゆる: 아래쪽부터 녹아 사라지는. 다만 『정집』에는 '下萌ゆる(sitamoyuru
땅속에서부터 싹이 움트다)'로 되어 있다.

140.

無題

지금 이 순간
목숨과 맞바꿔서
내일 해 질 녘
오늘처럼 슬픔에
잠기지 말았으면

無題[1]

いまのまの	i-ma-no-ma-no
命にかへて	i-no-chi-ni-ka-e-te
けふのごと	kyo-u-no-go-to
あすの夕べを	a-su-no-yu-u-be-wo
なげかずもがな[2]	na-ge-ka-zu-mo-ga-na

出典 : 『교쿠요와카슈』 恋二 469번(『속집』 1024)

1 『교쿠요와카슈』 고토바가키는 '백수가 가운데(百首歌の中に)'로 되어 있다. 한편 『속집』 고토바가키는 '달랠 길 없는 무료함에 두서없이 떠오르는 생각들을 적어 모아보니 노래가 되었다. 한낮 그리움/ 해 질 무렵 서글픔/ 초저녁 시름/ 한밤중 홀로 깨어/ 동틀 녘 사모의 정, 이를 나눠서 읊은 노래(つれづれの尽きせぬままに、おぼゆる事を書き集めたる歌にこそ似たれ 昼偲ぶ 夕べの眺め 宵の思ひ 夜中の寝覚 暁の恋 これを書きわけたる)'로 되어 있다.
2 いまのまの…なげかずもがな: 이 노래는 '해 질 무렵 서글픔(夕べの眺め)'을

읊은 것으로 아쓰미치 왕자의 죽음을 애도한 만가군에 속한 작품이다(이 책 96번 노래 각주 참조). 목숨과 맞바꾸고 싶을 정도로 고통스러운 슬픔을 토로한 노래다.

141.

남자에게 버림받아 슬픔에 잠겨 지내던 무렵, 서리가 내린 새벽녘 그 사람
에게

> 흰 서리 내린
> 추운 아침 염려한
> 사람 있다면
> 안부 물었을 텐데
> 차디찬 독수공방

男にわすられなげきけるころ、霜のふるあしたに、人のもとに[1]

けさはしも[2]	ke-sa-wa-si-mo
思はむ人は	o-mo-wa-n-hi-to-wa
とひてまし	to-i-te-ma-si
つれなきねや[3]の	tsu-re-na-ki-ne-ya-no
上はいかにと	u-e-wa-i-ka-ni-to

••••••••••••••••••••
出典 : (『정집』 199)

1 『정집』 고토바가키는 '서리가 하얗게 내린 이른 아침, 그 사람에게(霜の白き
  つとめて、人のもとより)'로 되어 있다.
2 しも: '서리(霜 simo)'와 낱말의 의미를 강조하는 조사 'しも(simo)'라는 말의
  동음이의어로 중의적 표현이다.
3 つれなきねや: 『정집』에는 'つまなきねや(tsumanakineya)'로 되어 있다. 이
  는 '처마(端)가 없는 침실'과, '남편(夫)이 없는 침실'이라는 말의 동음이의

어로 중의적 표현이다. 따라서 작고 보잘 것 없는 '처마가 없는 침실'에서 홀로 빈방을 지키며 사랑하는 사람이 오기만을 기다린다는 독수공방을 뜻한다.

142.

4월경, 밤새도록 이야기만 나누다 돌아간 사람에게서 오늘 아침은 한층 우울하다는 전갈이 왔기에

오늘 아침은
우울할 수밖에요
봄밤 꿈커녕
밤새 이야기로만
헛되이 지샜으니

弥生のころ、夜もすがら物がたりしてかへり侍りし人の、今朝はいとどもの思はしきよし申しつかはしたりしに[1]

けさはしも[2]	ke-sa-wa-si-mo
歎きもすらむ	na-ge-ki-mo-su-ra-n
いたづらに	i-ta-zu-ra-ni
春の夜ひとよ[3]	ha-ru-no-hi-to-yo
夢[4]をだにみで	yu-me-wo-da-ni-mi-de

……………………………………………
出典:『신고킨와카슈』恋三 1178번(『속집』 1477)

1 『속집』에는 '4월경, 밤새 이야기를 나눴던 사람에게서 "오늘 아침에는 한층 우울한 마음이 드오"라는 전갈이 왔기에(三月ばかり、夜一夜物など言ひ交はしたる人のもとより、いと事あり顔に、「今朝はいとど物なむ思はしき」と云ひたるに)'로 되어 있다. 상기 고토바가키 내 '弥生 yayoi)'는 음력 3월의 별칭

으로 봄이 시작되는 시기다.

2 けさはしも: 'しも(simo)'는 앞에 선행한 낱말의 의미를 강조하는 역할을 하는 조사이다. 상기 고토바가키 내 '오늘 아침에는 한층(今朝はいとど kesawai-todo)'이라는 말을 되받아 자기 노래에 담아 읊은 것이다.

3 ひとよ: 고토바가키의 '夜もすがら(yomosugara 밤새도록)'라는 어구와 대응 된다. 고토바가키와 노래의 긴밀성을 엿볼 수 있다.

4 夢: 당시 봄밤은 대개 깊은 생각에 잠겨 잠들지 못하고 꿈도 유독 짧게 꾼다 는 취지로 표현되는데, 상기 노래에서는 감미롭고 덧없는 사랑의 행위를 빗대고 있다.

143.

남자에게 만나자고 약속한 여자가 나중에 답장조차 하지 않기에,
그 남자를 대신하여 읊은 노래

금방 온다던
말은 마른 잎처럼
부서지는데
밤만 되면 눈물은
어찌 흐르는 걸까

たのめて侍りける女の、後には返事をだにせず侍りければ、かの男にか
はりて

今こむ¹と   i-ma-ko-n-to
いふことのは²も   yu-u-ko-to-no-ha-mo
かれゆく³に   ka-re-yu-ku-ni
よなよな露⁴の   yo-na-yo-na-tsu-yu-no
なにに置くらん⁵   na-ni-ni-o-ku-ra-n

·········
出典 : 『신고킨와카슈』 恋五 1344번

1 今こむ: 대개 남자가 여자에게 찾아가겠다는 뜻으로 사용되곤 하는데, 여기
   서는 여자가 남자에게 전한 말이므로 본가에 가 있던 여자가 곧 돌아오겠다
   는 뜻으로 보인다.

2 ことのは: '말(言葉 kotonoha)'이라는 말에, '잎사귀(葉 ha)'를 함의한다.

3 かれゆく: '말'이라는 잎사귀가 '시들다(枯れ kare)'와, 약속한 마음이나 관계

가 '멀어지다(離れ kare)'라는 말의 동음이의어로 중의적 표현이다.

4 露: 2구의 잎사귀(葉 ha)와 연관이 있는 시어(緣語 engo)로 눈물을 함의한다.

5 なにに置くらん: 잎사귀도 시들어 버렸는데 이슬은 '어디(대명사)에' 내릴까
라는 뜻과, 그 사람은 멀어져가는데 '어찌하여(부사)' 이리도 눈물이 흐르는
걸까라는 뜻을 내포한다.

144.

수심에 잠겨 지낼 때

> 어떻게 하면
> 어떻게 이 세상을
> 살아가면은
> 잠시나마 이 시름
> 달랠 수 있으려나

もの思ひ侍りしをり[1]

いかにして	i-ka-ni-si-te
いかに[2]この世に	i-ka-ni-ko-no-yo-ni
ありへばか	a-ri-he-ba-ka
暫しも物を	si-ba-si-mo-mo-no-wo
思はざるべき	o-mo-wa-za-ru-be-ki

出典:『신고킨와카슈』恋五 1402번(『속집』1117)

1 『신고킨와카슈』 고토바가키는 '제목 미상(題知らず)'으로,『속집』에는 '친한
  사람이 깊은 시름에 잠겨 있을 때(語らふ人の、物いたう思ふ比)'로 되어 있다.
2 いかにして/ いかに: 살아 낸다는 것의 힘겨움을 'いかに(ikani)'의 반복 표현
  으로 표출하였다. 살아 내기 위해 치열하게 고군분투하지만 이런저런 일로
  상심과 무력감에 무너져 망연자실해하는 작자의 모습이 동어 반복에 오롯
  이 담겨 있다.

145.

교교한 달밤에 그 사람이 반딧불이를 담아 선물로 보내왔는데, 비가 내리기에 보낸 노래

마음 있다면
오늘밤 하늘을 날아
와 줬을 텐데
조금 전 보인 것은
달빛이었던 걸까

月あかう侍りし夜、人のほたるをつつみてつかはしたりしに、雨ふりしにつかはしたりし[1]

思ひ[2]あらば	o-mo-i-a-ra-ba
こよひの空は	ko-yo-i-no-so-ra-wa
とひて[3]まし	to-i-te-ma-si
みえしや月の	mi-e-si-ya-tsu-ki-no
光なりけむ	hi-ka-ri-na-ri-ke-n

....

出典: 『신고킨와카슈』 雜上 1495번(『속집』 1062)

1 『속집』에는 '교교한 달밤에 반딧불이를 보내온 사람에게, 다음 날 비가 세차게 내릴 때에(月の明かき夜、蛍をおこせたる人のもとに、又の日、雨のいみじう降るに)'로 되어 있다.

2 思ひ: '마음(思ひ omohi)'이라는 말 속에 '불씨(火 hi)'를 함의한다. 만약 반

딧불이의 불(火 hi)처럼 빛나는 열정이 있었다면, 오늘밤 하늘을 가로질러 반딧불이처럼 날아와 나를 찾아 주었을 텐데, 내가 본 것은 반딧불이가 아니라 그저 달빛이었을지도 모른다는 뜻이다. 즉 다른 사람을 통해 선물을 보내 주기보다는 직접 찾아와 주기를 바라는 마음을 전한 것이다.

3 とひて: '찾아와(訪ひて)'라는 말과 '날아서(飛びて)'라는 말의 동음이의어로 중의적 표현이다.

146.

그 사람이 온다고 약속하고선 오지 않았기에, 다음 날 아침에 보낸 노래

일어나 앉아
밤을 지새웠어라
홀로 잠자는
오리 깃털 위에
내린 서리 아닌데

人のたのめてこず侍りければ、つとめてつかはす

おき¹ながら	o-ki-na-ga-ra
明しつるかな	a-ka-si-tsu-ru-ka-na
ともねせぬ	to-mo-ne-se-nu
かもの上毛の	ka-mo-no-u-wa-ge-no
霜ならなくに	si-mo-na-ra-na-ku-ni

出典 :『고슈이와카슈』恋二 681번(『정집』1140)

1 おき: '일어나서(起き oki)'와 이슬이 '내려서(置き oki)'라는 말의 동음이의어
로 중의적 표현이다.

147.

밤마다 온다고 말하고선 발길을 끊은 남자에게

오늘밤에도
살아 있으면 이리
괴로우리라
오늘 해 지기 전에
이 목숨 버리고파

夜ごとにこんとて、よがれし侍りける男に[1]

こよひさへ   ko-yo-i-sa-e
あらばかくこそ   a-ra-ba-ka-ku-ko-so
思ほえめ   o-mo-o-e-me
けふくれぬまの   kyo-u-ku-re-nu-ma-no
命ともがな   i-no-chi-to-mo-ga-na

出典 : 『고슈이와카슈』恋二 711번(『정집』208, 672)

1 『정집』 208번에는 '매번 오늘밤에 꼭 오겠다며 약속한 사람이 또 오지 않았
기에, 다음 날 아침에(今宵今宵と頼めて、人の来ぬに、つとめて)'로, 중복 수
록된 672번에는 '밤마다 그 사람이 온다고 하고선 오지 않기에, 다음 날 아
침에(夜ごとに、人の来むといひて来ねば、つとめて)'되어 있다.

148.

떠나 버린 남자에게 남겨진 의류 일체를 싸서 보내며 가죽 띠에 묶어 보낸 노래

우리 사랑은
노랫말 남색 띠처럼
끝이 났기에
흘러넘치는 눈물
도저히 참을 수 없어

男に忘られて、装束などつつみておくり侍りしに、革の帶にむすびつけて[1]

なきながす	na-ki-na-ga-su
涙にたへで	na-mi-da-ni-ta-e-de
たえぬれば[2]	ta-e-nu-re-ba
はなだの帶[3]の	ha-na-da-no-o-bi-no
心ちこそすれ	ko-ko-chi-ko-so-su-re

···

出典 : 『고슈이와카슈』恋三 757번(『속집』 1110)

1 『속집』 고토바가키는 '의관 등을 보자기에 싸 두면서 가죽 띠에 적어 둔 노래(装束ども包みて置く、革の帶に書きつく)'로 되어 있다.

2 涙にたへで/ たえぬれば: 'たへで(耐へで taede 견디지 못하고)'와 'たえぬれば(絶えぬればtaenureba 끊어졌으므로)'는 목적어로 '가죽 띠'와 '상대방 남자와의 관계'를 동시에 받는다.

3 はなだの帶: 엷은 남색으로 염색한 띠로, 그 빛깔이 변색되기 쉽다는 점에

서 쉽게 변하는 것에 비유되곤 한다. 옛날 민요 가운데 헤이안 시대 귀족들의 연회에서 불린 가요(사이바라 催馬樂) 가운데 '이시카와(石川)'라는 곡에 등장한다. 가사의 일부인 '엷은 남색 띠처럼 인연이 끊어지다(縹の帶の、中は絶えたる)'는 대목에서 유래되어 '사이가 끝나다(관계가 끊어지다)'를 뜻하게 되었다.

149.

아주 잠깐 처음으로 사랑을 나눈 남자에게

이슬방울도
꿈도 인간 세상도
환영마저도
우리 사랑에 비하면
덧없지 않았구나

露ばかり[1]あひそめ[2]たる男のもとへ

しら露も	si-ra-tsu-yu-mo
夢もこのよも	yu-me-mo-ko-no-yo-mo
まぼろしも	ma-bo-ro-si-mo
たとへていへば	ta-to-e-te-i-e-ba
久しかりけり[3]	hi-sa-si-ka-ri-ke-ri

<hr>

出典：『고슈이와카슈』恋四 831번

1 露ばかり: '이슬만큼 아주 조금, 잠깐'이라는 뜻이다. 이어지는 노래에도 '露 (tsuyu)'가 들어 있어 고토바가키와 노래의 긴밀성이 돋보인다.

2 あひそめ: '만나다'라는 뜻이지만 당시에는 사랑의 행위를 함의하는 'あひ (逢ひ ai)'라는 말에, 처음으로 …하다(…하기 시작하다)는 뜻의 'そめ(初め some)'가 접속된 말이다.

3 しら露も … 久しかりけり: 이슬, 꿈, 세상, 환영은 모두 덧없는 것으로 비유되는 대표적인 것들이다.

150.

미치사다와 헤어진 뒤 얼마 지나지 않아 아쓰미치 왕자님과 교제한다는
소식을 듣고 이즈미시키부에게 보낸 노래   아카조메에몬

마음 다잡고

잠시 시노다信田 숲속

동태 살피길

뒤집힌 칡 이파리

제자리 찾을지도

道貞[1]に忘られて後、程なく敦道の親王かよふとききてつかはしたりし
                                            赤染衛門[2]

うつろはで[3]	u-tsu-ro-wa-de
しばししのだの	si-ba-si-si-no-da-no
森[4]をみよ	mo-ri-wo-mi-yo
かへり[5]もぞする	ka-e-ri-mo-zo-su-ru
葛のうら風[6]	ku-zu-no-u-ra-ka-ze

出典：『신고킨와카슈』雑下 1820번(『정집』 365.『아카조메에몬슈 赤染衛門集』 181번)

1 道貞: 헤이안 시대 중기의 관료 다치바나노 미치사다 橘道貞(?-1016)로 이
  즈미시키부의 첫 번째 결혼 상대다. 이즈미시키부는 결혼 전 시키부(式部)
  라 불리다 미치사다와 결혼하면서 이즈미(和泉) 지방 수령이었던 그의 관직
  명을 붙여 이즈미시키부라 불리게 된다. 이 책 224번과 226번도 그와 관련된

노래다.

2 赤染衛門(akazomemon): 헤이안 시대 중기의 가인이다. 후지와라노 미치나가의 부인 린시(倫子)를 모셨으며, 와카 짓기에 있어 이즈미시키부와 쌍벽을 이룬 인물이다. 가집에 『赤染衛集 akazomeemonsyu』가 있다. 이 책 224번도 그녀와 관련된 노래다.

3 うつろはで: 가을이 되어 단풍이 드는 것을 뜻하는데 여기서는 이즈미시키부의 변심을 함의한다. 미치사다가 다시 당신 품으로 돌아올 때까지 아쓰미치 왕자에게 섣불리 마음을 주지 말고 당분간 미치사다의 동태를 살피도록 권유한 것이다.

4 しのだの/ 森: 시노다(信太) 숲은 이즈미 지방(지금의 오사카 북서부 지역)에 위치하며 칡의 산지로 유명하다. 미치사다가 이즈미 지방 수령이라는 점에서 그를 빗댄 말이다.

5 かへり: 칡 잎사귀가 '뒤집히다(覆る kaeru)'와, '돌아오다(帰る kaeru)'는 말의 동음이의어로 중의적 표현이다.

6 葛のうら風: 바람이 불면 칡 이파리가 뒤집히는데 뒷면이 흰색이다.

151.

답가

염증의 바람
거세게 불더라도
바람에 칡잎
다른 빛깔 보이듯
원망하진 않으리

かへりごと

秋¹風は   a-ki-ka-ze-wa
すごく吹くとも   su-go-ku-hu-ku-to-mo
葛の葉の²   ku-zu-no-ha-no
うらみ³がほには   u-ra-mi-ga-o-ni-wa
みえじとぞおもふ   mi-e-zi-to-zo-o-mo-o

出典:『신고킨와카슈』雜下 1821번(『정집』 366. 『赤染衛門集』 182)

1 秋: '가을(秋 aki)'과 '염증(飽き aki)'이라는 말의 동음이의어로 중의적 표현
  이다. 따라서 상기의 해석과는 별도로, 가을바람이/ 거세게 불더라도/ 칡 이
  파리가/ 뒤집히듯 뒷면을/ 보이진 않으리라, 는 뜻으로 취할 수도 있다.
2 葛の葉の: 칡잎이라는 뜻 외에, 'うらみ(urami)'를 이끌어 내기 위해 관용적
  으로 붙는 말(枕詞 makurakotoba)로도 기능한다.
3 うらみ: '뒷면을 보여(裏見 urami)'와 '원망하여(恨み urami)'라는 말의 동음
  이의어로 중의적 표현이다.

152.

음력 5월 5일 단옷날, 그 사람에게

> 처마 밑 창포
> 뿌리는 아니지만
> 그리운 맘에
> 통곡의 눈물만이
> 옷소매에 떨어져

五月五日、人のもとに

ひたすらに[1]	hi-ta-su-ra-ni
軒のあやめ[2]の	no-ki-no-a-ya-me-no
つくづくと	tsu-ku-zu-ku-to
思へばね[3]のみ	o-mo-e-ba-ne-no-mi
かかる袖かな	ka-ka-ru-so-de-ka-na

....

出典：『고슈이와카슈』恋四 799번(『속집』1366)

1 ひたすらに: 『속집』에는 '오늘은 역시(今日はなほ kyouwanao 오늘도 역시)'
로 되어 있다.

2 軒のあやめ: 음력 5월 5일 단옷날, 창포를 지붕에 이었다. 또한 창포와 쑥
등 여러 가지 약초와 향료를 주머니에 넣어 창포로 매듭을 길게 늘어뜨려
방에 걸거나 허리에 매달아 무병장수를 빌기도 했다.

3 ね: '울음소리(音 ne)'와 '창포 뿌리(根 ne)'라는 말의 동음이의어로 중의적
표현이다.

153.

無題

비할 데 없는
불행한 신세구나
가엽게 여겨
나 찾아와 줄 사람
세상 어디도 없으니

無題[1]

類なき[2]	ta-gu-i-na-ki
うき身なりけり	u-ki-mi-na-ri-ke-ri
思ひしる	o-mo-i-si-ru
人だにあらば	hi-to-da-ni-a-ra-ba
とひこそはせめ[3]	to-i-ko-so-wa-se-me

··

出典 : 『고슈이와카슈』恋四 800번(『정집』701)

1 『고슈이와카슈』 고토바가키는 '제목 미상(題知らず)'으로, 『정집』에는 '그 사
  람에게(人に)'로 되어 있다.

2 類なき: 『고슈이와카슈』와 『정집』에는 '類なく(taguinaku 비할 데 없이)'로
  되어 있다.

3 人だにあらば/ とひこそはせめ: 『정집』에는 '人世にあらば/ 問ひもしてまし'
  로 되어 있지만, 의미상 차이는 없다.

154.

無題

아무리 해도
한밤중 외로움은
달랠 길 없네
낮 동안엔 그나마
멍하니 보내지만

五月五日、人のもとに[1]

いかにして   i-ka-ni-si-te
夜の心[2]を   yo-ru-no-ko-ko-ro-wo
なぐさめむ   na-gu-sa-me-n
昼はながめに[3]   hi-ru-wa-na-ga-me-ni
さてもくらしつ   sa-te-mo-ku-ra-si-tsu

出典 : 『센자이와카슈』 恋四 840번

1 『센자이와카슈』 고토바가키는 '제목 미상(題知らず)'으로 되어 있다.
2 夜の心: 한밤중에 연인을 그리는 마음을 말한다.
3 昼はながめに: 낮 동안에는 수심에 잠겨 멍하니 허공을 바라보며. 밤낮없이
  사랑으로 인한 수심에 잠기지만 한낮에는 멍하니 먼 곳이라도 바라보며 그
  나마 마음을 달래 보지만 한밤중에는 울적한 마음을 달랠 길 없어 괴롭다는
  의미가 된다.

155.

無題

세월 흐르니
그 사람 날 잊고서
끝낸 거겠지
허나 나는 여전히
그 사랑 믿어 보리

無題[1]

ほどふれば	ho-do-hu-re-ba
人はわすれて	hi-to-wa-wa-su-re-te
やみぬらん[2]	ya-mi-nu-ra-n
ちぎりしことを	chi-gi-ri-si-ko-to-wo
猶賴むかな	na-o-ta-no-mu-ka-na

出典：『센자이와카슈』恋四 845번(『정집』301, 391)

1 『센자이와카슈』고토바가키는 '제목 미상(題知らず)'으로, 『정집』에는 '観身
額岸離根草、論命江頭不繫舟'(이 책 48번 노래 각주 참조)로 되어 있다.

2 やみぬらん: 'らん(ran)'은 현재 사실에 대해 그 원인이나 이유를 추측하는
조동사이며 여기에 'ぬ(nu)'라는 완료의 조동사가 붙어 어세가 강한 추측표
현이 되었다. 한편 『정집』에는 'やみにけむ'로 되어 있는데, 'けむ(kemu)'는
과거에 일어난 일에 대해 시간이나 장소, 원인과 이유 등을 추측하는 조동사
로 되어 있어 시제에 차이를 보인다.

156.

無題

풀벌레처럼
인간도 사랑의 불길에
몸을 던진다
다만 환히 타는 게
눈에 띄지 않을 뿐

無題[1]

人の身も	hi-to-no-mi-mo
恋[2]にはかへつ	ko-i-ni-wa-ka-e-tsu
夏虫の	na-tsu-mu-si-no
あらはにもゆと	a-ra-wa-ni-mo-yu-to
みえぬばかりぞ	mi-e-nu-ba-ka-ri-zo

· ·

出典 :『고슈이와카슈』恋四 820번(『정집』 34)

1 『고슈이와카슈』 고토바가키는 '제목 미상(題知らず)'으로, 『정집』에는 '여름 (夏)'으로 되어 있다.

2 恋: 발음은 'koi'지만 'kohi'로 표기하는데 이 때 동음이의어인 '불(火 hi)'을 함의한다. 4구의 'もゆ(燃ゆ moyu 불타다)'와 연관된 말이다.

157.

無題

이것도 분명
전생의 인연으로
맺어진 숙명
거부할 수 없지만
어처구니없어라

無題[1]

これ[2]もみな	ko-re-mo-mi-na
さぞなむかしの	sa-zo-na-mu-ka-si-no
契りぞと	chi-gi-ri-zo-to
思ふものから	o-mo-o-mo-no-ka-ra
あさましきかな	a-sa-ma-si-ki-ka-na

出典 : 『센자이와카슈』 恋四 841번(『속집』1174)

1 『센자이와카슈』 고토바가키는 '제목 미상(題知らず)'으로, 『속집』에는 '예상
  도 못 했는데 나를 속여 육체관계를 맺은 사람에게(思ひがけず計りて、物言
  ひたる人に)'로 되어 있다.

2 これ: 『속집』 고토바가키에 따르면 뜻하지 않은 사람과 육체관계를 맺게 된
  일을 가리킨다. 하지만 이런 경우에 한정하지 않고 일반적인 남자와의 연애
  체험을 '이것'이라 표현한 것으로 보아도 무방할 것이다.

158.

초저녁에 찾아온 남자가 금방 돌아가기에

머뭇거리다
잠그지도 못하는
노송나무 문
그리 생각지 않는
사람도 있었구나

よひの程まうできたりける男の、とくかへりければ[1]

やすらはで[2]	ya-su-ra-wa-de
たつにたてうき[3]	ta-tsu-ni-ta-te-u-ki
槇の戸[4]を	ma-ki-no-to-wo
さしも[5]思はぬ	sa-si-mo-o-mo-wa-nu
人もありけり	hi-to-mo-a-ri-ke-ri

....

出典 : 『고슈이와카슈』 雑二 910번(『정집』 779)

1 『정집』에는 '그 사람이 초저녁에 찾아와서는 머물지도 않고 금방 돌아가 버린 다음 날 아침(ただ宵の間に人の来て、とく帰りぬるつとめて)'으로 되어 있다. 초저녁이란 시간대는 남자가 사랑하는 여인 집에 사랑을 나누러 방문하는 시각이다. 여인으로서는 하루 종일 고대하던 그 시각에 건성으로 와서는 곧바로 돌아간 무성의한 남자에 대한 실망감을 드러낸 노래이다.
2 やすらはで: 주저하지 않고
3 たつにたてうき: 닫으려 해도 닫기가 어렵다.

4 槙の戸: '당신 오려나/ 내가 직접 갈까나/ 머뭇거리다 문도/ 열고 잠들었어라(きみや来む/ 我や行かむの/ いさよひに/ 槙の板戸も/ ささず寝にけり 『고킨와카슈』 690)'라는 작품을 염두에 둔 노래다.

5 さしも: '그렇게도(さしも sasimo)'와 '잠그다(鎖し sasi)'라는 말의 동음이의어로 중의적 표현이다.

159.

無題

요사与謝 바닷가
어부의 소임이라
여겼었는데
그들처럼 나 또한
눈물에 옷소매 젖네

無題[1]

よさの海[2]の   yo-sa-no-u-mi-no
海人のしわざと   a-ma-no-si-wa-za-to
みし物を   mi-si-mo-no-wo
さもわがやく[3]と   sa-mo-wa-ga-ya-ku-to
潮たるる[4]かな   si-o-ta-ru-ru-ka-na

出典 : 『신슈이와카슈』 恋二 1026번(『정집』 572)

1 『신슈이와카슈』 고토바가키는 '제목 미상(題知らず)'으로 되어 있다.
2 よさの海: 교토 북부 미야즈 만(宮津灣)에 위치한 아소카이 해(阿蘇海)를 말한다. 아소카이 해는 석호(潟湖)로, 아마노 하시다테(天橋立)라 불리는 사주(砂洲)가 미야즈 만의 입구를 막아 바다와 분리되어 생긴 내해(內海)이다.
3 やくと: '소임으로(役と yakuto)'와 '태우면(燒くと yakuto)'이라는 말의 동음이의어로 중의적 표현이다. 바닷물을 떨어뜨려 소금을 만드는 것이 어부의 소임이라고만 여겼는데, 요즘은 눈물짓는 것이 자기 일이 되었다는 뜻이다.

4 潮たるる: 『정집』에는 '垂るる潮(tarurusio)'로 되어 있다. '潮垂る(siotaru)'는
   바닷물이나 빗물에 젖어 물방울이 떨어진다는 뜻이지만, 주로 눈물을 바닷
   물에 빗대어 '눈물을 흘리다, 눈물로 옷소매가 젖다'는 의미로 사용된다.

160.

無題

이 세상에
사랑이라고 하는
빛깔 없지만
온몸 깊숙이 짙게
스미는 것이었구나

無題[1]

世の中に	yo-no-na-ka-ni
こひてふ色[2]は	ko-i-tyo-o-i-ro-wa
なけれども	na-ke-re-do-mo
ふかく身にしむ	hu-ka-ku-mi-ni-si-mu
物にぞありける	mo-no-ni-zo-a-ri-ke-ru

···
出典 : 『고슈이와카슈』恋四 790번(『정집』 98)

1 『고슈이와카슈』 고토바가키는 '제목 미상(題知らず)'으로, 『정집』에는 '사랑 (恋)'으로 되어 있다.

2 こひてふ色: 사랑에 색채가 있을 리 만무하지만 감성 충만한 가인들은 물체가 아닌 사랑에도 빛깔이 있다 여겼다. 이즈미시키부 이전의 와카에서 사랑은 구체적인 빛깔로 묘사되는데, 주로 짙고 산뜻한 다홍빛으로 형상화되었다.

161.

無題

해 질 녘이면
사랑의 괴로움 더
깊어지는지
다른 사람에게도
물어보고 싶어라

無題[1]

夕ぐれ[2]に	yu-u-gu-re-ni
もの思ふ事は	mo-no-o-mo-o-ko-to-wa
まさるかと	ma-sa-ru-ka-to
われならざらむ	wa-re-na-ra-za-ra-n
人にとはばや	hi-to-ni-to-wa-ba-ya

出典 : 『시카와카슈』恋下 249번(『정집』 728)

1 『시카와카슈』 고토바가키는 '제목 미상(題知らず)'으로, 『정집』에는 '해 질
　녘 사랑의 괴로움에 멍하니 허공을 바라보며(つれづれと夕暮にながめて)'
　로 되어 있다.
2 夕ぐれ: 연인이 찾아오는 시각으로 연인을 향한 그리움이 한층 더 깊어지는
　때이기도 하다.

162.

無題

이렇다 저렇다
말하면 흔해 빠진
표현될 테니
소리 내어 울어서
이 슬픔 보이리라

無題[1]

とも斯も	to-mo-ka-ku-mo
いはばなべてに	i-wa-ba-na-be-te-ni
成りぬべし	na-ri-nu-be-si
ねに泣きてこそ	ne-ni-na-ki-te-ko-so
みすべかりけれ[2]	mi-su-be-ka-ri-ke-re

出典:『센자이와카슈』恋五 906번(『정집』163·『속집』1114)

1 『센자이와카슈』고토바가키는 '제목 미상(題知らず)'으로 되어 있다. 한편 『정집』에는 '내게 슬픈 일이 있다는 소식을 전해 들은 사람이 무슨 일이냐고 묻기에 보낸 노래(歎く事ありと聞きて、人の、「いかなる事ぞ」と問ひたるに)'로, 『속집』에는 '어떤 사람에게 보낸 노래(ある人のもとに)'로 되어 있다.

2 みすべかりけれ: 『정집』과 『속집』에는 '見せまほしけれ(misemahosikere 보여 주고 싶구나)'로 되어 있다. 언어가 아닌 자신의 우는 모습을 보이는 것 외에 자신의 마음을 전달할 방법이 없다는 가슴 먹먹한 노래다.

163.

無題

> 지난 날 그때
> 어째서 난 당신을
> 원망한 걸까
> 날 힘겹게 한 그때
> 진정 날 사랑했거늘

無題[1]

そのかみは	so-no-ka-mi-wa
いかにしりてか[2]	i-ka-ni-si-ri-te-ka
恨みけむ	u-ra-mi-ke-n
うきこそながき	u-ki-ko-so-na-ga-ki
命なりけれ[3]	i-no-chi-na-ri-ke-re

....

出典 :『신슈이와카슈』恋五 1376번(『정집』 669)

1 『신슈이와카슈』 고토바가키는 '원망스럽다 생각되는 사람이 연락도 하지 않기에(うらめしき人のおとせざりければ)'로,『정집』에는 '간혹 원망스럽던 사람이 이제는 아예 소식도 없기에(時々恨めしき人の、今は音せぬに)'로 되어 있다.

2 いかにしりてか: 직역하면 '(그의 행동을) 어떤 식으로 이해하고'라는 뜻이다. 한편 『정집』에는 'いかに**いひ**てか(ikaniiiteka 어떻게 말해서)'로 되어 있어 약간의 차이를 보인다.

3 命なりけれ:『정집』에는 '命(inochi 목숨)'가 아닌 '**心**(kokoro 마음, 사랑)'로 되어 있다. 의미상 『정집』 본문 쪽이 온당하므로 이에 따랐다.

164.

어떤 남자가 '우리 서로 마음속에 숨기는 것 없이 사귀자'며 굳게 약속한 뒤에 어떤 마음이 들었는지 '아무도 보지 않을 때는 숨어서 몰래 바람피울 것 같은 기분이 드오'라는 전갈을 보내왔기에

> 그 어디에도
> 숨을 곳은 없으리
> 우리사이에
> 마음속 비밀 없이
> 지내자고 했으니

男「へだつることなくかたらはむ¹」といひちぎりて、いかがおぼえけん、「ひとまにはかくれあそび²もしつべく」などいひ侍りしかば

いづくにか³	i-zu-ku-ni-ka
きても隠れむ	ki-te-mo-ka-ku-re-n
隔てたる	he-da-te-ta-ru
心のくまの	ko-ko-ro-no-ku-ma-no
あらばこそあらめ	a-ra-ba-ko-so-a-ra-me

出典 : 『고슈이와카슈』 雑二 919번(『속집』 1132)

1 かたらはむ: 표면상으로는 '서로 이야기를 나누다'라는 뜻이지만, '남녀 간에 육체관계를 맺다'의 완곡한 표현이다.

2 かくれあそび(隠れ遊び): 남자가 '이즈미시키부가 아닌 다른 사람과의 비밀

스런 사랑'이라는 뜻으로 보낸 말을 '술래잡기(숨는 놀이)'라는 뜻으로 되받았다.

3 いづくにか: 『속집』에는 'いづこにか(izukonika)'로 되어 있다.

165.

고시키부 내시 처소로 후지와라노 노리미치가 처음으로 찾아가 사랑을
나누었다는 소식을 듣고 그의 이복형인 호리카와堀川 우대신右大臣이 보내
온 노래   호리카와 우대신

사람들 몰래

사랑 키워왔는데

원통하여라

온 천하에 여실히

드러내 보이리라

小式部内侍¹がもとに、二條の前内大臣はじめてまかりぬとききてつかはし
たりし   堀川右大臣²

人しらで   hi-to-si-ra-de

ねたさもねたし   ne-ta-sa-mo-ne-ta-si

紫の   mu-ra-sa-ki-no

ねずりの衣³   ne-zu-ri-no-ko-ro-mo

うはぎにをせん   u-wa-gi-ni-wo-se-n

出典 : 『고슈이와카슈』 雜二 911번

1 小式部内侍: 이즈미시키부와 다치바나노 미치사다의 장녀. 당대 최고 권력
   가인 후지와라노 미치나가(藤原道長)의 다섯째 아들인 노리미치(藤原敎通
   996~1075)의 측실(側室)로 아들(죠엔 静圓)을 낳는다. 이외에 후지와라노

긴토(藤原公任 966~1041)의 아들인 사다요리(藤原定頼 995~1045), 후지와
라노 노리나가(藤原範永 생몰년 미상), 후지와라노 긴나리(藤原公成 999
~1043)와도 연인관계에 있었다. 그러던 중 1025년 긴나리의 자식을 출산하
다 이십대 젊은 나이에 생을 마감한다. 중궁 쇼시가 고키부의 죽음을 애도하
며 지은 노래가 이 책 236번에 실려 있다. 또한 사랑하는 딸의 죽음을 애도
하며 지은 이즈미시키부의 만가가 다수 남아 있는데 그 가운데 일부가 이
책(234, 235, 237, 238, 244, 245번)에 실려 있다.

2 堀川右大臣: 후지와라노 미치나가의 차남 요리무네(頼宗 993~1065)를 말한
다. 와카를 잘 짓기로 유명하며 『고슈이와카슈』에 18수, 이후 칙찬 와카집에
41수나 수록된다. 가집에 『入道右大臣集 nyudouudaizinsyu』가 있다. 자신의
이복동생인 노리미치(教通 996~1075)가 고시키부와 남녀관계를 맺었다는
소문을 듣고 자신의 사랑을 호소하며 그녀와의 관계를 밝히겠다는 노래를
보내온 것이다.

3 紫の/ ねずりの衣: 직역하면 '자초 뿌리로/ 선명하게 물들여/ 윗옷으로 입으
리'라는 뜻으로, 당신 딸 고시키부와의 연인관계를 세상에 알리겠다는 이른
바 협박이라 할 수 있다. 'ねずりの衣'의 'ね(ne)'는 '뿌리(根 ne)'와 '동침(寝
ne)'이라는 말의 동음이의어로 중의적 표현이다.

166.

답가

> 터무니없는
> 소문이라 말하리
> 딸과의 관계
> 온 천하에 여실히
> 드러낸다 하더라도

かへし[1]

ぬれぎぬと	nu-re-gi-nu-to
人にはいはむ	hi-to-ni-wa-i-wa-n
紫の	mu-ra-sa-ki-no
ねずりの衣	ne-zu-ri-no-ko-ro-mo
うはぎなりとも[2]	u-wa-gi-na-ri-to-mo

....
出典 : 『고슈이와카슈』 雜二 912번

1 후지와라노 노리미치와 고시키부의 내연 관계를 세간에 알리겠다는 요리무네 노래에 대해 딸을 보호하기 위해 이즈미시키부가 답한 노래다. 자초 뿌리로 염색한 옷처럼 사람들 눈에 띄는 일, 다시 말해 딸과의 비밀스런 관계를 온 천하에 드러내더라도 근거 없는 소문이라 말하겠다는 강력한 의지를 내비친 답가다.

2 紫の/ ねずりの衣/ うはぎなりとも: 직역하면 '자초 뿌리로 물들여 윗옷으로 입더라도'이다. 상대방 노래에 사용된 어휘를 그대로 사용하면서 사랑하는 딸을 위기로부터 지키려는 강한 모성애가 느껴지는 작품이다.

167.

문을 늦게 열었다고 그냥 가 버린 사람에게

오래 걸려도
안 열리는 문 없네
긴긴 가을밤
기다려 주오 대문
여는 잠깐 정도는

門おそくあくとてかへりける人のもとに¹

長しとて²	na-ga-si-to-te
あけずやはあらむ³	a-ke-zu-ya-wa-a-ra-n
秋のよは⁴	a-ki-no-yo-wa
待てかし槇の	ma-te-ka-si-ma-ki-no
戸計り⁵をだに	to-ba-ka-ri-wo-da-ni

出典 : 『고슈이와카슈』 雜二 967번(『정집』 775)

1 『정집』 고토바가키는 '九月ばかりに、人、「おそく開く」とて帰りぬるに(10월경, 그 사람이 "문을 늦게 연다"며 그냥 돌아가 버렸기에)'로 되어 있다.

2 長しとて : 『정집』에는 '秋の夜も(akinoyomo 긴 가을밤도)'로 되어 있다.

3 あけずやはあらむ : 『정집』에는 '明けでやはやむ(akedeyawayamu 밝지 않는 일 없네)'로 되어 있다. 'あけ(ake)'는 '대문을 열다(開け)'와 '가을밤이 밝다(明け)'라는 말의 동음이의어로 중의적 표현이다. '대문 여는 데 시간이 오래 걸린다고 해도 열리지 않는 대문은 없다'는 뜻에, 가을밤이 아무리 길더라도

날이 밝지 않는 법은 없음을 함의한다. 대문을 늦게 열었다는 정도로 참을성 없이 그냥 되돌아간 남자에게 항변한 것이다.

4 秋のよは: 『정집』에는 '来と来なば(kitokinaba 찾아오거든)'로 되어 있다.

5 戸計り: '대문 정도'와 '잠시잠깐(とばかり tobakari)'이라는 말의 중의적 표현이다.

168.

친밀한 남자 친구로부터 자기 연인에게 보낼 노래를 대신 지어 달라는
부탁을 받고서, 우선 내 마음을 전한 노래

얘기 나누며
위안을 얻었는데
당신은 이제
나를 잊고 말겠지
사랑에 급급해서

かたらひける男[1]の、女のもとにつかはさむとて、歌こひ侍りしかば、先づ
わがことをよみ侍りし

かたらへば	ka-ta-ra-e-ba
慰むことも	na-gu-sa-mu-ko-to-mo
あるものを	a-ru-mo-no-wo
忘れやしなん	wa-su-re-ya-si-na-n
恋のまぎれに	ko-i-no-ma-gi-re-ni

出典 : 『고슈이와카슈』 雜四 1095번(『정집』 174 · 『속집』 1472)

1 かたらひける男: 『정집』에는 '단지 친하게 이야기를 나누는 남자친구(ただに
語らふ男)'로 되어 있다는 점을 근거로 연인 사이가 아니라 단순한 남자 친
구라는 것을 알 수 있다.

169.

한집에서 지내는 남자가 이제는 오지도 않기에

> 그 사람 땜에
> 얼마나 많은 시간
> 힘들었는데
> 원통하면서도 왜
> 이리 보고 싶을까

同じ所なる男の[1]、かき絶えにしかば

いくかへり[2]	i-ku-ka-e-ri
辛しと人を	tsu-ra-si-to-hi-to-wo
みくまの[3]の	mi-ku-ma-no-no
うらめし[4]ながら	u-ra-me-si-na-ga-ra
恋しかるらん	ko-i-si-ka-ru-ra-n

....

出典：『시카와카슈』恋下 269번

1 '같은 곳에 있는 남자(同じ所なる男)'가 구체적으로 무슨 의미인지 불명확하다. 이에 대해 노무라 세이이치(野村精一)는 원래 같은 곳에 함께 지내던 남자가 이제는 찾아오지 않게 되었다는 뜻으로 해석하였다(新潮日本古典集成『和泉式部日記 和泉式部集』新潮社, p.131). 한편 『이세모노가타리』제19단에서 볼 수 있듯이 궁중에 출사하여 같은 곳에서 일하는 남자로 보는(新日本古典文學大系9 『시카와카슈』岩波書店, p.301) 견해도 있다. 여기서는 이 노래가 '사랑' 노래로 분류되어 있다는 점을 감안하여 전자에 따랐다.

2 いくかへり: '몇 번. 여러 차례'라는 뜻의 부사다.

3 みくまの: '보아 오는 동안(見来間 mikuma)'이라는 말과, 미쿠마노(三熊野 mikumano 현재의 와카야마 현에 위치)'라는 지명의 동음이어이다.

4 うらめし: '원통하다(うらめし urammesi)'는 말에 동음이의어인 '해안(浦 ura)을 함의한다. 앞 구에 있는 'みくまの(mikumano)'와 이어져 '미쿠마노 해안(三熊野の浦 mikumanonoura)'이라는 뜻과, '보아 오는 동안 원통하다(見来間mikuma 恨めしuramesi)'의 양쪽에 걸쳐 해석된다.

170.

서로 남의 눈을 꺼리는 관계에 있는 남자가, '만나기가 쉽지 않구려'라며
원망하기에

자신의 몸이
자기 맘먹은 대로
되지 않은 적
떠올리면 내 사정
이해할 수 있으리

たがひにつつむことある男の、「たやすくあはず」とうらみしかば[1]

おのが身の	o-no-ga-mi-no
おのが心に	o-no-ga-ko-ko-ro-ni
かなはぬを	ka-na-wa-nu-wo
思はばものは	o-mo-wa-ba-mo-no-wa
思ひしりなん	o-mo-i-si-ri-na-n

．．．．．．．．．．．．．．．．．．．．．

出典：『시카와카슈』雑上 310번(『정집』688)

1 『시카와카슈』 고토바가키는 '당장 만나지 못한다며 원망하기에 읊은 노래
(すぐ逢はず、と恨みければよめる)'로,『정집』에는 '나도 그 사람도 남의 눈
을 꺼리는 관계였는데, 그 남자가 "이렇듯 마음먹은 대로 되지 않는구려"라
며 만나러 오지 못하겠다는 편지를 보내왔기에, 내 사정이 여의치 않아 만나
지 못할 때면 항상 나를 원망했던 일들이 떠올라 못마땅하기에(我も人もつ
つむ事ある中に、男、「かく心にもかなはぬ事」といひけるに、必ず常に恨みら
るるが、むつかしければ)'로 되어 있다.

171.

비밀스럽게 사귀고 있는 남자가 무슨 생각에선지 음력 5월 5일 아침에
날이 훤하게 밝은 뒤에야 돌아가서는 '오늘 세상 사람들이 우리 사이를
알게 되어 기쁘오'라는 편지를 보냈기에 답한 노래

단옷날 창포
꺾으러 온 것이니
세상 사람들
나와 잠자리했다
여기지는 않으리

忍びたる男の、いかが思ひけん、五月五日のあしたに、あけて後かへり
て、「けふあらはれぬるなんうれしき」といひたる返事に

菖蒲草[1]	a-ya-me-gu-sa
かりにも[2]来らむ	ka-ri-ni-mo-ku-ra-n
ものゆゑに	mo-no-yu-e-ni
ねやのつま[3]とや	ne-ya-no-tsu-ma-to-ya
人のみつらん	hi-to-no-mi-tsu-ra-n

出典 : 『시카와카슈』 雜上 311번

1 菖蒲草: 음력 5월 5일 단옷날, 나쁜 기운을 물리치기 위해 지붕 처마 끝에
  창포를 꽂았다.

2 かりにも: 창포를 베다는 뜻의 '베리(kari)'와, 잠시(임시)라는 뜻을 지닌 '仮

(kari)'의 동음이의어로 중의적 표현이다. '仮(kari)'와 관련하여서는 가끔씩 밖에 찾아주지 않는 남자에 대한 원망을 담아 '창포를 베러 잠시 들렀는데'라는 뜻으로 풀이할 수 있다.

3 ねやのつま: 부인(또는 연인)이라는 뜻의 '妻(tsuma)'와, 처마 끝을 뜻하는 '端(tsuma)'의 동음이의어이다.

172.

줄곧 구애의 편지를 보내던 남자가 9월경, '촉촉이 젖은 옷소매'라고
말하기에

　　가을이 되면
　　아무런 근심 없는
　　가을 싸리도
　　잎사귀 휠 정도로
　　이슬에 흠뻑 젖어

物いひわたりける男の、八月ばかりに、「袖の露けさ」などいひたるに[1]

　　秋はみな[2]　　　　　a-ki-wa-mi-na
　　思ふことなき　　　　o-mo-o-ko-to-na-ki
　　荻のはも　　　　　　ha-gi-no-ha-mo
　　末たわむまで　　　　su-e-ta-wa-mu-ma-de
　　露は置くめり　　　　tsu-yu-wa-o-ku-me-ri

．．．．．．．．．．．．．．．．．．．．．．．．．．．
出典 : 『시카와카슈』 雑上 320번(『정집』 840)

1 『시카와카슈』 고토바가키는 '줄곧 구애하던 남자가 8월경, 촉촉한 옷소매라
　는 말을 하기에 답한 노래(言ひわたりけるをとこの、八月ばかり、袖の露けさ
　など言ひたり、返ごとによめる)'로, 『정집』에는 '"요즘 들어 촉촉한 옷소매"라
　고 말한 사람에게(「此の頃袖の露けき」などいひたる人に)'로 되어 있다. 8월
　은 음력이므로 현재의 9월에 해당한다. '露けし(tsuyukesi 이슬을 머금다, 촉

촉하다)'는 와카에서 주로 '걸핏하면 눈물을 흘리다'라는 뜻이다.

2 秋はみな: 『정집』에는 '秋は猶(akiwanao 가을은 역시)'로 되어 있다. 그리움에 흘린 눈물로 옷소매가 젖어버렸다는 남자에게, 이즈미시키부는 가을이라는 계절 때문에 잠시 감상적이 된 것이라고 되받은 것이다.

173.

남자를 원망하며

> 갈대 없는 산에
> 나무 자라듯 나쁜
> 우리 사이에
> 탄식의 나무들이
> 한없이 자라나네

男をうらみて

> あしかれ¹と
> 思はぬ山の
> 峰にだに
> 生ふなる物を
> 人のなげき²は

a-si-ka-re-to
o-mo-wa-nu-ya-ma-no
mi-ne-ni-da-ni
o-o-na-ru-mo-no-wo
hi-to-no-na-ge-ki-wa

....

出典:『시카와카슈』雑上 333번

1 あしかれ: '나빠져라(悪しかれ asikare)'와 '갈대를 베라(葦刈れasikare)'의 동음이의어다. 애당초 물가에 서식하는 갈대를 산에서 벨 일은 없으므로 해학적 표현으로 보인다. 이 노래는 전체적으로 비약과 상징, 그리고 중의적 표현으로 이해하는 데 어려움이 있다. 가능한 원문을 그대로 살리면, 갈대가 자라지 않아 벨 수 없는 산꼭대기에 나무가 자라는 것처럼 당신과의 사이가 나빠지길 바라지 않아도 탄식할 일이 생기는데 하물며 우리 사이가 좋아지길 바라는 내게 탄식이란 이름의 나무는 늘어만 가는구나, 라고 풀이할 수

있다.

2 なげき: '탄식(嘆き nageki)'이라는 말에 '나무(木 ki)'를 함의한다는 점에서 '탄식의 나무'로 바꾼 시적 변용이다. 탄식을 나무로 간주했으므로 나무가 자라는 '산봉우리(山の峰 yamanomine)'를 시어로 가져온 것이다. 서로 사랑하는 사이라 해도 사랑을 하면 한숨지을 일이 많은데 원망할 일이 많은 자신으로서는 탄식할 일이 더 많음을 호소한 것이다.

174.

나를 찾아온 사람과 잡담을 나누던 중에 또 다른 사람이 찾아오자
두 사람 모두 돌아가 버린 그다음 날 아침에 지어 보낸 노래

어중간하게
홀로 남아 새벽달
바라보면서
변변치 못한 처지
확연히 깨달았네

と物がたりして侍りしほどに、又人のきたりしかば、誰もかへりにし朝に、い
ひつかはしける

なかぞら¹に	na-ka-zo-ra-ni
独り有り明けの²	hi-to-ri-a-ri-a-ke-no
月をみて	tsu-ki-wo-mi-te
残るくまなく³	no-ko-ru-ku-ma-na-ku
身をぞしりぬる	mi-wo-zo-si-ri-nu-ru

出典:『교쿠요와카슈』恋二 1468번(『속집』 916)

1 なかぞら: 새벽달이 떠 있는 '중천(中空 nakazora)'과, '어중간함(nakazora)'이
라는 말의 동음이의어로 중의적 표현이다.

2 独り有り明けの: '있다(有り ari)'라는 동사와 새벽달(有明の月 ariakenotsuki)
이라는 말이 중첩된 것으로, 홀로 남아(独り**有り**) 새벽달(**有明**の月)을 바라

본다는 의미다.

3 くまなく: '隈無く(kumanaku)'는 새벽달이 밝아 '어둡거나 흐린 곳이 없이'와 자신의 초라한 처지를 '숨김없이 다 알게'되었다는 뜻의 중의적 표현이다.

175.

야스마사에게 버림받은 무렵, 가네후사兼房가 안부를 묻기에

남몰래 혼자
시름에 잠기는 일은
익숙해졌네
꽃과 이별하지 않는
봄날이란 없기에

保昌[1]にわすられて侍りしころ、兼房朝臣[2]とひて侍りしかば

人しれず[3]	hi-to-si-re-zu
もの思ふことは	mo-no-o-mo-o-ko-to-wa
ならひにき	na-ra-i-ni-ki
花に別れぬ	ha-na-ni-wa-ka-re-nu
春しなければ	ha-ru-si-na-ke-re-ba

出典:『시카와카슈』雜上 312번(『정집』583)

1 保昌: 이즈미시키부의 재혼 상대인 후지와라노 야스마사(藤原保昌 958~
1036)로 당대 유명한 무장이다. 미나모토노 요리미쓰(源賴光) 등과 더불어
후지와라노 미치나가의 가신으로 두터운 신임을 얻었다. 단고 지방과 야마
토 지방, 셋쓰 지방 등의 수령을 역임했다. 이즈미시키부는 아쓰미치 왕자의
일 년 상을 치른 뒤 궁중에 출사하여 중궁 쇼시를 보필하게 되는데 이것이
인연이 되어 야스마사와 재혼하게 된다. 재혼 후 단고 지방 수령관에 임명
(1023년경)된 남편을 따라 단고 지방으로 내려가 잠시 지내기도 한다. 이

외에 이 책 211번과 225번에 야스마사 관련된 노래가 실려 있다.

2 兼房: 중납언(中納言) 후지와라노 가네타카(藤原兼隆)의 아들인 후지와라노 가네후사(1004~1069)를 가리킨다.

3 人しれず: 『정집』 본문에는 '年を経て(tosiwohete 날이 갈수록)'로 되어 있다.

176.

대재수大宰帥 아쓰미치 왕자님의 발길이 끊긴 무렵, 가을날 갑자기 생각이 났는지 찾아왔기에

기다렸대도
과연 이렇게까지
반가웠을까
예상도 하지 못한
가을날의 해 질 녘

太宰師敦道のみこ中絶えけるころ、秋つかた思ひ出でてものして侍りしに[1]

まつとても[2]   ma-tsu-to-te-mo
かばかりこそは   ka-ba-ka-ri-ko-so-wa
あらましか   a-ra-ma-si-ka
思ひもかけぬ   o-mo-i-mo-ka-ke-nu
秋の夕ぐれ[3]   a-ki-no-yu-u-gu-re

· ·

出典：『센자이와카슈』恋四 844번(『정집』878 ·『이즈미시키부 일기』)

1 『정집』고토바가키는 '해 질 녘 그분께 보내 드린 노래(夕暮に聞えさする)' 로 되어 있다.

2 まつとても：『정집』에는 '待たましも(matamasimo)'로 되어 있다.

3 秋の夕ぐれ：『정집』과 『이즈미시키부 일기』에는 '今日の夕暮(kyounoyugure 오늘 해 질 녘)'으로 되어 있다. 한편 일기에는 여름철(음력 4월)에 읊은 노래 로 되어 있어 차이를 보인다.

177.

연락이 끊기고 오지 않는 사람에게

> 원망하고픈
> 마음 정도는 내게
> 남아있거늘
> 그조차 무시한 채
> 연락 않는 그대여

かき絶えておとせぬ人に[1]

うらむべき	u-ra-mu-be-ki
心ばかりは	ko-ko-ro-ba-ka-ri-wa
あるものを	a-ru-mo-no-wo
なきになしても[2]	na-ki-ni-na-si-te-mo
とはぬ君かな	to-wa-nu-ki-mi-ka-na

....

出典 : 『센자이와카슈』 恋五 958번(『정집』 437)

1 『센자이와카슈』 고토바가키는 '제목 미상(題知らず)'으로, 『정집』에는 '오랫동안 연락도 하지 않는 사람에게(久しう音もせぬ人に)'로 되어 있다.

2 なき(naki)になし(nasi)ても: 'なき(naki)'는 형용사 'なし(nasi 없다)'의 연체형(連体形 뒤에 명사를 수식하는 활용형)이다. 한편 'なし(nasi)'는 동사 'なす(nasu 간주하다)'의 연용형(連用形 동사와 형용사 등 용언에 이어지는 활용형)으로 전자에 있는 'なき(naki)'의 기본형 'なし(nasi)와 발음이 같다. 비록 의미는 상이하지만 동음(同音)을 반복적으로 사용한 수법으로 이즈미시키부 노래에 종종 등장한다.

178.

9월경 찾아온 사람이 댓잎에 이슬이 내려앉은 그림이 그려진 쥘부채를
두고 돌아갔기에 얼마 있다 되돌려 주며

새벽녘 나를

남겨 두고 가 버린

당신보다도

내 곁에 오래 머문

댓잎에 맺힌 이슬

八月¹ばかりにまうできたりける人の、竹の葉に露おきたるかたかきたる扇
をおとして侍りけるを、程へてかへしつかはすとて

しののめに   si-no-no-me-ni

おきて²わかれし   o-ki-te-wa-ka-re-si

人よりも   hi-to-yo-ri-mo

久しくとまる   hi-sa-si-ku-to-ma-ru

竹の葉の露   ta-ke-no-ha-no-tsu-yu

出典:『교쿄요와카슈』恋二 1461번(『정집』 645)

1 八月: 음력 8월이므로 지금의 9월에 해당한다.
2 おきて: '일어나서(起きて okite)'와 '남겨두고서(置き okite)'라는 말의 동음
　이의어로 중의적 표현이다.

179.

오랫동안 오지 않던 사람이 황매화 꽃가지에 묶어, '한동안 찾아가지 못한 죄를 용서하시오'라는 편지를 보내왔기에

내게 오라고
생각지는 않지만
그간 격조한
당신 용서한다면
동침하러 오려는가

久しうおとせぬ人の、山ぶきにさして、「日ごろのつみはゆるせ」といひて侍りしかば[1]

とへ[2]としも	to-e-to-si-mo
思はぬ八重の	o-mo-wa-nu-ya-e-no
山吹を	ya-ma-bu-ki-wo
ゆるす[3]といはば	yu-ru-su-to-i-wa-ba
をり[4]にこんとや	o-ri-ni-ko-n-to-ya

出典 : 『고슈이와카슈』雜二 963번(『정집』 159·『속집』 903)

1 『정집』에는 '봄날 무렵, 오랫동안 오지 않던 사람이 황매화 꽃가지에 "요즘 내가 지은 죄를 용서하시오"라는 편지를 묶어 보내왔기에(春頃、久しく音せぬ人の、山吹に、「日頃の罪は許せ」と言ひたるに)'로 되어 있다.

2 とへ: '찾아오라(訪へ toe)'와 '열 겹(十重 toe)'이라는 말의 동음이의어로 중

의적 표현이다. 이 노래는 사랑 노래에 속해 있어 상기와 같이 해석하였다. 다만 중의적 표현이라는 점을 고려하면, '열 겹이라고/ 생각 않는 여덟 겹/ 황매화 꽃을/ 용서한다 말하면/ 꺾으러 오려는지'라는 해석도 가능하다.

3 ゆるす: 고토바가키에 있는 바와 같이, 남자가 보낸 편지 안에 적힌 '용서하시오(ゆるせ)'라는 말을 노래에 그대로 사용한 것으로 이 경우에도 고토바가키와 노래의 긴밀성이 인정된다.

4 をり: '꽃을 꺾다'는 말에, '자기 여자로 만들다'를 함의한다.

恋
283

180.

같은 사람이, 다른 데 갔다가 왔다는 말을 듣고 같은 꽃에 묶어 보낸 노래

쓸데없지만
곰곰이 생각해도
황매화꽃 핀
이데井手에 당신 혼자
갔다 생각지 않네

おなじ人の、ものよりきたりと聞きて、同じ花につけてつかはしける[1]

あぢきなく	a-zi-ki-na-ku
思ひこそやれ	o-mo-i-ko-so-ya-re
つくづくと[2]	tsu-ku-zu-ku-to
独りや井手[3]の	hi-to-ri-ya-i-de-no
山ぶきの花	ya-ma-bu-ki-no-ha-na

出典 : 『고슈이와카슈』 雑二 964번(『속집』 1098)

1 『속집』에는 '사랑하던 사람이 봄에 지방에서 올라왔다는 소식을 듣고 보낸
   노래(語らひしの、春の頃田舎より来たりと聞きしにいひやる)'로 되어 있다. 앞
   에 실린 179번 고토바가키에 나오는 인물과 꽃이 동일하므로 '같은'이라는
   말이 2번 반복되고 있다.
2 つくづくと: '곰곰이. 유심히. 가만히'라는 뜻인데, 『고슈이와카슈』에는 '우두
   커니. 쓸쓸히(つれづれと tsurezureto)'로 되어 있어 내용상 차이를 보인다.
3 独りや井手: 『속집』에는 '独りや(hitoriya)'가 '旅にや(tabiniya)'로 되어 있다.

'や(ya)'는 조사로 반어적 표현이다. 한편 '井手(ide)'는 교토 남부에 위치한 황매화의 명소로, 동음이의어인 '나가다. 출발하다(出で ide)'를 함의한다. 오랫동안 연락을 끊었던 남자와 주고받은 179번에 이어지는 이 노래는 그 남자가 다시 어딘가에 갔다 돌아왔다는 말을 전해 듣고 보낸 노래다. 충분히 다른 여자와의 만남이 예상되는 상황에서 홀로 지낸 자신과 달리 다른 여자와 만났을 남자에게 확인하며 되묻는 노래다. 의미 없다 말하면서 확인하지 않고는 견딜 수 없는, 그리고 그런 자신을 한심하다 여기면서도 남자에게 확인하며 미련을 보이는 쓸쓸한 노래다.

恋

181.

남몰래 사귀는 남자가 비 내리는 날 밤에 왔다가 돌아가서는 옷소매가
젖어 버렸다는 내용의 편지를 보내왔기에

이토록 몰래
사귀며 눈물짓는데
누가 물으면
무슨 사정 때문에
옷소매 젖었달까

しのびたる男の、雨のふる夜まうできて、ぬれたるよし、かへりていひおこ
せければ¹

かくばかり	ka-ku-ba-ka-ri
しのぶる²雨を	si-no-bu-ru-a-me-wo
人とはば³	hi-to-to-wa-ba
なににぬれたる	na-ni-ni-nu-re-ta-ru
袖といふらん	so-de-to-yu-u-ra-n

出典:『고슈이와카슈』雑二 925번(『속집』1156)

1 『속집』고토바가키는 '남몰래 사귀는 남자가 찾아왔다가 돌아갈 때는 비가
　세차게 내릴 때여서 옷이 다 젖어 버렸다며 생색을 내는 내용의 편지를 보
　내왔기에(忍びたる人来て、雨のいみじう降るに帰りて、濡れたる由などいひ
　たるに)'로 되어 있다.

2 しのぶる: '남의 눈을 피해 몰래(忍ぶる)'라는 말에 '세차게 내리는(しの降る)'을 함의한다.

3 人とはば: '당신은 비에 젖었다며 나를 만나기 위해 치러야 했던 고생스러움을 호소합니다만, 당신이 돌아간 뒤에 내 옷소매도 당신 보고파 흘린 눈물에 흠뻑 젖었습니다. 이를 보고 만일 다른 사람이 비를 맞지도 않았는데 옷소매가 젖어 있는 내게 그 까닭을 물어 오면 뭐라 답해야 할까요(당신과 나는 남들에게는 말할 수 없는 비밀스런 관계인데)'라는 마음이 담겨있다.

182.

남자가 편지를 보냈기에 '오는 20일에 만날 수 있다'고 답하자 '더 빨리 만나고 싶소'라고 하기에

당신은 역시
모르고 있었군요
가을 20일 달
나뭇가지 사이로
살짝 볼 수 있음을

男の文かよはしけるに、「この廿日のほどに」とたのめけるを、「待ちどをし」
といひ侍りければ[1]

君はまた[2]	ki-mi-wa-ma-ta
しらざりけりな	si-ra-za-ri-ke-ri-na
秋のよの	a-ki-no-yo-no
このまの月[3]は	ko-no-ma-no-tsu-ki-wa
はつかに[4]ぞみる	ha-tsu-ka-ni-zo-mi-ru

....

出典:『고슈이와카슈』 雑二 950번(『속집』 915, 1168)

1 『속집』 915번 고토바가키는 '이번 20일경에 만나기로 약속했는데, 그때까지 기다리기 어렵다고 하기에(「今この二十余日のほどに」と頼むるを、「いかでさまでは」といふけば)'로 되어 있다. 한편 중복 수록된 1168번에는 '사랑하는 사람에게, 오는 20일에 만자자고 하자 그때까지 기다릴 수 없다며 서두르기

에(逢はんと思ふ人、「今この二十日ほどに」と頼むれば、「いかでかさまでは」と急げば)'로 되어 있다.

2 君はまた:『속집』에는 '당신은 아직(君は**まだ** kimiwamada)'으로 되어 있다.

3 このまの月: '그때 뜨는 달(この間の月 konomanotsuki)'과, '나뭇가지 사이로 보이는 달(木の間の月 konomanotsuki)'의 동음이의어로 중의적 표현이다. '그때'는 고토바가키에 명시한 20일경을 말한다. 일본에서는 음력 20일경 밤에 뜨는 달을 '更け待ち月(hukemachizuki)'라 불렀는데 이는 밤이 깊어진 뒤에 뜨는 것을 기다리는 달이라는 뜻이다. 상기 노래에서는 그만큼 보기 어렵다는 의미를 더한 것이다.

4 はつかに: '20일에(二十日に hatsukani)'와 '흘끗. 잠깐(僅かに hatsuka ni)'의 동음이의어로 중의적 표현이다. 늦은 밤 나뭇가지 사이로 보이는 달을 힐끗 볼 수 있듯이, 당신과 20일 날 잠깐 볼 수 있으며 그 전에는 만날 수 없음을 전한 것이다.

183.

다른 여인에게 연애 편지를 건넨 남자에게 원망의 뜻을 전하자 그런 일이
없다며 한사코 우기기에

당신 마음은
거미집처럼 허공에
들떠 있으니
오늘도 나는 이리
힘겹게 보내야 하나

人のもとに文やる男を、うらみやりて侍りける返事に、あらがひければ

空¹になる	so-ra-ni-na-ru
人の心は	hi-to-no-ko-ko-ro-wa
ささがにの²	sa-sa-ga-ni-no
いかにけふまた	i-ka-ni-kyo-u-ma-ta
かくて³くらさん	ka-ku-te-ku-ra-sa-n

出典 : 『고슈이와카슈』 雜二 926번

1 空: 거미가 공중에 거미집을 짓는다는 점에서 뒷말인 '거미(ささがにsasagani)'
와 연관된 말이다. 2구까지 직역하면, '텅 빈 공중에 있는 당신 마음'이란
뜻이다.

2 ささがに: 'ささがに(거미 sasagani)'는 뒷말인 'いかに'의 'い(i)'를 이끌어내기
위해 관용적으로 따라붙는 말(枕詞 makurakotoba)로 '거미집(ささがにの/
い)'을 함의한다.

3 かくて: 거미집을 짓다(掛く kaku)'와 '가くて(kakute 이렇게)'의 동음이의어이다.

184.

'이 세상에 살아 있는 한 당신을 절대로 잊지 않을 것이오'라는 내용의
편지를 보내온 사람에게

시간 흘러도
내가 살아 있다면
당신이 나를
잊지 않았다는 걸
확인할 수 있을 텐데

「世にあらんかぎりは更に忘れじ」などいひたる人に

ほどふべき   ho-do-hu-be-ki
命なりせば[1]   i-no-chi-na-ri-se-ba
まことにや   ma-ko-to-ni-ya
忘れはてぬと   wa-su-re-ha-te-nu-to
みるべきものを   mi-ru-be-ki-mo-no-wo

出典 :『교쿠요와카슈』恋三 1514번(『속집』 1309)

1 ほどふべき/ 命なりせば: 남자가 보낸 편지에 적힌 '살아 있는 한'이라는 말
을 받아 '당신보다 얼마나 더 살아 있으면'이라는 뜻과, 자신의 목숨이란
게 유한하기에 언제까지 살아 있을지 모른다는 의미를 더한 것이다.

恋

185.

남자가 사랑하던 여인을 '이제 다시는 만나지 않을 것이오'라 말한 뒤에,
비가 세차게 내리는데 찾아갔다는 말을 듣고 보낸 노래

미카사야마三笠山

떠나듯 멀어졌다

들었었는데

세찬 빗속 뚫고서

만나러 갈 줄이야

男の物いひ侍りける女を、「今は更にいかが」といひて後、雨のいたくふり
けるに、まかりけりとききて、つかはしたりし[1]

三笠山[2]	mi-ka-sa-ya-ma
さしはなれぬと	sa-si-ha-na-re-nu-to
ききしかど	ki-ki-si-ka-do
雨もよにとは	a-me-mo-yo-ni-to-wa
思ひし物を	o-mo-i-si-mo-no-wo

· ·

出典:『고슈이와카슈』雑二 927번(『속집』 1139)

1 『속집』 고토바가키는 '궁중 모처에 쥬죠(中将)라는 이름으로 출사한 여방과
  사귀는 남자가 "이제는 가지 않겠소"라고 말한 뒤에, 어느 비 내리는 날
  밤에 그녀를 찾아갔다는 말을 듣고(或所に中将とて候ふ人に語らふ男、「今

はいかず」と云ひて後に、雨降る夜いきたりと聞きて)'로 되어 있다.

2 三笠山: 현재의 나라 현 가스가야마(春日山) 산봉우리의 하나다. 여기서는
남자가 사귀던 여인을 빗댄 말이다.

186.

당연히 찾아 줄 것이라 믿었던 사람에게서 아무런 연락이 없기에

언제까지나
지켜 주겠단 마음
변했더라도
이때만큼이라도
와주면 좋으련만

とふべしと思ふ人の、とはぬに[1]

ゆくすゑと	yu-ku-su-e-to
契りし事は	chi-gi-ri-si-ko-to-wa
かはるとも	ka-wa-ru-to-mo
このころ[2]ばかり	ko-no-ko-ro-ba-ka-ri
とふ人もがな	to-o-hi-to-mo-ga-na

出典 : 『교쿠요와카슈』恋三 1521번(『정집』784)

1 『정집』고토바가키는 '같은 무렵, 당연히 날 찾아 줄 것이라 믿었는데 아무 연락이 없기에(同じ頃、問ふべしと思ふに、音せぬに)'로 되어 있다. '같은 무렵'이란 직전 783번 노래의 고토바가키의 내용을 가리킨다. 즉 '연인관계가 아닌 남자 친구가 '당신에게 무슨 일이 생기면 반드시 찾아보리라'라고 말해 놓고선 막상 힘겨울 때 느지막이 찾아왔기에(ただにある男の、「とかくあらんには、必ず来て見ん」といひたるが、その程になるに、おそく来ければ'이다.

2 このころ: 신변에 무슨 일이 생겨 힘겨워 할 때를 말한다.

187.

걱정거리가 있던 무렵 달을 바라보며

근심 있어서
슬프게 보이는지
나 아닌 다른
사람에게 오늘밤
저 달에 대해 묻고파

思ふ事侍りけるころ月をみて[1]

物思ふに[2]	mo-no-o-mo-o-ni
哀れなるかと	a-wa-re-na-ru-ka-to
われならぬ	wa-re-na-ra-nu
人[3]にこよひの	hi-to-ni-ko-yo-i-no
月をとはばや[4]	tsu-ki-wo-to-wa-ba-ya

出典:『센자이와카슈』雜上 986번 ·『후가와카슈』恋四 1287번(『속집』1331)

1 『센자이와카슈』 고토바가키는 '제목 미상(題知らず)'으로, 『후가와카슈』에
  는 상기 고토바가키와 동일하다. 한편 『속집』에는 '4월경 밤 풍경이 서글프
  게 보여서(三月ばかりの夜のあはれなるを見て)'로 되어 있다.

2 物思ふに: 『센자이와카슈』에는 'ひとりのみ(hitorinomi 나 혼자만)'로 되어
  있다.

3 われならぬ/人: 직역하면 '내가 아닌 다른 사람'이라는 뜻이다. 이즈미시키부
  는 특정 인물과 관련된 경우에만 이 표현을 사용하였다. 예를 들면 '나 아닌

당신도/ 분명 보고 있으리/ 밤이 긴 10월/ 새벽달보다 마음/ 울리는 것은 없어(我ならぬ/ 人もさぞ見ん/ 長月の/ 有明の月に/ しかじあはれは)'라는 노래인데, 여기서 '我ならぬ/ 人'는 아쓰미치 왕자를 지칭한다. 이 노래는『정집』897번과『이즈미시키부 일기』에도 실려 있는데, 이 노래에 대해 아쓰미치 왕자도 '당신도 역시/ 새벽 지새도록 달/ 뜬 하늘만을/ 나와 같은 맘으로/ 바라보고 있었구려(我ならぬ/ 人も有明の/ 空をのみ/ 同じ心に/ ながめけるかな)'라는 답가 속에서 이즈미시키부를 'われならぬ/ 人'로 지칭하고 있다. 다른 인물과 관련된 작품에는 볼 수 없는 표현이므로 아쓰미치 왕자를 지칭한 것으로 추정된다.

4 とはばや:『센자이와카슈』에는 '見せばや(misebaya 보여주고파)'로 되어 있다.

잡
雑

188.

무료할 적에 두서없이 떠오른 생각들을 적어 두었는데, 그 가운데 이런
세상이 되었으면 하고 소망하는 것

모든 해 질 녘
교교한 달밤으로
빛나게 해서
칠흑 같은 어둠이
없으면 좋을 텐데

つれづれなりしをり、よしなしごとにおぼえしことどもかきつけしに、世の中
にあらまほしき事[1]

夕ぐれは　　　　　　　yu-u-gu-re-wa
さながら月に　　　　　sa-na-ga-ra-tsu-ki-ni
なしはてて　　　　　　na-si-ha-te-te
やみてふ事の　　　　　ya-mi-tyo-o-ko-to-no
なからましかば　　　　na-ka-ra-ma-si-ka-ba

出典 : (『정집』 337)

1 『정집』 고토바가키는 '이런 세상이 되길 바라는 일(世の中にあらまほしき事)'
로 되어 있다. 원래 『정집』에는 5수로 구성된 연작시(337번부터 341번까지)
의 형태로 수록되어 있다. 그 가운데 이 책에는 상기 노래를 비롯하여 총
4수(189번, 190번, 253번)가 실려 있다.

189.

無題

> 이 세상 봄꽃
>
> 오직 벗꽃으로만
>
> 피게 만들어
>
> 벗꽃 져 버리는 일
>
> 없으면 좋을 텐데

無題[1]

おしなべて	o-si-na-be-te
春は桜に[2]	ha-ru-wa-sa-ku-ra-ni
なしはてて	na-si-ha-te-te
散るてふことの	chi-ru-tyo-o-ko-to-no
なからましかば	na-ka-ra-ma-si-ka-ba

出典 : 『쇼쿠고센와카슈』 春中 85번(『정집』 338)

1 『쇼쿠고센와카슈』 고토바가키는 '제목 미상(題知らず)'으로, 『정집』은 앞의
188번과 동일하다.

2 春は桜に: 『정집』에는 '花は桜に(hanawasakurani 모든 꽃이 벗꽃으로)'로 되
어 있다.

190.

無題

모든 사람을
똑같은 마음으로
만들어 버려
엇갈리는 사랑이
없으면 좋을 텐데

無題[1]

みな人を	mi-na-hi-to-wo
同じ心に	o-na-zi-ko-ko-ro-ni
なしはてて	na-si-ha-te-te
思ふおもはぬ	o-mo-o-o-mo-wa-nu
なからましかば	na-ka-ra-ma-si-ka-ba

出典 : 『쇼쿠슈이와카슈』 恋二 861번(『정집』 341)

1 『쇼쿠슈이와카슈』 고토바가키는 '사랑노래 가운데(恋歌の中に)'로, 『정집』
에는 앞의 188번과 동일하다.

191.

누군가 판가름해 줬으면 하는 일

어떤 사람이
세상서 없어지길
바라야 할까
연인 버린 사람과
버림받은 사람 중

人にさだめさせまほしき事[1]

いづれをか　　　　i-zu-re-wo-ka
世になかれとは　　yo-ni-na-ka-re-to-wa
思ふべき　　　　　o-mo-o-be-ki
忘るる人と　　　　wa-su-ru-ru-hi-to-to
忘らるる身と[2]　　wa-su-ra-ru-ru-mi-to

出典 : (『정집』342)

1 동일한 주제로 읊은 노래가 『정집』에는 4수(342~345) 연작시 형태로 수록되어 있다. 이 가운데 이 책에는 상기 노래와 192번의 2수가 실려 있다. 어떤 사안에 대해 결정하지 못하고 다른 사람에게 그 판단을 유예하는 내용의 노래다. 대개 '어느 쪽이 …하는 게 마땅한 걸까(いづれ…べき)', '어느 쪽이 더 심한 걸까(いづれ…まされり)'라는 말로 맺지만 상기 노래는 그 형식에서 자유롭다. 한편 이즈미시키부의 이런 형식에 선행하는 작품으로 모토요시(元良) 왕자의 '임이 오시길/ 애타게 기다리는/ 저녁 무렵과/ 안녕 고하며

가는/ 임 보내는 새벽녘/ 언제가 더 애달플까(来や来やと/ 待つ夕暮れと/ 今はとて/ 帰る朝と/ いづれまされり『고센와카슈』 510)'라는 노래가 있다.

2 忘るる人と/ 忘らるる身と: 사랑 노래에서 통상 남자는 '잊는 사람(연인을 버린 사람)', 여자는 '잊힌 사람(버림받은 사람)'으로 등장하는데 이는 당시 시대적 상황이 고스란히 반영된 것이다.

192.

無題

> 사별한 연인
> 그리워하는 것과
> 살아 있지만
> 만나지 못하는 것
> 뭐가 더 괴로울까

無題[1]

なき人と	na-ki-hi-to-to
なして[2]恋んと	na-si-te-ko-i-n-to
ありながら	a-ri-na-ga-ra
あひみざらんと	a-i-mi-za-ra-n-to
いづれ勝れり	i-zu-re-ma-sa-re-ri

· · · · · · · · · · · · · · · · · · · ·

出典 : (『정집』 343)

1 『정집』 고토바가키는 앞의 191번과 동일하다.

2 なき人と/ なして:『정집』에는 '亡き人を(nakihitowo 이 세상에 없는 사람을)/
なくて(nakute 없어서)'로 되어 있다.

193.

불가해한 일

이 세상에서
아무리 생각해도
불가해한 건
날 사랑 않는 사람
그리는 것이구나

あやしきこと

世の中に　　　　　yo-no-na-ka-ni
あやしきことは　　a-ya-si-ki-ko-to-wa
しかすがに¹　　　　si-ka-su-ga-ni
思はぬ人を　　　　o-mo-wa-nu-hi-to-wo
思ふなりけり²　　　o-mo-o-na-ri-ke-ri

出典 : (『정집』 346)

1 しかすがに: 그렇게 생각하지만 역시. 그렇기는 하지만.
2 思はぬ人を/ 思ふなりけり: 『정집』에는 '思はぬ人**の**/ **絶えぬ**なりけり(마음 주지 않는 매정한 사람이 없어지지 않는 것이었구나)'로 되어 있어 본문에 차이가 있다.

194.

無題

> 이 세상에서
> 아무리 생각해도
> 불가해한 건
> 죽고 싶다 하면서
> 죽지 못함이구나

無題[1]

世の中に	yo-no-na-ka-ni
あやしきことは	a-ya-si-ki-ko-to-wa
いとふ身の	i-to-o-mi-no
あらじと思ふ	a-ra-zi-to-o-mo-o
惜しきなりけり	o-si-ki-na-ri-ke-ri

....
出典 : (『정집』 347)

1 『정집』 고토바가키는 앞의 193번과 동일하다.

195.

나로 인해 부모님이 상심하고 계실 때, '험한 바위산에'라는 구절을 노래 첫머리에 한 글자씩 얹어 어머니께 지어 보낸 노래

예전 수심에
잠기는 걸 비난한
적 있는 걸까
벌 받기라도 하듯
못 견디게 괴로워

親のこころよからず思ひけるころ、「いはほの中にも」といふ歌を、句のか
みごとにすゑて、歌よみて母のがりつかはし侍りしに[1]

いにしへや	i-ni-si-e-ya
物思ふ事を	mo-no-o-mo-o-ko-to-wo
もどきけむ	mo-do-ki-ke-n
むくいばかりの	mu-ku-i-ba-ka-ri-no
心ちこそすれ	ko-ko-chi-ko-so-su-re

出典 : (『정집』 442)

1 『정집』 고토바가키는 '본의 아니게 불미스러운 일이 생겨서 지금껏 살던 집에서 나와 살며 힘겨워할 때 부모님도 매우 비통해하신다는 소식을 전해 듣고 보낸 노래이다. 노래 앞 첫 글자는 옛 노래이다(こころにもあらずあやしき事出て来て、例すむ所も去りて歎くを、親もいみじう歎くと聞きて、いひやる、

上の文字は世の古言なり)'로 되어 있다.

여기서 옛 노래는 '대체 얼마나/ 험한 바위산에/ 숨어살면은/ 괴로운 세상일이/ 들려오지 않을까 (いかならむ/ **いはほのなかに**/ **すまばかは**/ 世の憂きことの / 聞こえこざらむ 『고킨와카슈』 952)'를 가리킨다. 이중 이즈미시키부는 2구와 3구(いはほのなかにすまばかはの 12자)를 자기 노래 첫머리에 얹어 12수의 연작시를 지었다. 상기 노래는 맨 앞 글자인 'い(i)'를 첫머리에 얹어 읊은 작품이다. 첫 남편인 다치바나노 미치사다와 파경을 맞이한 후 얼마 지나지 않아 부모로부터도 의절을 당한 시기에 지은 것으로 알려져 있다. 상기한 노래는 이즈미시키부가 겪었을 고독감과 비통함에 초점이 맞혀있다. 『정집』에 실린 12수의 연작시는 전체적으로 자신의 비통한 처지와 심경에 중점을 두면서도 자신에게 실망하고 염려하실 부모님을 안타까워하며 죄책감과 회한에 젖는 노래로 구성되어 있다.

196.

無題

내리는 봄비
바라보고 있자니
인간 세상의
괴로움도 의미가
있음을 깨닫는다

無題[1]

春雨の	ha-ru-sa-me-no
ふる[2]につけてぞ	hu-ru-ni-tsu-ke-te-zo
世の中の	yo-no-na-ka-no
うきは哀れと	u-ki-wa-a-wa-re-to
おもひしらるる[3]	o-mo-i-si-ra-ru-ru

....
出典 : (『정집』 453)

1 『정집』 고토바가키는 앞의 195번 노래와 동일하다. 상기 노래는 'いはほのな
  かにすまばかは(i-ha-ho-no-na-ka-ni-su-ma-ba-ka-ha)'라는 구절 중 마지막
  'は(ha)'를 얹어 읊은 본 연작의 마지막 노래다.
2 ふる: '비가 내리다(降る huru)'와 '세상을 살아가다(経る huru)'라는 말의 동
  음이의어로 중의적 표현이다.
3 世の中の/ うきは哀れと/ おもひしらるる: 본 연작시의 창작 동기는 속세를 등
  지고 산 속에 들어간다는 것을 전제로 하고 있다. 더욱이 법화경 제5 약초유

품에는 '仏平等説 如一味雨'라는 구절이 있는데, 불법은 동일하고 평등한 비와 같다는 뜻이다. 온 세상을 적시는 봄비를 바라보며 이번에 겪는 쓰라린 고통도 돌이켜 생각하면 자신을 불도에 들어가는 계기를 만들어준 부처님의 뜻이었음을 깨달았다는 의미로도 감상할 수 있다.

197.
無題

어찌 예전엔
이 세상 떠나는 걸
애석해 했나
사노라면 이리도
기구한 신세거늘

無題[1]

惜しと思ふ	o-si-to-o-mo-o
折やありけん	o-ri-ya-a-ri-ke-n
ありふれば	a-ri-hu-re-ba
いと斯計り	i-to-ka-ku-ba-ka-ri
うかりける身を	u-ka-ri-ke-ru-mi-wo

出典 : (『정집』 294, 384)

1 『정집』에는 '観身額岸離根草、論命江頭不繋舟'로 되어 있다(이 책 48번 노
래 각주 참조).

198.

無題

내가 지은 죄
얼마나 깊디깊은
바다 됐을까
티끌만한 죄라도
태산처럼 쌓이니

無題[1]

いかばかり	i-ka-ba-ka-ri
深きうみとか	hu-ka-ki-u-mi-to-ka
なりぬらむ	na-ri-nu-ra-n
塵の水[2]だに	chi-ri-no-mi-zu-da-ni
山とつもれば	ya-ma-to-tsu-mo-re-ba

．．．．．．．．．．．．．．．．．．．．．
出典 : (『속집』 1394)

1 『속집』 고토바가키는 '내 몸과 목숨도 아끼지 않으리'라는 마음을 노래 첫머
리에 얹어(「我不愛身命」といふ心を上にすゑて)'로 되어 있다.
법화경 권지품(勸持品) 제13의 '我等当起大忍力 読誦此経 持説書写 種種
供養 不惜身命'에서 마지막 대목을 따온 것이다. 부처님이 열반한 후에도
법화경(묘법연화경)을 받들어 읽고 외우며 설파함에 있어 어떤 어려움이 닥
치더라도 참고 견디며 갖가지로 공양하여 신명도 아끼지 않겠다는 취지의
맹세이다. 상기 노래는 '불석신명(不惜身命)'을 'われみいのちをばをしまず

(我不愛身命 wa-re-mi-i-no-chi-wo-ba-o-si-ma-zu 내 몸과 목숨도 아끼지 않으리)'라고 풀어쓴 12자를 한 글자씩 노래 첫 음절에 얹어 읊은 12수로 구성된 연작(1391~1402) 가운데 4번째 'い(i)'로 시작된 노래다.

2 塵の水: '티끌만 한 물'이란 뜻인데 노래 의미상 부적절하다. 반면 『속집』에는 '티끌만한 죄(塵の罪)'로 되어 있는 것으로 보아 저본의 '水'는 '罪'의 오자로 추정된다.

199.

이시야마데라石山寺로 불공드리러 갔을 때 오쓰大津에 머물고 있는데 야심한 밤에 밖에서 시끌벅적 소란스럽기에 무슨 일인지 알아보니 '저잣거리 아낙이 현미를 찧어 정미精米한다'는 말을 듣고

백로가 잠든
솔숲이 술렁인 건
마을 아낙네
소란한 절구질에
놀란 소리였구나

石山¹にまゐりて侍りけるに、大津²にとまりて夜ふけて聞きければ、人のけはひあまたしてののしりけるを、尋ねければ、「あやしのしづの女が、米といふものをしらげ侍る」と申すをききて

さぎのゐる	sa-gi-no-i-ru
松原³いかに	ma-tsu-ba-ra-i-ka-ni
騒ぐらむ	sa-wa-gu-ra-n
しらげ⁴ばうたて	si-ra-ge-ba-u-ta-te
さと⁵とよみけり	sa-to-to-yo-mi-ke-ri

出典:『긴요와카슈』雜上 556번

1 石山: 시가 현(滋賀県) 오쓰 시(大津市)에 위치한 사찰 이시야마데라(石山寺)를 가리킨다.

2 大津: 비와 호(琵琶湖) 서남쪽에 위치한 호반 도시이다. 예로부터 와카와 하이쿠에 곧잘 등장할 정도로 풍광이 아름답기로 유명하다.

3 さぎのゐる/ 松原: 해안이나 물가에 서식하는 백로는 나무 위에 둥지를 트는 습성이 있다.

4 しらげ: '정미하다(精げ sirage)'와 '흰 털(白毛 sirage)'이라는 말의 동음이의 어다.

5 さととよみ: 'さと(sato)'는 '마을(里)'과 '갑자기, 일제히(颯と)'라는 말의동음이 의어이다. 한편 'とよみ(toyomi)'는 '마을이 들썩이다(소란스럽다), 소리가 울려 퍼지다'는 뜻이다. 따라서 '마을이 소란스럽다'와 '백로가 일제히 큰소리를 내서 사방에 울려 퍼지다'라는 뜻의 중의적 표현이다.

200.

3월경 이시야마데라石山寺로 불공드리러 가서 수일간 지내다 집으로 돌아
오려는데 왠지 마음이 내키지 않아 읊은 노래

도읍지까지
짙은 안개 겹겹이
쌓여 있으리
나가려해도 방향
가늠할 수 없어라

二月ばかり石山にまうでて、日ごろありてかへらんとするに、ものうくおぼ
えてよみ侍りける[1]

みやこへは	mi-ya-ko-e-wa
いくへ[2]霞の	i-ku-e-ka-su-mi-no
へだつらん	he-da-tsu-ra-n
思ひたつ[3]べき	o-mo-i-ta-tsu-be-ki
かたもしられず	ka-ta-mo-si-ra-re-zu

『교쿠요와카슈』雑一 1841번(『속집』 1353)

1 『속집』에는 '수일간 있다 돌아가려 하니 왠지 마음이 내키지 않기에(日頃あ
  りて、帰らんと思ふに、もの憂くおぼゆれば)'로 되어 있다.
2 いくへ: '겹겹이(幾重)'와 '가야 할 방향(行く方)'이라는 말의 동음이의어다.
3 思ひたつ: 'omoitatsu'는 어떤 일을 '결심하고 실행에 옮기다'는 말 속에
  '(안개가)피어오르다'는 말인 'たつ(立つ tatsu)'를 함의한다.

201.

無題

깊은 상념에
잠겨 지내다 보니
울적한 봄날
눈에 고인 눈물로
희뿌연 안개 피네

無題[1]

つれづれと	tsu-re-zu-re-to
もの思ひをれば	mo-mo-o-mo-i-o-re-ba
春の日の	ha-ru-no-hi-no
めにたつ[2]ものは	me-ni-ta-tsu-mo-no-wa
霞なりけり	ka-su-mi-na-ri-ke-ri

出典 : 『교쿠요와카슈』雜一 1838번(『정집』 15)

1 『교쿠요와카슈』 고토바가키는 '제목 미상(題知らず)'으로, 『정집』에는 '봄
(春)'으로 되어 있다.
2 めにたつ: '눈에 띄다'와 '눈에 눈물이 고여 흐릿해지다'는 뜻의 중의적 표현
이다.

잡
316

202.

수심에 잠겨 지낼 무렵

> 애절한 마음
> 비되어 내리건만
> 이내 눈물을
> 그저 봄비 내린다
> 사람들 여기겠지

もの思ひ侍りしころ¹

つれづれと	tsu-re-zu-re-to
ふる²は涙の	hu-ru-wa-na-mi-da-no
雨なるを	a-me-na-ru-wo
春のもの³とや	ha-ru-no-mo-no-to-ya
人のみるらむ	hi-to-no-mi-ru-ra-n

....

出典:『센자이와카슈』春上 33번(『속집』 1124)

1 『센자이와카슈』고토바가키는 '제목 미상(題知らず)'으로,『속집』에는 '봄비
  가 내리는 날(春雨の降る日)'로 되어 있다.
2 ふる: '비가 내리다(降る huru)'와 '시간이 흐르다(経る huru)'라는 뜻의 중의
  적 표현이다.
3 春のもの: 봄비는 제법 오랜 기간 지속적으로 내린다. 이렇듯 부슬부슬 내리
  는 봄비를 바라보며 봄날 내내 깊은 시름에 잠긴 자신과 그런 자신을 알아
  주는 이가 아무도 없다는 절대 고독 속에 침잠해 가는 이즈미시키부의 모습
  이 그려지는 작품이다.

203.

통탄할 일이 있었을 때

꽃도 안 피는
골짜기 밑바닥에
살지 않는데
깊디깊은 시름에
빠져든 봄날이여

なげかしき事侍りけるに[1]

花さかぬ   ha-na-sa-ka-nu
谷のそこ[2]にも   ta-ni-no-so-ko-ni-mo
すまなくに   su-ma-na-ku-ni
深くも物を   hu-ka-ku-mo-mo-no-wo
思ふ春かな   o-mo-o-ha-ru-ka-na

출전 : 『센자이와카슈』 雜中 1060번(『정집』 451)

1 『센자이와카슈』 고토바가키는 '통탄할 일이 있었을 때 읊은 노래(歎く事侍り けるころよめる)'로, 『정집』에는 '본의 아니게 불미스러운 일이 생겨서 지금껏 살던 집에서 나와 살며 힘겨워할 때 부모님도 매우 비통해하신다는 소식을 전해 듣고 보낸 노래이다. 노래 앞 첫 글자는 옛 노래이다(こころにもあらずあ やしき事出て来て、例すむ所も去りて歎くを、親もいみじう歎くと聞きて、いひ やる、上の文字は世の古言なり)'로 되어 있다. 이 책 195번 노래 각주 참조.
2 花さかぬ/ 谷のそこ : 침륜(沈淪)된 현 상황을 빗댄 표현이다. '아래, 바닥(そ こ soko)'이라는 시어에 비참함의 강도가 배어 있다.

204.

無題

봄이 왔는지
봄꽃이 피었는지
알지 못했네
골짜기 밑바닥의
매목埋木 같은 이 신세

無題[1]

春や来る	ha-ru-ya-ku-ru
花やさくとも	ha-na-ya-sa-ku-to-mo
しらざりき	si-ra-za-ri-ki
谷の底なる	ta-ni-no-so-ko-na-ru
埋木[2]の身は	u-mo-re-gi-no-mi-wa

....

출전:『신쵸쿠센와카슈』雜二 1200번(『정집』735)

1 『신쵸쿠센와카슈』고토바가키는 '제목 미상(題知らず)'으로, 『정집』에는 '정
　월 초하루, 그 사람이 내게 꽃을 보내왔기에(正月一日、花を人のおこせたれ
　ば)'로 되어 있다.
2 埋木: 연인에게 버림받은 자신을 계곡 밑바닥에 묻혀 화석(化石)처럼 되어
　버린 나무에 빗댄 것이다.

205.

아쓰미치 왕자님과 함께 전 대납언 긴토公任의 시라카와白川에 있는 집에
다녀온 다음 날, 아쓰미치 왕자님이 인편에 편지를 전할 때 같이 보낸
노래

꽃 꺾은 이가

바로 그 분이기에

별 볼일 없다

여겼던 이내 처소

벚꽃 향내 한가득

敦道親王のともに、前大納言公任の白川の家にまかりて、又の日、敦道
のみこつかはしけるつかひにつけよとて[1]

をる人の[2]	o-ru-hi-to-no
それなるからに	so-re-na-ru-ka-ra-ni
あぢきなく	a-zi-ki-na-ku
みしわが宿の[3]	mi-si-wa-ga-ya-do-no
花の香ぞする	ha-na-no-ka-zo-su-ru

出典 : 『신고킨와카슈』 雜上 1459번에 수록(『정집』 101)

1 『신고킨와카슈』 고토바가키는 '아쓰미치 왕자님과 함께 전 대납언 긴토의
   시라카와에 있는 집에 다녀온 다음 날, 왕자님이 편지를 보내는 인편에 전달
   을 부탁한 노래(敦道の親王の供に、前大納言公任白河の家にまかりて、又

の日、親王のつかはしける使ひにつけて申し侍りける)'로 되어 있다. '시라카
와에 있는 집(白川の家 sirakawanoie)'은 교토 북부 가모가와(鴨川) 강변 오
른편에 위치한 후지와라 긴토(藤原公任)의 별장을 가리킨다. 후지와라 긴토
(966~1041)는 헤이안 중기의 관료이자 가인이다. 이치조 왕조를 대표하는
가단의 일인자이며, 한시와 관현, 와카에도 능통한 인물로 유명하다. 한편
『정집』에 수록된 101번은 연작시(『정집』 99번부터 107번까지 9수로 구성)
가운데 한 수이다. 연작시의 첫 번째 노래인 99번 고토바가키는 '어떤 왕자
님이 시라카와인(白河院)에 가실 때 함께 갔는데, 그분께서 이렇게 적어 산
장지기에게 맡기고 돌아오셨다(いづれの宮にかおはしけむ、白河院にまろも
ろともにおはして、かく書きて家守に取らせておはしぬ)'로 되어 있다. 9수의
연작은 아쓰미치 왕자 2수(99, 102번), 후지와라 긴토 4수(100, 103, 105, 106
번), 이즈미시키부 3수(101, 104, 107번) 등 3명의 화답가로 『정집』에 실려
있는데, 이중 1수를 제외한 8수가 『긴토슈(公任集)』에도 수록되어 있다.

2 をる人の: 앞서 언급한 바와 같이 연작시 중 『정집』 100번 노래(이 책 205번
앞에 실린 노래)는 긴토가 아쓰미치 왕자에게 보낸 '두메산골 집/ 주인장
몰래 이 꽃/ 꺾어간 이는/ 꽃도 자기 오명도/ 개의치 않는구나(山里の/ 主に
知られで/ **折る人は**/ 花をも名をも/ 惜しまざりけり)'라는 노래다. 3구의 '折る
人は'는 아쓰미치 왕자를 지칭하므로 상기 노래의 'をる人'도 역시 아쓰미치
왕자임을 알 수 있다.

3 みしわが宿の: 『정집』과 『긴토슈』에는 '見し山里の(misiyamazatono 여겼던
두메산골)'로 되어 있다.

雑
321

206.

4월 마지막 날, 다이니노산미大貳三位가 바느질실을 찾기에 지어 보낸 노래

실버들 같은
가는 바느질실도
떨어졌구나
봄날도 오늘로서
마지막 날이라며

やよひの晦日¹に大弐三位²糸をたづねて侍りければ、申しつかはしける

青柳の³	a-o-ya-gi-no
いともみなこそ	i-to-mo-mi-na-ko-so
たえにけれ	ta-e-ni-ke-re
春の残りは	ha-ru-no-no-ko-ri-wa
けふばかりとて⁴	kyo-u-ba-ka-ri-to-te

出典:『쇼쿠슈이와카슈』雑春 536번

1 やよひの晦日: 음력 3월말이므로 현재의 4월 말에 해당하지만, 당시로서는 봄의 마지막 날이 된다.

2 大弐三位(다이니노산미 999~1082): 헤이안 시대 중기의 여류 가인. 후지와라노 노부타카 (藤原宣孝)와 무라시키시키부(紫式部)의 딸로 본명은 후지와라노 겐시(藤原賢子)이다. 도노산미(藤三位), 에치고노벤(越後弁), 벤 유모(弁乳母)라고도 불렸다.

3 青柳の: 푸른 수양버들 가지와 잎이 가늘다는 점에서 '가는 눈썹'이나 '바느

질실(絲)’ 앞에 관용적으로 붙는 말(枕詞 makurakotoba)로 사용된다.

4 春の残りは/ けふばかりとて: 고토바가키의 ‘やよひの晦日(yayoinomisoka 음력 3월 말)’를 달리 표현한 것이다.

207.

(다이니노 산미가 보내온) 답가

> 푸른 실버들
> 봄날 끝난다 해서
> 없을 리 없고
> 또한 여름에 뽑는
> 실도 없을 리 없네

かへし　　　大弐三位

青柳や	a-o-ya-gi-ya
春とともには	ha-ru-to-to-mo-ni-wa
たえにけむ	ta-e-ni-ke-n
また夏引きの	ma-ta-na-tsu-bi-ki-no
糸はなしやは[1]	i-to-wa-na-si-ya-wa

出典 :『쇼쿠슈이와카슈』雑春 537번

1 なしやは: '없을 리가 없다'는 뜻으로 '야は(yawa)'는 반어적 표현이다.

208.

남자에게 버림받은 무렵, 기후네 신사貴船神社에 갔다 미타라시가와御手
洗川 강변에 반딧불이가 날아다니는 광경을 보고 읊은 노래

　　시름에 잠기니
　　계곡서 난무하는
　　저 반딧불이
　　육신 벗어나 떠도는
　　내 넋인 것만 같아

男に忘られて侍りけるころ、きぶね¹にまゐりて、みたらし川²に蛍の飛び侍
りけるをみてよめる

　　もの思へば　　　　mo-no-o-mo-e-ba
　　沢のほたるも　　　sa-wa-no-ho-ta-ru-mo
　　わが身より　　　　wa-ga-mi-yo-ri
　　あくがれ出づる　　a-ku-ga-re-i-zu-ru
　　玉かとぞみる³　　　ta-ma-ka-to-zo-mi-ru

出典 : 『고슈이와카슈』 雑六神祇 1162번

1 きぶね : 교토 시 사쿄 구(左京區)에 위치한 기부네야마(貴船山) 산기슭의
　기후네 신사(貴船神社)를 말한다. 지명인 경우는 '기부네'이지만, 신이 진좌
　한 신사의 경우는 탁음이 아닌 청음을 사용하여 '기후네'로 발음한다.
2 みたらし川 : 기부네가와(貴船川)의 강 상류를 말한다.

3 あくがれ出づる/ 玉かとぞみる: '(내 몸을) 벗어나 마음이 들떠서 몸 밖으로 빠져나간 넋이 아닌가 하는 생각이 들어 바라보다'는 뜻이다. 'あくがれ (akugare)'는 본디 있어야 할 곳에서 벗어나 들떠 나가 버린다는 뜻이다. 깊은 상심에 잠긴 육신을 버리고 갈 곳을 몰라 방황하는 자신의 넋을 어둠 속에서 난무하는 반딧불이에 빗댄 것이다.

209.

기후네 신사의 신께서 답한 노래

깊은 산속에
세차게 흐르는 급류
물거품처럼
넋이 떠돌 정도로
시름에 젖지 말게

御かへし

おく山に　　　　　　　o-ku-ya-ma-ni
たぎりて落つる　　　　ta-gi-ri-te-o-tsu-ru
滝つせ¹の　　　　　　　ta-ki-tsu-se-no
たまちる²ばかり　　　　ta-ma-chi-ru-ba-ka-ri
ものな思ひそ　　　　　mo-no-na-o-mo-i-so

出典：『고슈이와카슈』雜六神祇 1163번

『고슈이와카슈』에는 이 노래 원편에 '이 노래는 기후네 신이 답하신 노래다.
남자 목소리가 이즈미시키부 귀에 들렸다고 전한다(この歌は貴舟の明神の御
返しなり、男の声にて和泉式部が耳に聞えけるとなんいひ伝へたる)'라는　좌주
(左註)가 부기되어 있다.

1　滝つせ: 기후네 신사로 가는 길목에 흐르는 기부네가와(貴船川)는 급류로
　　물살이 빠른 곳이 많다.
2　たまちる: 'たま(tama)'는 '물방울(玉)과 '넋(魂)'이라는 말의 동음이의어로,
　　'물방울이 튀다'와 '넋이 흩어지다'는 뜻의 중의적 표현이다.

210.

탄정대 장관인 다메타카 왕자님이 세상을 떠난 뒤, 대재수 아쓰미치 왕자님이 귤나무 꽃가지를 보내며 '어떤 마음으로 보았소'라고 묻기에 지어 보낸 노래

　　　　귤꽃 향기에
　　　　견주기보다 직접
　　　　두견새 소리
　　　　들어보고파 진정
　　　　목소리가 같은지

弾正尹爲尊のみこかくれ侍りて後、大宰帥敦道親王たち花をつかはして、
「いかがみる」といひて侍りしかば、つかはしたりし[1]

　　　かをる香に　　　　　　　ka-o-ru-ka-ni
　　　よそふるよりは　　　　　yo-so-u-ru-yo-ri-wa
　　　時鳥[2]　　　　　　　　ho-to-to-gi-su
　　　きかばや同じ　　　　　　ki-ka-ba-ya-o-na-zi
　　　声やしたると　　　　　　ko-e-ya-si-ta-ru-to

出典 : 『센자이와카슈』雑上 971번(『정집』 227)

1 『정집』에는 '소치노미야가 귤나무 꽃가지를 보내셨을 때(帥の宮、橘の枝を給はたりし)'로 되어 있다.
　다메타카 왕자(弾正尹爲尊のみこ)는 레이제이 왕(冷泉. 재위기간 967~969)

의 셋째아들로 1002년 6월 13일 스물여섯의 나이로 사망한다. 관위(官位)는 이품(二品)이며, 율령체제에서 감찰과 치안을 담당한 탄정대(彈正台)의 장관인 단죠노인(彈正尹)을 역임하였다.

아쓰미치 왕자(太宰帥敦道親王)는 다메타카 왕자의 동생이다(이 책 63번 노래 각주 참조). 왕자가 이즈미시키부에게 귤꽃나무 가지를 보낸 배경에는 당시 유명한 노래인 '6월이 오길/ 기다렸다 피어난 / 귤나무 꽃향/ 맡으면 예전 그 사람/ 옷 내음이 풍겨와(さつき待つ花たちばなの香をかげば昔の人の袖の香ぞする『고킨와카슈』139)'를 염두에 둔 것으로 보인다. 아쓰미치 왕자는 자신의 형이자 이즈미시키부의 연인이었던 고인(故人)을 추모하는 마음을 전함과 동시에 이즈미시키부를 향한 호기심과 연모의 정을 드러낸 것이다. 이에 이즈미시키부는 다메타카 왕자의 동생인 당신을 직접 만나고 싶다는 답가를 보낸 것이다.

2 時鳥: 두견새는 초여름에 날아와 가을철 남방으로 돌아간다. 당시 귀족들에게는 여름을 알리는 새로 친숙했는데 여기서는 아쓰미치 왕자를 빗댄 말이다.

211.

단고 지방에서 야스마사가 '내일 사냥하러 가오'라고 말한 바로 그날 밤에
사슴 우는 소리를 듣고

당연하여라
어찌 사슴이 슬피
울지 않으리
오늘밤이 마지막
목숨이라 생각하면

丹後国[1]にて、保昌[2]「あす狩りせん」といひける夜、鹿のなくをききて

ことわりや	ko-to-wa-ri-ya
いかでか鹿の	i-ka-de-ka-si-ka-no
なかざらむ	na-ka-za-ra-n
こよひばかりの	ko-yo-i-ba-ka-ri-no
命と思へば	i-no-chi-to-o-mo-e-ba

....

出典:『고슈이와카슈』雜三 999번

남편의 사냥으로 죽게 될 운명에 놓인 사슴을 동정하여 읊은 노래이다.

1 단고 지방(丹後国): 지금의 교토 부(京都府) 북부지역으로, 이즈미시키부의
  두 번째 남편인 수령 후지와라노 야스마사의 부임지에 해당한다.

2 保昌: 후지와라노 야스마사(藤原保昌 958~1036). 두 사람의 결혼은 당대 최
  고 권력가인 후지와라노 미치나가(藤原道長)의 주선에 의한 것이다. 후지와
  라노 미치나가의 가신으로 두터운 신임을 얻은 야스마사는 용맹한 무장으
  로도 유명한데, 그와 관련된 일화가 설화집『今昔物語集 konzyakumono-
  gatarisyu』와『宇治拾遺物語 uzisyuimonogatari』등에 전한다.

212.

근심거리가 있던 무렵 단풍잎을 만지작거리며

무슨 까닭에
핏빛 단풍잎처럼
떨어지는데
피눈물 보이지도
멈추지도 않을까

思ふ事侍りけるころ、もみぢを手まさぐりにして[1]

いかなれば	i-ka-na-re-ba
同じ色にて[2]	o-na-zi-i-ro-ni-te
おつれども	o-tsu-re-do-mo
涙はめにも	na-mi-da-wa-me-ni-mo
とまらざるらん[3]	to-ma-ra-za-ru-ra-n

出典 :『고슈이와카슈』雜三 1009번(『속집』 1493)

1 『속집』에는 '17일에, 곱게 물든 단풍을 보고 따오도록 시켜 손에 들려는데 갑자기 우수수 땅에 떨어져 버리기에 안타까워서(十七日に、おもしろき楓のあるを見て、取らせて取り入るる程に、俄かにいと多く散りぬれば、くちをしうて)'로 되어 있다.

2 同じ色にて: 당시 사랑의 괴로움에 흘리는 눈물은 피눈물이라 표현되었기에 붉은 단풍잎과 동일한 빛깔을 띤다고 말한 것이다.

3 涙はめに/ もとまらざるらん: 'めにとまる(menitomaru)'는 '눈에 보이다'와 '눈에 머물다'라는 뜻의 중의적 표현이다. 뜻대로 되지 않는 괴로운 사랑 때문에 핏빛 눈물이 하염없이 흘러넘친다는 의미다.

213.

가을 마지막 날부터 계속해서 비가 내리기에, 11월 초하룻날 읊은 노래

> 오늘은 더욱
> 눈물 멈추지 않네
> 잿빛 하늘에
> 내리는 비처럼 울컥
> 언제나 그렇지만

秋の末つかたより雨打ちつづきふるに、十月一日よめる¹

けふは猶	kyo-u-wa-na-o
ひまこそなけれ²	hi-ma-ko-so-na-ke-re
かき曇る³	ka-ki-ku-mo-ru
しぐれ心ち⁴は	si-gu-re-ko-ko-chi-wa
いつもせしかど	i-tsu-mo-se-si-ka-do

·····················

出典 :『후가와카슈』雜上 1577번(『속집』 1510)

1 『속집』에는 '2일, 쉬지 않고 내리는 비를 바라보며 한없이 울적한 마음에(二日、ひまなくあはれなる雨にながめられて)'로 되어 있어 날짜가 상이하다. 한편 '十月一日'은 음력 10월을 말하는데, 당시 음력 10,11,12월은 겨울에 해당하므로 이 노래는 이제 막 겨울이 시작된 시점에 지어진 셈이다.

2 ひまこそなけれ: '비가 쉼 없이 내리다'와 '눈물이 쉼 없이 흐르다'라는 뜻의 중의적 표현이다.

3 かき曇る: '하늘이 갑자기 어두워지다(별안간 날씨가 흐려지다)'와 '눈물로

눈이 흐려지다'는 뜻의 중의적 표현이다.

4 しぐれ: '늦가을부터 초겨울에 걸쳐 오락가락하는 찬비'와 '(눈물을 흘리며) 울다'는 뜻의 중의적 표현이다.

214.

바다 위 선상에서 밤을 지새우며

바다 위에서
홀로 잠을 청하며
알게 되었네
짝 없는 외로움에
원앙새도 울었음을

海のうへに船ながらあかして[1]

水の上に	mi-zu-no-u-e-ni
浮き寝[2]をしてぞ	u-ki-ne-wo-si-te-zo
思ひしる	o-mo-i-si-ru
かかれば鴛も	ka-ka-re-ba-o-si-mo
なくにぞありける	na-ku-ni-zo-a-ri-ke-ru

....

出典：『센자이와카슈』 羈旅 503번(『속집』 1142)

1 『센자이와카슈』 고토바가키는 '바다 위 선상에서 밤을 지새우며 읊은 노래(海の面に舟ながら明かしてよめる)'로, 『속집』에는 '바다 위에서 밤에 머물며 배를 탄 채 지새우며(海面に夜泊りて、船ながら明かして)'로 되어 있다.

2 浮き寝: 바다 위에서 잔다는 말에 마음이 안정되지 않아 깊이 잠들지 못하는 선잠을 함의한다. 여기서는 수면 위에서 자는 물새인 원앙새와 관련된 시어다. 또한 '浮き(uki)'는 '수면 위에 뜬 채'라는 말과 '괴롭다(憂き uki)'라는 말의 동음이의어로 중의적 표현이다.

215.

無題

> 나뭇가지에
> 이슬 맺힌 나뭇잎
> 떨구지 말고
> 이 세상 떠나고픈
> 이내 몸 데려가소

無題[1]

つゆおきし[2]	tsu-yu-o-ki-si
木々のこずゑを	ki-gi-no-ko-zu-e-wo
吹くよりも	hu-ku-yo-ri-mo
よそに嵐の	yo-so-ni-a-ra-si-no
身をさそはなん[3]	mi-wo-sa-so-wa-na-n

出典 : 『교쿠요와카슈』雜一 2016번(『속집』1518)

1 『교쿠요와카슈』 고토바가키는 '제목 미상(題知らず)'으로, 『속집』에는 '7일,
  바람이 몹시 세차게 불기에(七日、風のいとはげしきに)'로 되어 있다.

2 つゆおきし : 『속집』에는 '露のおきし(tsuyunookisi)'로 되어 있다.

3 よそに嵐の/ 身をさそはなん : '이 세상 너머 저 먼 곳으로 폭풍이 이내
  몸을 데려가 주면 좋으련만'이라는 뜻이다. 다만 『속집』에는 '世にも嵐の
  (yonimoarasino)'로 되어 있다. 이는 '이 세상에 살고 싶지 않다(世にもあらじ
  yonimoarazi)'는 뜻이다. '또한 あらじ(arazi)'는 '폭풍(嵐 arasi)'과 '죽고 싶다
  (あらじ arazi)'라는 말의 동음이의어로 중의적 표현이다.

216.

수심에 잠겨 지내던 무렵

잠 못 드는 밤
그리움 사무치는
바람소리를
예전 그때는 그저
남 일로 여겼으리

もの思ひ侍りしころ¹

ねざめする	ne-za-me-su-ru
身をふきとほす²	mi-wo-hu-ki-to-o-su
風の音を	ka-ze-no-ne-wo
昔は袖の	mu-ka-si-wa-so-de-no
よそにききけむ³	yo-so-ni-ki-ki-ke-n

出典 : 『신고킨와카슈』哀傷 783번(『속집』 1047)

1 『신고킨와카슈』 고토바가키는 '단정대 장관인 다메타카 왕자님을 저 세상으로 떠나보내고 슬퍼하던 무렵(弾正尹為尊親王におくれて歎き侍りけるころ)'으로 되어 있다. 반면 『속집』에는 '깊은 밤 홀로 깨어(夜中の寝覚)'로 되어 있다. 이는 아쓰미치 왕자와 사별한 후 추모의 마음을 읊은 만가군(940~1061)에 속한 노래로 되어 있어 출전에 따라 추모의 대상이 상이하다. 하지만 현재는 아쓰미치 왕자 관련 만가라는 견해가 일반적이다.

2 身をふきとほす: 몸을 뚫고 지나가는 것처럼 슬프게 들리다.

3 袖の/ よそにききけむ: 자신과는 상관없는 일이라 들었던 과거를 회상한 표현이다.

217.

無題

썰물 때 맞춰
갯벌 여기저기를
찾아 헤매도
이제 조개도 없고
쓸모도 없는 신세

無題[1]

潮のまに	si-o-no-ma-ni
よもの浦々	yo-mo-no-u-ra-u-ra
たづぬれば[2]	ta-zu-nu-re-ba
今はわがみの	i-ma-wa-wa-ga-mi-no
いふかひ[3]もなし	yu-u-ka-i-mo-na-si

....

出典 : 『신고킨와카슈』 雜下 1716번(『정집』 276, 374)

1 『신고킨와카슈』 고토바가키는 '제목 미상(題知らず)'으로, 『정집』에는 '觀身額岸離根草、論命江頭不繋舟'(이 책 48번 노래 각주 참조)로 되어 있다.

2 潮のまに/ よもの浦々/ たづぬれば: 바닷물이 빠져나간 동안 갯벌 여기저기를 찾아다니면. 3구의 たづぬれば(tazunureba)가 『신고킨와카슈』에는 '찾아다녀도(たづぬれど)'로 되어 있는데 내용면에서 적절하기에 이에 따랐다.

3 いふかひもなし: 'かひ(kai)'는 '조개(貝 kai)'와 '보람(甲斐 kai)'이라는 말의 동음이의어로 중의적 표현이다.

218.

사람 목숨이 덧없게 느껴지던 무렵

목숨이 붙은
사람이면 내 임종
지키겠지만
날 기억하며 그릴
사람 없음이 슬퍼

身のはかなくおぼえ侍りしころ[1]

命さへ[2]	i-no-chi-sa-e
あらばみつべき	a-ra-ba-mi-tsu-be-ki
身のはてを	mi-no-ha-te-wo
しのばむ人の	si-no-ba-n-hi-to-no
なきぞかなしき	na-ki-zo-ka-na-si-ki

出典 : 『신고킨와카슈』雑下 1738번(『정집』291)

1 『신고킨와카슈』고토바가키는 '제목 미상(題知らず)'으로, 『정집』에는 '観身
額岸離根草, 論命江頭不繋舟'(이 책 48번 노래 각주 참조)로 되어 있다. 상기
노래는 총 43수로 구성된 연작시 가운데 'い(i)'로 시작되는 23번째 노래다.
2 さへ: 『정집』에는 'だに(dani)'로 되어 있다.

219.

쇼쇼노이 비구니가 오하라야마大原山에서 하산했다는 이야기를 전해 듣고
보낸 노래

　　세상 버리고
　　살 만한 곳 어딜까
　　당신 지내던
　　그 오하라야마大原山도
　　살기 힘겹던가요

少将の井の尼[1]、おほはらより出でたりと聞きて、つかはしける

　　世をそむく　　　　　　yo-wo-so-mu-ku
　　かたはいづくに　　　　ka-ta-wa-i-zu-ku-ni
　　ありぬべし　　　　　　a-ri-nu-be-si
　　大原山[2]は　　　　　　o-o-ha-ra-ya-ma-wa
　　すみうかりきや[3]　　　su-mi-u-ka-ri-ki-ya

出典:『신고킨와카슈』雜中 1640번

1 少将の井の尼: 쇼쇼노이(少将井) 비구니에 관해서는 불명한 점이 많다. 다
만『고슈이와카슈』1118번 고토바가키에 따르면, 산죠(三条) 왕 즉위 후 처
음 열린 다이죠사이(大嘗祭 1012년 10월) 이전에 출가하여 오하라(大原)에
은둔한 사실을 알 수 있다. 또한『고슈이와카슈』(896번과 1119번)와『신고
킨와카슈』(1641번) 등을 참조할 때, 출가 후에도 이즈미시키부와 이세노다
이후(伊勢大輔) 등 예전 쇼시(彰子) 중궁을 모시며 궁중에서 함께 근무했던

여방들과 와카를 빈번히 주고받던 절친한 사이였음을 확인할 수 있다.

2 大原山: 이 책 52번 노래 참조.

3 すみうかりきや: 『신고킨와카슈』에는 'すみよかりきや(sumiyokarikiya 살기 좋았던가요)'로 되어 있다.

220.

혼자 적적하게 지낼 무렵, 수심에 잠겨 멍하니 먼 곳을 바라보며

늘 찾아오던
그 사람 발걸음도
끊긴 내 집에
오직 저 새벽달만
몇 날 밤을 찾아와

つれづれなりしころ、独りながめて[1]

すみなれし	su-mi-na-re-si
人かげもせぬ	hi-to-ka-ge-mo-se-nu
わが宿に	wa-ga-ya-do-ni
有り明けの月[2]の	a-ri-a-ke-no-tsu-ki-no
いく夜ともなく	i-ku-yo-to-mo-na-ku

出典:『신고킨와카슈』雜上 1529번(『정집』296, 386)

1 『신고킨와카슈』고토바가키는 '제목 미상(題知らず)'으로, 『정집』에는 '観身
額岸離根草、論命江頭不繋舟'(이 책 48번 노래 각주 참조)로 되어 있다.
2 有り明けの月: 매달 음력 16일 이후, 특히 스무날이 지나서 날이 밝았는데도
떠 있는 새벽달을 말한다. 와카에서는 주로 사랑하는 남녀가 헤어지는 시간
대인 새벽녘을 상징한다.

221.

無題

앞으로 계속
살게 되면 어쩌나
세상모르는
풀벌레도 가을엔
하염없이 우는데

無題[1]

命あらば[2]　　　　　i-no-chi-a-ra-ba

いかさまにせん　　　i-ka-sa-ma-ni-se-n

世をしらぬ　　　　　yo-wo-si-ra-nu

虫だに秋は[3]　　　　mu-si-da-ni-a-ki-wa

なきにこそなけ[4]　　na-ki-ni-ko-so-na-ke

···

出典: 『센자이와카슈』雜中 1095번(『속집』 1003)

1 『센자이와카슈』 고토바가키는 '제목 미상(題知らず)'으로, 『속집』에는 '다시
　혼잣말로(又, 獨り言に)'로 되어 있다. 또한 『속집』에는 이 노래가 아쓰미치
　왕자의 죽음을 애도하며 지은 120여수에 달하는 연작시인 만가군(挽歌群)
　에 들어 있다.

2 命あらば: 있는 힘을 다해 살아왔기에 앞으로의 삶을 생각할 수 없는 현시점
　에서 다시 목숨이 주어진다면. 결국 죽음을 생각하면서도 실행하지 못하고,
　앞으로 삶을 이어간다 해도 살아갈 자신이 없다는 막막한 심정을 토로한

것으로 해석된다.

3 虫だに秋は: 힘든 세상사를 모르는 풀벌레조차 자기에게 주어진 삶의 끝인 가을에는 하염없이 운다, 는 뜻이다. 사별한 연인을 따라 죽지도 못하고 출가도 하지 못한 채 어쩔 수 없이 모진 목숨을 부지하는 자신에 대한 회한과 자책이 뒤섞인 표현으로 보인다.

4 なきにこそなけ('泣きにこそ泣け): '울다(泣く naku)'는 말을 반복 사용하여 표현을 강조한 것이다.

222.

조토몬인上東門院을 처음 보필할 무렵, 가모마쓰리賀茂祭 날에 접시꽃 잎사귀에 조토몬인께서 적어 주신 노래

신께 간절히
빌지 않았더라면
접시꽃 당신
궁궐 밖 남의 일로
듣고 있었을 텐데

上東門院にはじめてまゐりて侍りける比、まつりの日、あふひにかかせたまうてたびける御歌[1]

木綿[2]かけて	yu-u-ka-ke-te
思はざりせば	o-mo-wa-za-ri-se-ba
あふひ草	o-o-i-gu-sa
しめ[3]の外にぞ	si-me-no-ho-ka-ni-zo
人をきかまし	hi-to-wo-ki-ka-ma-si

出典 :『교쿠요와카슈』雜一 1917번(『정집』464)

1 『교쿠요와카슈』고토바가키는 '이즈미시키부가 처음 출사하여 중궁을 모실 무렵, 가모마쓰리 날에 접시꽃에 적어 주신 노래(和泉式部はじめてまゐりて侍りける比、祭の日あふひにかかせ給ひてたまはせける)'로 되어 있다. 한편 『정집』에는 '제례 날에 보필하는 여방이 몇 명밖에 없을 때, 중궁께서 접시

꽃에 가벼운 마음으로 지어 적어 주신 노래(祭の日、御前に人ずくなにて候ふに、葵に御手習ひせさせ給ひて)'로 되어 있다.

조토몬인(上東門院)은 이치조(一条) 왕의 중궁인 쇼시(彰子 988~1074)를 말하며, 1026년 1월 출가(出家)한 이후부터 '조토몬인'이라 불렸다. 따라서 이 노래를 지을 당시에는 아직 조토몬인이라 불리지 않은 시점으로, 출전인 『교쿠요와카슈』(1313년 완성)의 편찬 시기를 중심으로 한 호칭이라 할 수 있다.

가모마쓰리(賀茂祭)는 교토 가모 신사(賀茂神社)에서 5월 15일에 행하는 축제다. 당일 머리에 쓰는 관(冠)이나 소가 끄는 가마인 우차, 그리고 화려한 우차의 행렬을 관람하기 위해 주변보다 높게 만들어 놓은 자리에 쳐진 발 등에 접시꽃(葵 아오이)을 장식한 데서 '아오이마쓰리(葵祭)'라고도 한다. 접시꽃의 일본어 발음은 'aoi(葵)'이지만 표기는 'ahuhi'로 '만나다(逢ふ ahu)'를 함의한다.

2　木綿: 닥나무 껍질로 만든 가는 끈이나 하얀 천을 신사 경내에 있는 신성한 비쭈기 나무에 걸어두었다.

3　しめ: 새끼줄 등을 쳐서 신성 영역이나 소유임을 표시하는 금줄을 말하는데 여기서는 궁궐을 뜻한다.

223.

조토몬인께 바친 답가

> 궁궐 안으로
> 들어오기 전부터
> 온 마음 다해
> 당신 만나 뵙기를
> 간절히 빌었어라

御かへしつかうまつりし¹

しめのうちに²	si-me-no-u-chi-ni
なれざりしより	na-re-za-ri-si-yo-ri
ゆふだすき³	yu-u-da-su-ki
心は君に	ko-ko-ro-wa-ki-mi-ni
かけにし物を⁴	ka-ke-ni-si-mo-no-wo

....

出典:『교쿠요와카슈』雜一 1918번(『정집』465)

1 『교쿠요와카슈』고토바가키는 '목면에 적어 휘장의 천에 묶어 두어 바친 답
 가(御かへし、ゆふにかきて御帳のかたびらにむすびつけ侍りける)'로, 『정
 집』에는 '답가를 바치는 것도 부끄럽기에 답가를 적은 목면을 휘장의 천에
 묶어 두고 와버렸다(御返し聞えむも映ゆければ、木棉を御み帳の帷に結ひ
 つけて立ちぬ)'로 되어 있다.

2 しめのうちに: 『정집』에는 'しめのうちを(simanouchiwo)'로 되어 있다. 중궁이
 말한 '궁궐 밖(しめの外)'이라는 말을 '궁궐 안(しめの內)'으로 받은 것이다.

3 ゆふだすき: 'ゆふ(木棉 yuu)'는 닥나무 껍질로 만든 섬유. 'だすき(襷 dasuki)'는 일본 기모노의 늘어진 옷소매가 흘러내리지 않도록 양어깨에서 양 겨드랑이에 걸쳐 ×자 모양으로 어긋나게 매는 끈이다. 'ゆふだすき'는 5구(**かけ**にし物を)의 'かけ(kake)'를 이끌어 내기 위해 관용적으로 붙은 말 (枕詞 makurakotoba)이다.

4 かけにし物を: 『정집』에는 'かけ**て**し物を(kaketesimonowo)'로 되어 있다. 문법적으로 'に(ni)'와 'て(te)'는 모두 완료의 조동사이므로 의미는 동일하다.

224.

헤어진 남자가 먼 곳으로 떠나는데 '어떤 심경이냐'고 묻기에

> 헤어져서도
> 같은 도읍지에서
> 살았었기에
> 정녕 이번과 같은
> 심정은 아니었는데

はなれにたる男の、遠き所へゆくを、「いかが思ふ」といひしに[1]

別れても	wa-ka-re-te-mo
同じ都に	o-na-zi-mi-ya-ko-ni
ありしかば	a-ri-si-ka-ba
いとこのたび[2]の	i-to-ko-no-ta-bi-no
心ちやはせし	ko-ko-chi-ya-wa-se-si

出典:『센자이와카슈』 離別 490번(『정집』 184, 849)

1 『정집』 고토바가키는 '헤어진 남자가 먼 임지로 가게 됐는데 "어떤 심경으로 들었느냐"며 묻는 사람에게(去りたる男の、遠き国へゆくを、「いかが聞く」といふ人に)'로 되어 있다.
여기서 '남자'는 이즈미시키부의 첫 남편인 다치바나노 미치사다(橘道貞), 이즈미시키부의 심경을 물은 사람은 아카조메에몬(赤染衛門)이다. 아카조메에몬의 질문은 이즈미시키부의 슬픔을 위로함이었으며, 편지에 '떠나는 이도/ 남겨진 이도 어떤/ 심경이려나/ 헤어진 뒤 또다시/ 맞이한 헤어짐에

(ゆく人もとまるもいかに思ふらん別れて後のまたの別れを 『정집』 183번)'라는 노래도 함께 적어 이즈미시키부에게 전달했다.

2 たび: '이번(度 tabi)'과 '여행(旅 tabi)'이라는 말의 동음이의어로 중의적 표현이다. 이번 다치바나노 미치사다의 부임지는 무쓰 지방(陸奧国)이다. 이는 지금의 미야기 현(宮城県)·이와테 현(岩手県)·아오모리 현(青森県)·후쿠시마 현(福島県)과 아키타 현(秋田県)의 일부를 합친 지역명이다. '오슈(奧州)' 또는 '미치노쿠(陸奧)'라고도 하는데, 교토에서는 먼 곳(고토바가키의 遠き所)이다. 파경이라는 심리적 결별에 더해 이번 물리적인 결별을 겪게 된 이즈미시키부의 슬픔이 진하게 묻어난다. 첫 남편을 향한 이즈미시키부의 사랑과 미련을 가늠할 수 있는 대목이다.

225.

야스마사와 함께 단고 지방으로 내려갔을 때, 비밀스럽게 사귀는 남자에게

이대로 가면
공연히 나 혼자만
신경 쓰겠지
당신은 내 행방에
관심조차 없는데

保昌にぐして丹後国へまかりしに、忍びて物申す男のもとへ[1]

われのみや	wa-re-no-mi-ya
思ひおこせん	o-mo-i-o-ko-se-n
あぢきなく	a-zi-ki-na-ku
人[2]はゆくへも	hi-to-wa-yu-ku-e-mo
しらぬ物ゆゑ	si-ra-nu-mo-no-yu-e

....
出典:『시카와카슈』恋下 240번(『정집』756)

1 『시카와카슈』 고토바가키는 '후지와라노 야스마사와 함께 단고 지방으로 내려갔을 때, 비밀스럽게 사귀던 남자에게 전한 노래(藤原保昌朝臣に具して丹後の国へまかりけるに、忍びてものいひけるをとこのもとへいひつかはしける)'로 되어 있다.
   야스마사(保昌)는 이즈미시키부의 재혼 상대인 후지와라노 야스마사(藤原保昌)를 가리킨다(이 책 175번 노래 각주 참조). 한편 단고 지방(丹後国)은 지금의 교토 후(京都府) 북부 지역을 지칭한다.

2 人: '당신(君 kimi)'이라 말할 부분을 '사람(人 hito)'으로 모호하게 표현한 것이다. 이 책에서는 본래의 뜻을 살려 '당신'이라 옮겼다.

226.

미치사다와 헤어진 뒤에 그가 무쓰 지방 수령으로 내려갈 적에 보낸 노래

당신과 함께
출발했었을 텐데
미치노쿠陸奧의
고로모노세키 관문
남 일로 듣는구나

道貞わすれて後、みちのくの守にて下り侍りしに、つかはしたりし[1]

もろともに	mo-ro-to-mo-ni
たたまし[2]物を	ta-ta-ma-si-mo-no-wo
みちのくの	mi-chi-no-ku-no
衣の関[3]を	ko-ro-mo-no-se-ki-wo
よそにきくかな	yo-so-ni-ki-ku-ka-na

出典:『시카와카슈』別 173번(『정집』847)

1 『시카와카슈』고토바가키는 이와 동일하며, 『정집』에는 '무쓰 지방의 수령으로 출발한다는 소식을 듣고(みちのくの守にて立つを聞きて)'로 되어 있다.

2 たたまし: 'たた(tata)'의 기본형은 'たつ(tatsu)'로 '떠나다(立つ tatsu)'와 '재단하다(裁つ tatsu)'라는 말의 동음이의어다. 이 때 '재단하다(裁つ)'는 말은 4구의 '衣(koromo 의복)'와 관련된 말(緣語 engo)이다.

3 衣の関: 이와테 현 히라이즈미(平泉) 부근에 위치한 관문이다.

227.
봄날 객지에서 달을 바라보며

　봄밤 달빛은
　장소 가리지 않고
　교교하지만
　그래도 역시 정든
　내 집 달빛 그리워

春のころ、旅にて月をみて[1]

　春のよの　　　　　　　ha-ru-no-yo-no
　月はところも　　　　　tsu-ki-wa-to-ko-ro-mo
　わかねども[2]　　　　　wa-ka-ne-do-mo
　猶すみ[3]なれし　　　　na-o-su-mi-na-re-si
　宿ぞこひしき　　　　　ya-do-zo-ko-i-si-ki

『신쇼쿠고킨와카슈』羈旅 920번(『속집』928, 1212)

1　『신쇼쿠고킨와카슈』고토바가키는 '봄날 객지에서 달을 바라보며(春の比、
　　たびにて月を見侍りて)'로,『속집』에는 '객지에서 달을 보고(旅なる所にて、
　　月を見て)'로 되어 있다.
2　月はところも/ わかねども: 달은 장소를 가리지 않고 모든 곳에 뜨지만.
3　すみ: '살다(住み)'와 '맑다(澄み)'의 동음이의어로 중의적 표현이다. '맑다
　　(澄み)'는 달과 연관된 말(緣語 engo)이다.

228.

객지에서 읊은 노래

> 객지서 혼자
> 달 보고 있을 나를
> 떠올리면서
> 고향서 오늘밤 달
> 보는 사람 있을까

たびの歌とて[1]

みるらんと[2]	mi-ru-ra-n-to
思ひおこせて	o-mo-i-o-ko-se-te
故郷の	hu-ru-sa-to-no
こよひの月を	ko-yo-i-no-tsu-ki-wo
たれながむらん	ta-re-na-ga-mu-ra-n

『신고슈이와카슈』羈旅 902번(『정집』 684)

1 『신고슈이와카슈』 고토바가키는 '제목 미상(題知らず)'으로, 『정집』에는 '달빛
  교교한 밤에 교토를 그리며(月おもしろきに、京を思ひやりて)'로 되어 있다.
2 らん(ran): 눈앞에 보이지 않는 어떤 사실을 추측하는 뜻의 조동사로, 추측하
  는 주체는 교토에 있는 불특정한 인물이다. 한편 5구(らん)에도 동일한 조동
  사가 사용되었지만 주체는 이즈미시키부로 앞의 그것과는 다르다.

229.

이즈미和泉 지방으로 내려갔을 때, 도읍지 새 울음소리가 어렴풋이 들리기에

물어볼 테니
낱낱이 들려다오
도읍지 새여
도읍지에 관해서는
잘 알고 있을 테니

和泉へくだり侍りけるに、都鳥のほのかになきければ[1]

こととはば	ko-to-to-wa-ba
ありのまにまに	a-ri-no-ma-ni-ma-ni
都鳥[2]	mi-ya-ko-do-ri
みやこのことを	mi-ya-ko-no-ko-to-wo
われにきかせよ	wa-re-ni-ki-ka-se-yo

出典 : 『고슈이와카슈』 羈旅 509번(『정집』 681)

1 『고슈이와카슈』 고토바가키는 '이즈미 지방으로 내려갔을 때, 밤에 도읍지 새가 희미하게 울기에 읊은 노래(和泉に下り侍りけるに、夜、都鳥のほのかに 鳴きければよみ侍りける)'로, 『정집』에는 '임시로 마련한 바닷가 근처 오두막 에 누워서 들으니 도읍지 새가 울기에(仮屋して、浜面に臥して聞けば、都鳥 鳴く)'로 되어 있다. 이즈미(和泉) 지방은 지금의 오사카 후(大阪府) 남부를 지칭한다.

2 都鳥: 미야코도리의 '미야코'는 '도읍지'라는 뜻으로 직역하면 '도읍지 새'라

는 뜻이다. 이는 붉은부리갈매기(百合鴎 yurikamome)로 와카에서는 주로 '미야코도리'라 말한다. '이름 그러니/ 자! 물어 보자꾸나/ 도읍지 새여/ 사랑하는 사람이/ 잘 있는지 어떤지(名にし負はば/ いざ言問はむ/ 都鳥/ わが思ふ人は/ ありやなしやと 『이세모노가타리』 제9단)'라는 노래를 염두에 둔 작품이다.

230.

산사에 머물고 있을 때, 장례 치르는 걸 보고

피어오르는

화장터 연기 보며

생각해 보네

언제 또 죽은 나를

누가 이처럼 볼지

山寺に籠りゐたるに、人を葬送したるをみて[1]

立ちのぼる	ta-chi-no-bo-ru
煙につけて	ke-mu-ri-ni-tsu-ke-te
思ふかな	o-mo-o-ka-na
いつまたわれを	i-tsu-ma-ta-wa-re-wo
人のかく[2]みん	hi-to-no-ka-ku-mi-n

出典 : 『고슈이와카슈』 哀傷 539번(『정집』 162 · 『속집』 1137)

1 『고슈이와카슈』 고토바가키는 '산사에 머물고 있을 때, 죽은 이를 장사 지내어 보내는 것이 보이기에 읊은 노래(山寺に籠りて侍りけるに、人をとかくするが見え侍りければよめる)'로, 『정집』에는 '다시, 죽은 이를 장사 지내어 보내는 것을 보고(また、人の葬送するを見て)'로 되어 있다. 한편 『속집』에는 '산사에 머물고 있는데, 화장(火葬)하는 불이 보이기에(山寺に籠りたるを、とかくする火の見えければ)'로 되어 있다.

2 かく: 이처럼 자신이 죽어 화장한 연기로 피어오르면. 이즈미시키부 노래에

는 자신과 그런 자신을 바라보는 또 다른 각성된 자아가 자주 등장한다. 죽은 이를 화장할 때 피어오르는 연기를 바라보며 자신 또한 죽어 한 줌 연기로 올라갈 것을 자각하고 언젠가 가까운 미래에 지금 자신처럼 누군가가 자신의 죽음을 지켜볼 것이라 담담하게 읊조린다.

231.

어떤 왕자님을 저세상으로 먼저 보내고서

> 애통하여라
> 마지막 유품으로
> 입은 상복이
> 머지않아 눈물에
> 썩어 없어질 테니

なにのみことかやにをくれて[1]

をしきかな	o-si-ki-ka-na
かたみ[2]にきたる	ka-ta-mi-ni-ki-ta-ru
藤衣[3]	hu-zi-go-ro-mo
ただこのごろに	ta-da-ko-no-go-ro-ni
朽ちはてぬべし[4]	ku-chi-ha-te-nu-be-si

出典 : 『센자이와카슈』哀傷 548번(『속집』 958)

1 『센자이와카슈』 고토바가키는 '단정대 장관인 다메타카 왕자님이 세상을 떠나서 읊은 노래(弾正尹為尊の親王におくれ侍りてよめる)'로 되어 있다. 이에 반해 『속집』에는 '아쓰미치 왕자님의 사십구재 날, 독경하는 스님에게 보시할 겸 고인의 의관을 새로 마련하기 위해 옷감 손질을 맡겼는데 그곳에서 '이 옷을 보니 비통합니다'라는 내용의 전갈을 보내왔기에(宮の御四十九日、誦経の御衣物打たする所に、「これを見るが悲しき事」などいひたるに)'로 되어 있다.

상기 노래는 출전에 따라 제작 시기와 사정이 상이한 작품이다. 원래 이 책의 저본은 칙찬 와카집에 실린 이즈미시키부 노래를 수록한다는 기본 방침을 표방하면서도 『속집』의 고토바가키를 무시할 수 없었던 모양이다. 결국 결정을 유보한 채 '어떤 왕자님'이라는 불특정 인물로 기술하고 있어 편자의 고민이 전해진다. 다만 현재는 아쓰미치 왕자의 죽음을 애도한 만가라는 학설이 유력하다.

2 かたみ: 추억거리가 되는 물건이나 유품을 말한다.

3 藤衣: 상복(喪服)을 말한다.

4 朽ちはてぬべし: 죽은 친왕을 생각하며 흘린 눈물 때문에 오래도록 걸치고 싶은 상복을 도리어 입을 수 없게 될 것이라는 모순을 한탄한 노래로 강도 높은 슬픔을 전한다.

232.

아쓰미치 왕자님을 저세상에 먼저 보내고

이제는 다만
눈물짓게 했던 일
생각해 내서
당신 잊을 만큼의
아픈 기억 있었으면

敦道親王におくれて[1]

今はただ　　　　　i-ma-wa-ta-da
そよそのことと　　so-yo-so-no-ko-to-to
思ひ出でて　　　　o-mo-i-i-de-te
忘るばかりの　　　wa-su-ru-ba-ka-ri-no
うきこともがな[2]　u-ki-ko-to-mo-ga-na

．．．．．．．．．．．．．．．．．．．．．．．．．
出典 : 『고슈이와카슈』 哀傷 573번(『속집』 955)

고인이 된 그를 잊고자 생전에 자신에게 주었던 아픈 기억을 떠올려보려 해도
단 한 가지도 없다는 노래다. 사별로 인한 상실감과 그리움을 지우고자 몸부
림치지만 그 역시 불가항력이라는 남겨진 자의 비절한 만가다.

1　『속집』에는 '역시 비구니가 되어야지'라는 마음이 들면서도(なほ尼にやなり
なまし、と思ひたつにも)'로 되어 있다.

2　もがな: 'もがな(mogana)'는 '…이(가) 있으면 좋을 텐데'라는 희망을 나타내
는 종조사이다. 한편 『속집』에는 '憂きふしもなし(ukihusimonasi 괴로운 적도
없네'로 되어 있다.

233.

같은 무렵 비구니가 되겠다고 생각하며

> 출가하려고
> 생각하는 것조차
> 비절하여라
> 당신 손길 닿았던
> 소중한 내 몸이니

おなじころ尼にならむと思ひて[1]

すてはてむ[2]と	su-te-ha-te-n-to
思ふさへこそ	o-mo-o-sa-e-ko-so
悲しけれ	ka-na-si-ke-re
君になれにし	ki-mi-ni-na-re-ni-si
わが身[3]と思へば	wa-ga-mi-to-o-mo-e-ba

....
出典 : 『고슈이와카슈』 哀傷 574번(『속집』 953)

1 『속집』에는 '역시 비구니가 되어 버릴까, 하는 마음이 들면서도(なほ尼にや
  なりなまし、と思ひ立つにも)'로 되어 있다.
2 すてはてむ: '출가하여 속세와의 인연을 완전히 끊어버리겠다'는 뜻이다.
3 君になれにし/ わが身: 생전 친왕의 손길이 닿은 육체이기에 자기 몸을 마
  음대로 버리는 것은 곧 왕자의 손길이 닿은 소중한 유품을 버리는 것과 마
  찬가지라는 발상이다. 만가이면서 에로틱한 분위기를 자아내는 이즈미시키
  부의 절창이라 할 수 있다.

234.

고시키부 내시가 세상을 떠났을 때, 항상 지녔던 손궤를 독경한 스님에게
보시하며

> 저 세상에서
> 듣기라도 해 주렴
> 타종소리를
> 한시도 잊지 못하는
> 어미의 비절함을

小式部内侍身まかりて後、常に持ちて侍りける手箱を誦経にせさ すとて[1]

恋ひわぶと	ko-i-wa-bu-to
きくだにきけば	ki-ku-da-ni-ki-ke-ba
かねの音[2]	ka-ne-no-o-to
打ち[3]忘らるる	u-chi-wa-su-ra-ru-ru
時のまぞなき	to-ki-no-ma-zo-na-ki

....

出典: 『신고킨와카슈』 哀傷 816번(『정집』 489)

1 『정집』에는 '딸이 항상 지니고 있던 손궤를 오타기 절에서 독경하는 승려에
게 보시할 때 그 손궤에 적어 둔 노래(つねに持ちたりし手箱、愛宕に誦経に
せさすとて、書きつくる)'로 되어 있다.
　고시키부 내시(小式部内侍 kosikibunaisi)는 이즈미시키부의 딸로 1025년 11
월 사망한다(이 책 165번 노래 각주 참조). 교토 오타기지(愛宕寺)에서 딸의
극락왕생을 기원하는 49재 때 독경한 승려에게 딸이 지니고 있던 손궤를
보시하면서 읊은 노래다. 자식의 극락왕생을 빌면서 가슴에 묻은 딸을 향한

절절한 심경이 담긴 만가(挽歌)다.

2 かねの音: 승려가 독경하면서 흔드는 종소리.

3 打ち: '잊다(忘る wasuru)'라는 동사의 의미를 강조한 접두어이면서 '(종을) 치다'를 함의한다. 3구의 '종(鐘 kane)'과 관련된 말(緣語 engo)이다.

235.

고시키부 내시가 생전에 이슬 문양의 당의를 입었었는데 세상을 떠난 뒤 조토몬인께서 그 당의를 찾으시기에 보내드리며

> 덧없다 여긴
> 이슬도 남았거늘
> 허망하게도
> 저 세상 가버린 딸
> 무엇에 빗대리오

小式部内侍、露置きたる萩おりたる唐衣をきて侍りけるを、身まかりてのち、上東門院よりたづねさせ給ひけるに、たてまつるとて[1]

置くとみて	o-ku-to-mi-te
露もありけり[2]	tsu-yu-mo-a-ri-ke-ri
はかなくも[3]	ha-ka-na-ku-mo
消えにし人を	ki-e-ni-si-hi-to-wo
何にたとへん	na-ni-ni-ta-to-e-n

出典:『신고킨와카슈』哀傷 775번(『정집』 484)

1 『신고킨와카슈』 고토바가키는 이와 동일하며, 『정집』에는 '중궁께서 "이슬 문양이 새겨진 당의를 가져오게. 명복을 빌며 베낀 경문 표지로 붙이려 하네"라며 생전 고시키부가 입었던 당의를 찾으시기에 당의에 매어 둔 노래(宮より、「露置きたる唐衣まゐらせよ、経の表紙にせむ」と召したるに、結びつけたる)'로 되어 있다.
이를 토대로 중궁 쇼시가 당의를 찾은 이유가 고시키부를 추선 공양할 목적

으로 필사한 경문(經文)의 표지로 쓰기 위해서였음을 알 수 있다. '조토몬인 (上東門院)'에 관해서는 이 책 222번 노래 각주 참조.

2 置くとみて/ 露もありけり: 맺혔다 싶으면 금방 사라지는 이슬도 머물러 있다. 이슬 문양이 들어간 당의조차도 예전 그대로 남아 있다는 뜻을 담았다. 이즈미시키부는 당의에 그려진 이슬보다 덧없는 딸의 죽음을 중궁에게 하소연한 것이다.

3 はかなくも: '이슬보다도 허망하게'라는 뜻이다.

236.

(조토몬인께서) 회답하신 노래

예전엔 미처
생각지 못했어라
허망한 이슬
새겨진 당의 보며
애도하게 될 줄은

御かへりごと

思ひきや	o-mo-i-ki-ya
はかなくおきし	ha-ka-na-ku-o-ki-si
袖の上の	so-de-no-u-e-no
露¹をかたみに²	tsu-yu-wo-ka-ta-mi-ni
かけん物とは	ka-ke-n-mo-no-to-wa

....
出典 :『신고킨와카슈』哀傷 776번

1 露: 당의에 그려진 이슬 문양인 동시에 눈물을 함의한다.
2 かたみに: '유품으로(形見 katamini)'와 '서로(互みに katamini)'라는 말의 동
  음이의어로 중의적 표현이다.

237.

고시키부 내시가 세상을 떠난 뒤, 조토몬인께서 여러 해 전부터 하사하셨던 의복을 고시키부가 죽은 뒤에도 보내주셨는데 거기에 '고시키부 내시'라는 이름이 적혀있는 걸 보고

이끼 아래에
딸과 함께 묻혔다
썩지 않고서
홀로 나온 이름만
보게 되니 애통해

小式部内侍うせてのち、上東門院よりとしごろたまはりけるきぬを、なき跡にもつかはしたりしに、「小式部内侍」とかきつけられたるをみて[1]

もろともに	mo-ro-to-mo-ni
苔の下[2]には	ko-ke-no-si-ta-ni-wa
くちずして	ku-chi-zu-si-te
うづもれぬ名を	u-zu-mo-re-nu-na-wo
みるぞ悲しき	mi-ru-zo-ka-na-si-ki

出典 : 『긴요와카슈』 雜下 620번(『정집』 545)

1 『정집』에는 '고시키부가 죽은 다음해 7월 (탈자로 의미 불명) 편지에 이름이 적혀있는 걸 보고(内侍亡くなりて、つぎの年七月われい□る文に、名の書かれたるを)'로 되어 있다.
  이를 토대로 상기 노래가 1025년 고시키부 사망 다음해인 1026년 음력 7월

에 지어졌음을 알 수 있다. 조토몬인이 해마다 정기적으로 여관에게 하사하던 의복을 고시키부가 살아있을 때와 마찬가지로 '고시키부 내시'라는 이름을 적어 이즈미시키부 처소로 보내온다. 내시(內侍 naisi)는 궁중에 출사한 여관(女官)을 말한다. 이미 이 세상 사람이 아닌 딸 이름을 갑작스럽게 접한 이즈미시키부는 얼마나 반가우면서도 슬펐을까. 이 노래는 조토몬인의 각별한 배려에 대한 감사의 노래다. 하지만 딸 이름 앞에 복받쳐 오르는 애통함에 이즈미시키부는 다시 한 번 무너진다.

2 苔の下: 이끼 아래라는 뜻으로 무덤 아래를 함의한다.

238.

고시키부 내시가 세상을 떠난 뒤, 남겨진 손주들을 보며

> 떠나간 딸은
> 나와 자식 중 누굴
> 가여워할까
> 나도 자식이었어라
> 딸도 자식이리라

小式部内侍なくなりてのち、むまごどもの侍るをみて[1]

とどめおきて[2]	to-do-me-o-ki-te
誰を哀れと	ta-re-wo-a-wa-re-to
思ふらむ[3]	o-mo-o-ra-n
子はまさりけり[4]	ko-wa-ma-sa-ri-ke-ri
子はまさるらん[5]	ko-wa-ma-sa-ru-ra-n

出典:『고슈이와카슈』哀傷 568번(『정집』485)

상기 노래는 고시키부의 죽음을 애도한 이즈미시키부 노래 가운데 가장 유명하다. 후지와라노 슌제이의 가론서『古来風体抄 koraihuteisyo』를 비롯하여 많은 문헌에 인용되면서 비절한 만가로 칭송을 받는다. 다만『정집』노래 본문은 4구와 5구의 위치가 뒤바뀌어 있다. 즉 '딸도 자식이리라/ 나도 자식이었어라'로 자신의 깨달음을 마지막 구로 넘기고 있다. 딸의 심경을 헤아린 후에 자신의 경우도 부모보다 자식이 우선이었음을 인정하며 독백처럼 읊조린다. 내용면에서 큰 차이는 없지만 그녀가 느꼈을 감정의 수순에 따라 독자에게 다가오는 말의 온도는 달라진다.

1 『정집』에는 '중궁께서 "이슬 문양이 새겨진 당의를 가져오게. 명복을 빌며 베낀 경문 표지로 붙이려 하네"라며 생전 고시키부가 입었던 당의를 찾으시기에 당의에 매어 둔 노래(宮より、「露置きたる唐衣まゐらせよ、経の表紙にせむ」と召したるに、結びつけたる)'로 되어 있다. 이 책 235번 노래와 동일한 시기에 지어진 것으로 보인다.

2 とどめおきて: 엄마인 자기(이즈미시키부)와, 고시키부 자신이 낳은 아이들을 이 세상에 남겨두고서.

3 思ふらむ: 딸은 지금 저세상에서 생각하고 있는 걸까, 라는 뜻으로 지금 현재 시점에서 추측하는 장면이다. 이에 반해 『정집』에는 '思ひけん(omoiken)'으로 되어 있다. 즉 현재 시점에서 딸이 사망한 시점으로 돌아가 딸의 심정을 추측하는 내용으로 되어 있다.

4 子はまさりけり: 자식은 이즈미시키부의 딸인 고시키부를 가리킨다. 딸의 심중을 헤아리며 자신 또한 부모님보다 자식이 더 소중했음을 토로한 것이다.

5 子はまさるらん: 여기서의 자식은 앞선 4구의 '자식'과는 달리 이즈미시키부의 딸인 고시키부가 낳은 아이들을 가리킨다. 즉 이즈미시키부에게는 손주에 해당한다. 알려진 바로는 후지와라노 노리미치(藤原敎道) 사이에서 낳은 아이(훗날 승정(僧正)에 오른 조엔(静円))와, 후지와라노 긴나리(藤原公任) 사이에서 낳은 아이(훗날의 요리히토 아자리 賴仁阿闍梨) 등이 있다.

239.

세상이 여느 때보다 덧없던 무렵

병에 걸렸단
사람은 모두 죽은
이 세상에서
장수를 비는 오늘
난 더 살려 하는가

世の中常よりもはかなかりけるころ[1]

ききときく	ki-ki-to-ki-ku
人は[2]なくなる	hi-to-wa-na-ku-na-ru
世の中に	yo-no-na-ka-ni
けふもわがみの	kyo-u-mo-wa-ga-mi-no
すぎむとやする	su-gi-n-to-ya-su-ru

出典:『신쇼쿠고킨와카슈』哀傷 1596번(『속집』 1373)

1 『속집』에는 '여느 때보다 세상이 덧없어 보일 무렵, 음력 9월 9일에(常よりも、世の中はかなう見えし頃、九月九日)'로 되어 있다.

2 ききときく/ 人は: '소문으로 들은 사람은'이라는 뜻이다. 'きく(kiku)'는 '듣다(聞く kiku)'와 '국화(菊 kiku)'라는 말의 동음이의어로 중의적 표현이다. 당시 궁중에서는 중양절(重陽節)에 국화를 감상하거나 장수에 효험이 있다는 국화주를 마시는 연회가 열렸다.

240.

깊이 사랑했던 사람이 죽었을 때

    그리는 마음
    화장장 연기 따라
    올라갔는데
    단지 연기라고만
    사람들 여겼을까

あさからずかたらひける人の、身まかりたりけるに[1]

思ひやる	o-mo-i-ya-ru
心はたちも	ko-ko-ro-wa-ta-chi-mo
おくれじを	o-ku-re-ji-wo
ただ一すぢの	ta-da-hi-to-su-ji-no
けぶりとやみし[2]	ke-bu-ri-to-ya-mi-si

出典 : 『신쇼쿠고킨와카슈』 哀傷 1597번(『정집』 751)

1 『정집』에는 '사랑했던 사람이 세상을 떠났는데 화장(火葬)한 다음날, '어떻
소'라며 안부를 묻는 사람에게(語らひし人の亡くなりにけるを、とかうして又の
日、「いかが」と問ひたるに)'로 되어 있다.

2 ただ一すぢの/ けぶりとやみし: '一すぢ(hitosuji)'는 '한 줄기(一筋)'와, '단지,
한결같이(一途)'의 뜻을 지닌 중의적 표현이다. 노래 본문에 마음과 대비되
는 육체와 관련된 시어는 보이지 않지만 이즈미시키부 노래에 자주 등장하
는 유체이탈과 관련된 내용이다. 자기 마음대로 되지 않는 육체와, 육체를

벗어나 떠도는 방황하는 마음이 대비된다. 사랑했던 사람을 떠나보낸 자신을 사람들은 그저 자신의 육신만을 볼 뿐 그 속에 깃든 마음까지는 보지 못함을 애석해 한 노래다.

241.

無題

줄이 약해서
끊겨 흩어져 버린
구슬보다도
꿰어 매기 힘든 건
사람 목숨이어라

無題[1]

緒[2]をよわみ	o-wo-yo-wa-mi
たえてみだるる	ta-e-te-mi-da-ru-ru
玉よりも	ta-ma-yo-ri-mo
ぬきとめがたし	nu-ki-to-me-ga-ta-si
人の命は	hi-to-no-i-no-chi-wa

出典 :『쇼쿠고센와카슈』雜下 1228번(『속집』1399)

1 『쇼쿠고센와카슈』고토바가키는 '세상의 무상함을 생각하며 읊은 노래(よの
 はかなさを思ひてよみ侍りける)'로,『속집』에는 '「我不愛身命」이라는 마음을
 노래 첫머리에 얹어서(「我不愛身命」といふ心を上にすゐて)'로 되어 있다.
 이는 법화경 권지품(勸持品) 제13의 마지막 대목인 '不惜身命'을 '我不愛身
 命'이라 적고 'wa-re-mi-i-no-chi-wo-ba-wo-si-ma-zu(내 몸과 목숨도 아끼지
 않으리)'로 훈독하였다. 이즈미시키부는 훈독한 12자를 와카 첫머리에 한
 글자씩 얹어서 12수의 연작시(『속집』1391~1402번)를 지었다.
 상기 노래는 9번째 글자인 '를wo'로 시작되는 노래다.
2 緒: 줄이나 끈을 뜻하는 '緒'는 '를(wo)'라 적고 'お(o)'라고 발음한다.

242.

만종晩鐘 소리를 듣고

해 질 녘이면
왠지 서글퍼지네
저 타종 소리
내일도 듣게 될지
모르는 처지기에

いりあひのかねをききて[1]

夕暮は	yu-u-gu-re-wa
ものぞかなしき	mo-no-zo-ka-na-si-ki
かねの音を	ka-ne-no-o-to-wo
あすも聞くべき	a-su-mo-ki-ku-be-ki
身とししらねば	mi-to-si-si-ra-ne-ba

· ·

出典 : 『시카와카슈』 雑下 357번(『정집』 356)

1 『시카와카슈』 고토바가키는 이와 동일하며, 『정집』에는 '소치노미야 궁에서, 가제(歌題) 열 개를 주서서 읊은 노래(帥宮にて、題十給はせたる)'로 되어 있다.
　상기 노래는 열 가지 주제에 맞춰 읊은 10수로 구성된 연작시(『정집』355번 부터 364번까지) 가운데 '만종소리'를 소재로 읊은 작품이다. 『이즈미시키부 일기』를 근거로 창작 시기는 1003년 12월부터 아쓰미치 친왕이 사망한 1007년 10월 사이로 보인다. 하지만 가장 사랑하던 사람과 함께 한 시기에 읊은 노래라기에는 서글픔과 허망감이 주조를 이룬다. 연작시의 전반적인 기조가

무겁게 침잠되어 있는 것은 아쓰미치 왕자의 건강이 양호하지 않은 상황에서 그의 사망을 예견한 때문일까. 아니면 지금 이 순간이 소중하고 행복하기에 죽음의 공포가 더 크게 다가온 것일까. 인간 목숨의 덧없음을 절감한 이 순간 어쩌면 이즈미시키부는 행복의 절정에 있었을지도 모를 일이다.

243.

'우리네 처지를 곰곰이 생각하면 뿌리가 끊겨 물가를 떠다니는 풀처럼 덧없다'는 시를 한 글자씩 노래 첫머리에 얹어 읊은 노래 가운데

풀잎에 맺힌
이슬 보며 가엽다
생각했는데
돌이키니 덧없는 건
사람 목숨이구나

觀身岸額離根草[1]といふ詩の文字をはじめに置きて、よみ侍りける歌の中に

露をみて   tsu-yu-wo-mi-te
草葉のうへと   ku-sa-ba-no-u-e-to
思ひしは   o-mo-i-si-wa
ときまつほどの   to-ki-ma-tsu-ho-do-no
命なりけり[2]   i-no-chi-na-ri-ke-ri

出典 : 『쇼쿠고슈이와카슈』 哀傷 1240번(『정집』 305)

1 『정집』에는 '觀身岸額離根草'(이 책 48번 노래 각주 참조)로 되어 있다.
2 ときまつほどの/ 命なりけり: 인간의 목숨이야말로 죽음을 기다리는 동안의 찰나에 불과한 덧없는 것임을 실감하게 되었다는 뜻이다.

244.

고시키부 내시가 죽은 뒤에 읊은 노래

좋아하는 봄도
딸 여윈 상심으로
의미 없어라
봄꽃도 봄 안개도
눈에 들지 않으니

小式部内侍なくなりてのちよめる¹

あひにあひて²   a-i-ni-a-i-te
物思ふ春は   mo-no-o-mo-u-ha-ru-wa
かひもなし   ka-i-mo-na-si
花も霞も   ha-na-mo-ka-su-mi-mo
めにしたたねば   me-ni-si-ta-ta-ne-ba

出典:『교쿠요와카슈』雑四 2299번(『정집』 575)

1 『정집』에는 '내시가 죽었을 때, 그 사람에게 (内侍亡くなりたる頃、人に)'로
   되어 있다.
2 あひにあひて: 상심할 일이 겹쳐서. 'あふ(会ふ)'를 강조한 표현으로 동음
   (同音)을 반복한 수사법이다.

245.

같은 시기에 그 사람에게 보낸 노래

살면 괴로워
떠나려 해도 아무
소용없어라
여기 이 세상 말고
달리 갈 곳 없으니

同じころ人につかはしける[1]

ふれば[2]うし   hu-re-ba-u-si
へじとても又   he-ji-to-te-mo-ma-ta
いかがせむ   i-ka-ga-se-n
あめの下[3]より   a-me-no-si-ta-yo-ri
外のなければ   ho-ka-no-na-ke-re-ba

･････････････････････････････････････
出典 :『교쿠요와카슈』雜四 2362번(『정집』 584)

1 『교쿠요와카슈』고토바가키는 '고시키부 내시가 죽었을 때 그 사람에게 보
  낸 노래(小式部內侍身まかりにける比、人につかはしける)'로 되어 있다. 한
  편 『정집』에는 단지 '단고 지방에(丹後に)'로 되어 있다.
2 ふれば: 'ふれば(hureba)'는 '살아가면(経れば)'과 '비나 눈이 내리면(降れ
  ば)'이라는 말의 동음이의어로 중의적 표현이다.
3 あめの下: 'あめの下(amenosita)'는 '이 세상 아래(天の下 amenosita)'와 '비 내
  리는 하늘아래(雨の下 amenosita)'라는 말의 동음이의어로 중의적 표현이다.

246.

비와 왕대비의 사십구재를 위해 불상이 주조될 무렵, 불상을 장식할 옥을
바치도록 명받은 후지와라노 야스마사가 단바 지방관이라 부재중이었으
므로 남편 대신 헌상하며

　　　보잘것없는
　　　애도의 눈물방울
　　　흘려서나마
　　　옥구슬 빛내게 할
　　　눈물 이슬 보태리

枇杷皇后宮[1]の御ために佛つくられけるに、かざりの玉を藤原保昌朝臣[2]
丹波守にて侍りけるにめされけるを、たてまつるとて

　　　かずならぬ　　　　　　　ka-zu-na-ra-nu
　　　涙の露を　　　　　　　　na-mi-da-no-tsu-yu-wo
　　　かけてだに[3]　　　　　　ka-ke-te-da-ni
　　　玉のかざりを　　　　　　ta-ma-no-ka-za-ri-wo
　　　そへんとぞ思ふ[4]　　　　so-e-n-to-zo-o-mo-o

出典：『교쿠요와카슈』雜四 2421번(『정집』367)

이 노래는 창작 시기가 명확한 이즈미시키부의 와카 가운데 마지막 작품이다.
이 작품을 읊은 이후, 이즈미시키부의 행적은 묘연하다. 한편 『정집』 고토바가
키는 '왕대비의 사십구재 때 올릴 각종 진귀한 옥을 준비해 바치도록 명하셨기

에 옥을 바치며(皇太后宮うせさせ給へる御法事の物とて、いろいろの玉召した
るに、参らすとて)'로 되어 있다. 한편 노래는 '보잘것없는 눈물의 구슬방울 곁
들인다면 옥구슬 빛날 테니 정성 보태려하오(数ならぬ涙の露を**そへたらば**玉
の飾りを**かさん**とぞ思ふ『정집』367번)로 의미는 동일하나 표현 면에서 약간의
차이를 보인다.

1 枇杷皇后宮(biwakougogu): 비와 왕대비는 산죠(三条 1011~1016년 재위) 왕
   의 중궁인 후지와라노 겐시(藤原妍子)의 별칭이다. 겐시는 후지와라노 미치
   나가(藤原道長)의 둘째 딸로 1027년 9월 17일 사망한다. 미치나가는 후지와
   라노 야스마사(藤原保昌)에게 사십구재 때 불전에 안치할 3채의 아미타불
   을 장식할 옥을 헌상하도록 명한다. 하지만 당시 야스마사가 부재중인 관계
   로 이즈미시키부가 남편 대신 옥을 헌상한다.

2 藤原保昌(huziwarano yasumasa 958~1036): 헤이안 시대 중기의 귀족으로 이
   즈미시키부의 두 번째 남편이다. 단바(丹波)는 지금의 교토 후(京都府)와
   효고 현(兵庫縣) 일부를 합친 지역을 지칭한다.

3 かけてだに: 『정집』에는 'そへたらば(soetaraba 곁들인다면)'으로 되어 있다.

4 そへんとぞ思ふ: 『정집』에는 '정성 보태려하오(かさんとぞ思ふ kasantozoo-
   mou)'로 되어 있다.

247.

탄정대彈正台 장관인 다메타카 왕자님이 세상을 떠난 뒤, 끝없는 슬픔에
젖어 읊은 노래

쓸모없지만
역시 다하지 않는
목숨이구나
마음이라는 줄로
목숨줄 꼬지 않기에

彈正尹爲尊親王かくれ侍りてのち、つきせず物思ひなげきてよめる¹

かひなくて²	ka-i-na-ku-te
さすがに³たえ⁴ぬ	sa-su-ga-ni-ta-e-nu
命かな	i-no-chi-ka-na
心をたまの	ko-ko-ro-wo-ta-ma-no
緒⁵にしよらねば	o-ni-si-yo-ra-ne-ba

出典 : 『쇼쿠슈이와카슈』 雜下 1341번(『속집』 951)

1 『속집』에는 '끝없는 슬픔에 젖었을 때(つきせぬ事を歎くに)'로 되어 있다. 다
메타카 왕자와 관련된 노래로 되어 있는 『쇼쿠슈이와카슈』와 달리 『속집』에
는 아쓰미치 왕자의 죽음을 애도한 만가군(940~1061)에 들어 있어 차이를
보인다. 다만 현재는 아쓰미치 관련 만가라는 견해가 일반적이다.
2 かひなくて: 'て(te)'는 역접의 확정조건을 나타내는 접속조사로, '…이지만.
…함에도 불구하고'라는 뜻이다.

3 さすがに: 형용동사 'さすがなり'의 연용형인 'さすがに'에서 비롯된 말이다. 품사는 부사로 '그렇긴 하지만 역시'라는 뜻이다.

4 たえ: '숨이 끊어지다. 죽다'는 뜻의 동사 '絶ゆ(tayu)'의 미연형(未然形)이다.

5 たまの緒: 옥을 꿴 줄을 말하는데, 여기서는 영혼(魂 tama)을 몸속에 봉(封)하는 줄이라는 뜻에서 목숨이나 목숨줄을 뜻한다.

248.

같은 시기에 비가 세차게 내리는 날, '어찌 지내시오'라며 안부를 묻는 사람에게 답한 노래

언제나처럼
눈물 같은 빗줄기
멈춤 없지만
오늘따라 마음속
먹구름 걷히지 않네

同じころ雨のいみじうふりける日、「いかに」ととぶらひて侍りける人のかへりごとに[1]

いつとても	i-tsu-to-te-mo
涙の雨は	na-mi-da-no-a-me-wa
をやまねど	wo-ya-ma-ne-do
けふはこころの	kyo-u-wa-ko-ko-ro-no
雲まだになし	ku-mo-ma-da-ni-na-si

出典 : 『쇼쿠슈이와카슈』 雑下 1342번(『속집』 952)

1 『속집』에는 '비가 세차게 내리는 날, "어찌 지내시오"라고 묻기에(雨のいみじう降る日、「いかに」と問ひたるに)'로 되어 있다. 직전 노래인 247번과 같은 시기에 읊은 것으로 아쓰미치 왕자의 죽음과 관련된 만가군(940~1061)에 속한 노래다.

249.

섣달 그믐날 밤 읊은 노래

죽은 사람이
찾아온단 밤인데
당신도 없네
내가 사는 이곳은
혼 없는 마을인가

しはすのつごもりの夜よめる

なき人の   na-ki-hi-to-no
くる夜¹ときけど   ku-ru-yo-to-ki-ke-do
君もなし²   ki-mi-mo-na-si
わがすむ宿や   wa-ga-su-mu-ya-do-ya
魂なきの里³   ta-ma-na-ki-no-sa-to

··

出典:『고슈이와카슈』哀傷 575번(『속집』943)

1 なき人の/ くる夜: 섣달 그믐날 밤, 죽은 자의 혼백에게 제사를 드리는 습속
   이 있는데 이때 죽은 자의 혼백이 생전의 모습에 깃들어 찾아온다고 믿었다.
   '**なき**人(nakihito)'를 비롯하여 3구의 '君も**なし**(kimimonasi)', 5구의 '魂**なき**
   (tamanaki)' 등 형태는 다르지만 기본형은 모두 'なし(無し nasi 없다)'라는
   말이 31자 안에 3차례나 들어 있다. 이제 더 이상 사랑하는 사람이 이 세상
   에 없음을 인정할 수 밖에 없는 상실감과 비통함이 '없다'는 말의 다용(多
   用)으로 극대화된다.
2 君もなし: '도(も mo)'라는 표현의 기저에는 자신의 영혼이 이곳에 없다는

사실을 전제로 한다. 비록 자신의 육체는 이승에 머물러 있지만 영혼은 저세상으로 떠난 왕자를 따라 올라갔음을 의미한다.

3 魂なきの里: 사망한 아쓰미치 왕자 혼백의 부재(不在)에 더해 이즈미시키부 자신의 영혼의 부재를 함의한다.

250.

마음속에 품고 있는 생각을 담은 노래

> 나 죽더라도
> 애도할 사람 없으니
> 살아 있을 때
> 가엽다 가엽다고
> 말해 둬야 하려나

述懐の歌よみしに[1]

忍ぶべき	si-no-bu-be-ki
人もなき身は	hi-to-mo-na-ki-mi-wa
あるをりに	a-ru-wo-ri-ni
哀れ哀れと	a-wa-re-a-wa-re-to
いひやおかまし	i-i-ya-o-ka-ma-si

出典 : 『고슈이와카슈』 雑三 1008번(『정집』 153)

1 『고슈이와카슈』 고토바가키는 '죽는 사람이 많아 세상이 덧없던 무렵 읊은
  노래(世の中常なく侍りける頃よめる)'로, 『정집』에는 '세상의 덧없는 소식을
  듣고(世の中はかなき事を聞きて)'로 되어 있다.

251.

전염병으로 세상이 어수선한 무렵

시름에 잠겨
지낸 사이 사람들
죽어 떠나니
이슬처럼 덧없는
세상이 되었구나

世のさわがしきころ[1]

物をのみ	mo-no-wo-no-mi
思ひしほどに	o-mo-i-si-ho-do-ni
はかなくて	ha-ka-na-ku-te
淺茅が末の[2]	a-sa-ji-ga-su-e-no
世はなりにけり	yo-wa-na-ri-ni-ke-ri

....

出典 : 『고슈이와카슈』 雑三 1007번(『정집』 648)

1 『고슈이와카슈』 고토바가키는 '죽는 사람이 많아 세상이 덧없던 무렵 읊은 노래(世の中常なく侍りける頃よめる)'로, 『정집』에는 '전염병으로 세상이 어수선할 때(世のいとさわがしき頃)'로 되어 있다.

2 淺茅が末の: '띠 잎사귀 끄트머리처럼'이라는 뜻이다. '淺茅(asaji)'는 키가 작은 띠로, 가을 노래에 자주 등장한다. 띠 잎사귀에 이슬이 맺힌 모양이 자주 묘사되면서 '淺茅が露(asajigatsuyu 띠에 맺힌 이슬)'라는 어구가 생기면서 허망한 일에 비유되곤 했다. 이슬이 맺힌 키 작은 띠 잎사귀는 『만요슈』 2186번에 '淺茅が末葉(asajigasueba)'라는 표현으로 남아 있는데, 그 이후에

는 '淺茅が末(asajigasue)'라는 어구로 정착하게 된다. 이러한 경위에서 이즈미시키부 노래에 '이슬'이라는 시어는 보이지 않지만 '키 작은 띠 잎사귀에 이슬이 맺힌 것처럼 언제 사라질지 모르는 허망함'을 함의한다.

252.

無題

나는 어쩌나
어찌하면 좋을까
이 세상에서
떠나려니 슬프고
살려니 한스럽고

無題[1]

いかにせん	i-ka-ni-se-n
いかにかすべき	i-ka-ni-ka-su-be-ki
世の中[2]を	yo-no-na-ka-wo
そむけば悲し	so-mu-ke-ba-ka-na-si
すめばうらめし	su-me-ba-u-ra-me-si

··

出典 :『교쿠요와카슈』雜五 2533번(『정집』 438 ·『속집』 1342)

1 『교쿠요와카슈』 고토바가키는 '제목 미상(題知らず)'으로, 『정집』에는 '그 사
  람에게 "이 세상이 너무 덧없어라"고 적고서(人に、「世のはかなき事を」などいひて)'로 되어 있다. 한편 『속집』에는 '사랑하는 사람이 오래도록 오지
  않기에(語らふ人の、久しう音せぬに)'로 되어 있다.
2 世の中 : '이 세상'이라는 뜻 외에 '남녀 사이의 사랑'이라는 의미가 있다.
  이 작품이 '잡(雜)'으로 분류되었다는 점을 감안하여 전자로 해석하였다.

253.

無題

이 세상에서
박복한 나는 죽고
목숨 아깝다
여기는 당신 목숨
보존하면 좋으련만

無題[1]

世の中に	yo-no-na-ka-ni
うき身はなくて	u-ki-mi-wa-na-ku-te
おしと思ふ	o-si-to-o-mo-o
人の命を	hi-to-no-i-no-chi-wo
とどめましかば	to-do-me-ma-si-ka-ba

出典 : 『교쿠요와카슈』 雑五 2534번(『정집』 339)

1 『교쿠요와카슈』 고토바가키는 '제목 미상(題知らず)'으로, 『정집』에는 '이런 세상이 되길 바라는 일(世の中にあらまほしき事)'로 되어 있다(이 책 188번 노래 각주 참조).

254.

산사로 참배를 드리러 갔는데, 매우 훌륭한 독경소리가 들리기에

수심 가득한
불지옥 같은 집을
나오고 나니
평온해진 마음에
설법 들리는구나

山寺にまうでて侍りけるに、いとたふとく経よむをききて[1]

ものをのみ	mo-no-wo-no-mi
思ひの家[2]を	o-mo-i-no-i-e-wo
出でてこそ	i-de-te-ko-so
のどかに法の	no-do-ka-ni-no-ri-no
声はききけれ	ko-e-wa-ki-ki-ke-re

....

出典:『쇼쿠고슈이와카슈』釋敎 1268번(『속집』 1346)

1 『속집』에는 '부처님께 참배를 드리고 있는데, 대단히 고상하게 독경하는 스님이 있기에(物に詣でたるに、いと尊く経よむ法師のあるに)'로 되어 있다.

2 思ひの家: 표기는 '思ひ(omohi)'지만 발음은 'omoi'가 된다. 발음에 따른 의미가 앞 구(ものをのみ)와 이어지면서 '수심에만 잠겨서'라는 해석이 우선 가능하다. 이와 더불어 표기에 따른 'hi(火 불)'와 그 뒤에 이어지는 '家(ie 집)'가 합쳐져 불전(佛典)에 나오는 '火の家(hinoie 불타는 집)'가 된다. '불타는 집', '화택(火宅)'을 말한다. 욕(欲), 색(色), 무색(無色)의 삼계(三界)에는 편안함이 없어 마치 불타는 집, 즉 '화택'과 같다는 뜻이다. 이는 사바세계인 속세를 뜻하며 번뇌의 고통을 불(火)에, 삼계(三界)를 집(家)에 비유한 것이다.

255.

구라마데라鞍馬寺에서 불공드리며 머물고 있는데 바로 옆에 거처하던 사람이 쥘부채에 과일을 얹어 건네기에

불도 수행도
당신께도 못 했는데
과일 주시니
이는 누구를 위해
주운 열매이런가

鞍馬に參りたりけるに、かたはらのつぼねより、扇にくだものを入れておこ
せたりければ[1]

いかばかり	i-ka-ba-ka-ri
勤むることも	tsu-to-mu-ru-ko-to-mo
なきものを[2]	na-ki-mo-no-wo
こはたが為に	ko-wa-ta-ga-ta-me-ni
拾ふ木の実[3]ぞ	hi-ro-u-ko-no-mi-zo

出典:『신슈이와카슈』釋敎 1526번(『정집』767)

1 『신슈이와카슈』고토바가키는 동일하지만, 『정집』에는 '호린지에서 불공드
리며 머물고 있는데, 옆방에서 과일을 부채 위에 얹어 주기에(法輪に籠りた
るに、傍らなる局より、くだものを扇におこせたるに)'로 되어 있다. 따라서 노
래를 지은 장소가 출전에 따라 '구라마데라(鞍馬寺. 교토 시 북쪽의 구라마
야마[鞍馬山] 중턱에 위치)'와, '호린지(法輪寺. 교토 시 서쪽의 아라시야마

[嵐山]에 위치)'로 갈린다.

2 勤むることも/ なきものを: '勤むる(tsutomuru)'는 불도수행을 닦는다는 말과, 상대방을 위해 '노력하다'의 동음이의어다. 따라서 부처님께 아직 제대로 치성도 올리지 못하고, 당신께 아무것도 해 드린 게 없는데 이리 과일을 주시니 황송할 뿐이라는 사의(謝意)를 표한 것으로 해석된다.

3 木の実: '나무열매(木の実 konomi)'와 '내 몸(此の身 konomi)'이라는 말의 동음이의어다.

256.

스님이 여랑화를 들고 내 집 앞을 지나기에 '어디에 가시는가' 알아보니, '히에잔比叡山에 있는 엔랴쿠지延曆寺 불전에 바칠 꽃을 들고 예불 드리러 간다'기에 여랑화에 묶어 전한 노래

이름대로라면

다섯 가지 장애가

분명 있거늘

여자로서 성불한

부러운 여랑화여

家のまへを、法師の女郎花を持ちてとほりけるを、「いづくへゆくぞ」ととは せければ、「ひえの山の念佛の立て花になんもてまかる」といひければ、 むすびつけける

名にしおはば	na-ni-si-o-wa-ba
五つのさはり	i-tsu-tsu-no-sa-wa-ri
あるものを[1]	a-ru-mo-no-wo
羨ましくも[2]	u-ra-ya-ma-si-ku-mo
のぼる花かな	no-bo-ru-ha-na-ka-na

出典：『신센자이와카슈』釋敎 894번

1 名にしおはば … あるものを : 여랑화(女郎花)는 마타리의 다른 이름으로 와 카에서는 주로 여성을 의미한다. 꽃 이름에 '여자(女)'란 말이 들어가니 불교 에서 말하는 다섯 가지 장애를 지녔음에 분명하다는 뜻으로 의인법이 사용

되었다. 다섯 개의 장애, 즉 오장(五障)은 불교 용어로 여성은 태어나면서부터 다섯 가지 장애가 있다는 것이다. 『법화경』에 따르면, 여성은 범천왕(梵天王), 제석천(帝釋天), 마왕(魔王), 전륜성왕(轉輪聖王), 불(佛)이 될 수 없다.

2 羨ましくも: 자신은 감히 꿈도 꿀 수 없는 일인데, 여랑화는 여자라는 이름을 지녔음에도 불전에 올라 성불하였다며 부러움을 표출한 것이다.

257.

하리마播磨의 고승에게 보낸 노래

어둠 속에서
다시 어둠 속으로
빠져들 테니
저 멀리 비춰 주오
산 능선 위 달이여

はりまのひじりにやる[1]

くらきより	ku-ra-ki-yo-ri
くらき道にぞ	ku-ra-ki-mi-chi-ni-zo
入りぬべき[2]	i-ri-nu-be-ki
はるかにてらせ	ha-ru-ka-ni-te-ra-se
山の端の月[3]	ya-ma-no-ha-no-tsu-ki

··

出典:『슈이와카슈』哀傷 1342번(『정집』151, 843)

상기 노래는 이외에도 다수의 설화집을 비롯하여 13세기 초에 제작된 문예
평론서『無名草子 mumyouzoushi』와 가론서『無名抄 mumyousyou』, 그리고
1197년 만들어진 가론서『古來風體抄 koraihuteisyo』등 다양한 작품에 인용되
면서 이즈미시키부의 대표적인 노래로 손꼽힌다. 한편 이 노래는 이즈미시키
부 노래 가운데 칙찬 와카집에 처음으로 선정된 작품으로도 유명하다. 역대
세 번째 칙찬집인『슈이와카슈』에, '마사무네(雅致) 딸 시키부(式部)'라는 이름
으로 선정되었다. 이를 근거로 상기 작품은 그녀가 결혼하기 이전인 십대에
지은 것으로 추정되곤 한다. 자신이 앞으로 걷게 될 일생을 미망과 집착, 그로

인한 고통의 연속임을 예견하고 불도에의 귀의를 염원한 노래로 알려져 왔다. 하지만 창작시기와 무관하게, 올바른 인생행로를 향한 자신의 염원과는 다른 방향으로 나아가는 자신의 어리석음과 한계를 각성된 시각에서 응시하며 질타한 내용으로 해석할 수도 있다.

1 『슈이와카슈』 고토바가키는 '쇼쿠 고승에게 지어 보낸 노래(性空上人のもとに、詠みて遣はしける)'로 되어 있다. 한편 『정집』 151번에는 '하리마의 고승에게, 결연[結緣]을 위해 보내 드린 노래(播磨の聖の御許に、結緣のために聞えし)'로, 중복 수록된 843번에는 '하리마의 고승에게(播磨の聖のもとに)'로 되어 있다.

하리마의 고승은 지금의 효고 현(兵庫縣) 고베(神戶) 남서부 지역의 쇼사잔(書写山)에 위치한 엔교지(円敎寺)를 창건한 쇼쿠(性空 910~1007) 고승을 가리킨다. 그는 가잔인(花山院)·엔유인(円融院)·후지와라노 미치나가·후지와라노 긴토 등, 당대 내로라하는 사람들에게 존경받았다. 또한 당대 상황과 쟁쟁한 권력을 지닌 귀족들로부터 교토로 모시겠다는 요청에도 결코 응하지 않았던 인물로도 유명하다.

2 くらきより … 入りぬべき: 『법화경』 제7화성유품 가운데 '從冥於冥 永久聞仏名'을 기저에 깔고 있다. 중생은 항상 고뇌에 빠져 앞이 보이지 않는 캄캄한 어둠 속에서 이끌어 줄 도사가 없어 고통을 없앨 방도도 알지 못하고 해탈을 도모할 방법도 모른 채 기나긴 암흑과 같은 현세에서 악행만을 반복하며 어둠과도 같은 미망 속을 헤매며 영원히 부처의 이름을 듣지 못한다는 대목이다. 한편 이 노래는 이 책 88번(津の国のこやとも人をいふべきに隙こそなけれ 葦の八重葺き) 노래와 우열에 관한 논쟁이 끊임없이 이어진 노래로도 유명하다. 당시 가단(歌壇)의 일인자였던 후지와라노 긴토는 아들인 사다요리(定賴)에게 두 노래의 우열에 관해 언급하면서 상기 257번 노래 상구는 경문의 일부를 가져온 것뿐이며, 하구는 상구에 맞춰 자연스레 읊은 것에 지나지 않다며 88번 노래가 더 우수하다고 평가하였다(『俊賴髓脳 tosiyorizuinou』). 하지만 가모노 쵸메이(鴨長明 1155~1216)는 자신의 가론서인 『無明抄 mumyousyo』에 이들 부자의 대화를 인용한 자신의 견해를 피력한 바 있다. 즉 88번 노래의 우수성을 인정하면서도 후지와라 긴토의 평가는 잘못된 것이라며, 상기 257번 노래를 이즈미시키부의 대표작이라고 평가하였다.

3 山の端の月: 쇼쿠(性空) 고승을 빗댄 말이다.

258.

구마노熊野로 참배하러 갔는데 월경으로 신전에 공물을 봉헌할 수
없기에

박복하여라

구름은 길게 깔려

달을 가리고

월경이 시작되니

너무나도 속상해

熊野[1]へまうでたりけるに、さはりにて奉幣かなはざりけるに

はれやらぬ[2]	ha-re-ya-ra-nu
身のうき[3]雲の	mi-no-u-ki-ku-mo-no
たな引きて	ta-na-bi-ki-te
月のさはり[4]と	tsu-ki-no-sa-wa-ri-to
なるぞかなしき	na-ru-zo-ka-na-si-ki

....

出典 : 『후가와카슈』 神祇 2099번 좌주(左注)에 실려 있다.

『후가와카슈』 2099번에 수록된 '신불(神佛)이란/ 본디 속세의 온갖/ 더러움에/
뒤섞이는 법인데/ 월경이 무슨 문제(もとよりも/ 塵にまじはる/ 神なれば/ 月のさ
はりも/ なにかくるしき)'라는 노래 원편에 '이것은 이즈미시키부가 구마노에 참
배하러 갔을 때, 월경으로 신전에 공물을 봉헌할 수 없자, "박복하여라/ 구름은
길게 깔려/ 달을 가리고/ 월경이 시작되니/ 너무나도 속상해"라고 읊고서 잠든
밤 꿈속에서 신불이 전한 노래'라 기록된 좌주(左註)에 삽입된 노래다.
교토에서 먼 길을 마다않고 참배하러 갔는데 월경으로 예불할 수 없게 된 자신

의 박복함을 한탄한 여인과, 그 여인의 속상한 마음을 헤아리며 따뜻한 위로를 전하는 신불의 노래는 특별한 감흥을 선사한다.

1 熊野: 와카야마 현(和歌県)에서부터 미에 현(三重県)에 걸친 구마노가와(熊野川) 강 유역의 산악지대에 위치한 종교적 성지다. 구마노니마스 신사(熊野坐神社)·구마노하야타마 신사(熊野速玉神社)·구마노나치 신사(熊野那智神社) 등이 있다.

2 はれやらぬ: '마음이 풀리지 않다'와 '구름이 걷히지 않다'는 뜻을 지닌 중의적 표현이다.

3 うき: '박복함(憂き uki)'과 '떠 있는(浮き uki)'이라는 말의 동음이의어로 중의적 표현이다.

4 月のさはり: (길게 깔린 구름은) 달이 나오지 못하게 하는 장애물이란 뜻으로 '월경'을 뜻한다.

259.

이시야마데라石山寺로 불공드리러 가는 도중에 야마시나山科라는 곳에서
쉬었는데 그 집 주인이 따뜻한 마음의 소유자인 듯 하여 '금방 갔다 돌아오
는 길에 들르지요'라고 말하자, '절대로 들르지 않을 것이오'라고 하기에

나 돌아오길

한번 기다려 주오

그냥 이대로

지나치진 않으리

야마시나 마을을

石山にまゐりけるに、道に山科といふ所にて休み侍りしに、家あるじの心
あるさまにみえ侍りければ、「今かへるさにも」などいひしを「よもさしも」とい
ひ侍りしかば[1]

かへるさを	ka-e-ru-sa-wo
まちこころみよ	ma-chi-ko-ko-ro-mi-yo
かくながら	ka-ku-na-ga-ra
よもただにては	yo-mo-ta-da-ni-te-wa
山科[2]の里	ya-ma-si-na-no-sa-to

出典 : 『고슈이와카슈』 雜五 1142번(『속집』 1103)

1 『속집』에는 '야마시나라는 곳에서 피곤하기에 쉬었는데 그 집 주인이 따뜻
한 마음의 소유자인 듯하여 "돌아오는 길에 들를 테니 이야기를 나누지요"
라고 말하며(山科といふ所にて、苦しければ休む、その家主の心あるさまに

見ゆれば、「今帰さに聞えん」などいひて)'로 되어 있다.

상기 고토바가키 내의 '石山(isiyama)'는 시가 현(滋賀県) 오쓰 시(大津市)에 위치한 사찰인 이시먀마데라(石山寺)를 말한다. 이 책 134번 노래도 동일한 장소에서 읊은 작품이다.

2 山科: 지명인 '山科(yamasina)'에 '止まじ(yamazi 끝내지 않으리)'를 함의한다. 인연을 끝내지 않겠다는 말을 품은 이곳 야마시나에 다시 와서 당신을 만나겠다는 뜻으로 지명과 관련지어 기지를 발휘한 표현이다.

260.

덕망이 높은 스님이 왔다가 깜빡하고 놓고 간 쥘부채를 돌려주면서

> 허망하게도
> 버림받은 가엾은
> 쥘부채구나
> 스님이 타락했다
> 사람들 여길 텐데

法師のたふときがまうできて、扇[1]をおとしたるをつかはすとて

はかなくも	ha-ka-na-ku-mo
わすられにける	wa-su-ra-re-ni-ke-ru
扇かな[2]	o-u-gi-ka-na
おちたりけり[3]と	o-chi-ta-ri-ke-ri-to
人もこそみれ	hi-to-mo-ko-so-mi-re

出典 : 『고슈이와카슈』雜六 1210번(『정집』 180 · 『속집』 1191)

1 『고슈이와카슈』 고토바가키는 '스님이 쥘부채를 깜빡하고 놓고 갔기에 돌려 주며(法師の扇を落して侍りけるを返すとて)'로, 『정집』에는 '스님이 와서 쥘부채를 깜빡하고 놓고 갔기에 보내면서(法師の来て、扇おとしていきたるに、やるとて)'로 되어 있다. 한편 『속집』에는 '몹시 더운 무렵, 쥘부채를 만들어 다른 곳에 사는 형제자매에게 보내면서(いと暑き頃、扇ども貼らせて、外なるはらからどものがりやるとて)'로 되어 있어 앞선 출전과는 상이하다.
    당시 쥘부채(扇 ougi)는 현재와 마찬가지로 남녀에 따라 형태나 크기가 다르지 않지만, 쥘부채의 그림이나 글씨를 보면 성별이 판별된다. 연인들 사이에

서는 쥘부채를 서로 주고받는 경우도 빈번했으므로 아무런 사이도 아닌 상대방이 깜빡 부채를 놓고 간 경우 사람들에게 연인 사이로 의심받기도 한다.

2 はかなくも … 扇かな: 혹서를 지나 가을이 되면 사람들에게 등한시되는 부채는 종종 염증을 느낀 연인에게 버림받은 처지에 비유되곤 한다.

3 おちたりけり: '떨어뜨리다(落ち ochi)'와 스님이 계율을 어겨 '타락하다(堕ち ochi)'라는 뜻을 지닌 중의적 표현이다. 부채를 흘리고 간 승려를 야유한 해학적인 노래다.

261.

벼루를 다른 사람에게 보내며

질리지 않는
지난날의 추억을
적어두면서
사용한 벼룻물은
내 눈물이었어라

硯を人のもとへやるとて[1]

あかざりし	a-ka-za-ri-si
むかしのこと[2]を	mu-ka-si-no-ko-to-wo
かきつくる	ka-ki-tsu-ku-ru
硯の水は	su-zu-ri-no-mi-zu-wa
なみだなりけり	na-mi-da-na-ri-ke-ri

出典 : 『쇼쿠고킨와카슈』雜下 1772번(『속집』 986)

1 『쇼쿠고킨와카슈』 고토바가키는 '벼루를 다른 사람에게 보내며 읊은 노래 (すずりを人のもとにつかはすとてよめる)'로, 『속집』에는 '아쓰미치 왕자님이 사용하시던 벼루를, 그분 생전에 함께 모시며 알고 지내던 사람이 달라고 청하기에 벼루를 보내며(使はせ給ひし御硯を、同じ所にて見し人の乞ひた る、やるとて)'로 되어 있다.
상기 노래는 아쓰미치 왕자와 사별 후 그의 죽음을 애도하며 지은 120여수 에 달하는 만가군(挽歌群)에 들어가 있다. 벼루는 왕자가 생전에 애용한 것 으로 보이며, 이를 달라고 청할 정도면 이즈미시키부와 상당히 친하게 교류

했던 동료 여방(女房)인 것으로 추정된다.

2 あかざりし／ むかしのこと: 염증을 내는 일없이 사이좋게 지냈던, 생전 아쓰미
치 친왕과의 추억. 그것을 기록한 것이 다름 아닌 『이즈미시키부 일기』이다.
사별한 친왕과의 지난 추억을 기록하며 흘린 눈물을 벼룻물 삼아 적었다는
대목에서, 『이즈미시키부 일기』를 기록할 때 이 벼루가 사용되었을 개연성
이 높다.

262.

'이카가사키伊加賀崎'라는 곶串을 지날 적에 배에서 읊은 노래

나는야 그저
바람이 부는 대로
가고 있는데
어찌 그는 서둘러
이카가사키에 갔나

いかが崎といふ所を過ぎけるに、舟にてよみける[1]

我はただ	wa-re-wa-ta-da
風にのみこそ	ka-ze-ni-no-mi-ko-so
まかせつれ	ma-ka-se-tsu-re
いかがさきざき[2]	i-ka-ga-sa-ki-za-ki
人はまちける[3]	hi-to-wa-ma-chi-ke-ru

出典 : 『쇼쿠고슈이와카슈』 物名 527번(『속집』 1144)

1 『속집』에는 '이카가 곶에서(いかがさきにて)'로 되어 있다.
2 いかがさきざき: '이카가사키(ikagasaki)'와 '사키자키(sakizaki)'가 합쳐진 말이다. '이카가 곶(伊加賀崎 ikagasaki)'이라는 지명과 '어찌 앞서(いかが先 ikagasaki)'의 동음이의어로 중의적 표현이다.
'이카가 곶'은 지금의 시가(滋賀) 현에 위치한 이시야마데라(石山寺) 부근의 세타가와(瀬田川) 강변이라는 설과, 오사카 히라카타(枚方) 시에 위치한 '이카가(伊加賀)'라는 설로 나뉘지만 현재는 전자로 보는 설이 유력하다. 한편 '사키자키(先先 sakizaki)'는 '장래, 먼 뒷날'이라는 뜻이다.

3 まちける: 『쇼쿠고슈이와카슈』에는 '갔을까(**行きける** yukikeru)' 과거를 뜻하
   는 조동사가 사용된 반면, 『속집』에는 '간 걸까(行**くらん** yukuran)'로 현재
   상황의 원인이나 이유를 추정하는 조동사가 들어있어 시제(時制)가 다르다.

263.

'6월 장맛비'라는 시제를

> 한밤중 문득
> 마음이 동한 이가
> 베어 간 걸까
> 물구덩이 속 줄이
> 오늘 아침 흐트러져

五月雨といふことを[1]

夜の程に	yo-no-ho-do-ni
かりそめ[2]人や	ka-ri-so-me-hi-to-ya
きたりけん	ki-ta-ri-ke-n
淀の[3]みこも[4]の	yo-do-no-mi-ko-mo-no
けさみだれ[5]たる	ke-sa-mi-da-re-ta-ru

....

出典 : 『센자이와카슈』雑下 1169번(『속집』 1387)

1 『센자이와카슈』 고토바가키는 '6월 장맛비를 읊은 노래(さみだれをよめる)'
  로, 『속집』에는 '「6월 장맛비」라는 시제를(「さみだれ」と云ふ題を)'이라고 되
  어 있다.

2 かりそめ: '일시적, 문득 마음이 움직여(仮初 karisome)'라는 말과 '베기 시작
  하다(刈り初め karisome)'라는 말의 동음이의어로 중의적 표현이다.

3 淀の: '물구덩이(yodono)'와 '침실(夜殿 yodono)'이라는 말의 동음이의어로
  중의적 표현이다.

4 みこも: 물속에서 자라는 '줄'은 볏과의 다년초로 늪지에 군락을 이루며 자생

한다. 잎은 돗자리를 만들 때 사용하고 열매와 새싹은 식용한다.

5 けさみだれ: '오늘 아침 흐트러져(今朝乱れ kesamidare)'라는 말 속에 'さみ だれ(五月雨 samidare)', 즉 '6월 장맛비'라는 시제를 감춘 언어유희적인 노 래다. 한편 이 노래는 중의적 표현을 살려 '밤새 그 사람이 문득 내 생각나서 왔다 간 걸까, 오늘 아침 이부자리가 흐트러져 있는 걸 보니'라는 또 다른 해석도 가능하다.

264.

수심에 잠긴 무렵

어찌 하리까
비 내리는 이 세상
살기 힘겨워
사노라면 눈물에
소매 마를 날 없어

物思ひ侍りしころ[1]

いかにせむ	i-ka-ni-se-n
天の下[2]こそ	a-me-no-si-ta-ko-so
住みうけれ	su-mi-u-ke-re
ふれ[3]ば袖のみ	hu-re-ba-so-de-no-mi
まなくぬれつつ	ma-na-ku-nu-re-tsu-tsu

....

出典：『신쵸쿠센와카슈』雜二 1127번(『정집』 160, 850)

1 『신쵸쿠센와카슈』고토바가키는 '제목 미상(題知らず)'으로 되어 있다. 한편
『정집』 160번에는 '비가 세차게 내릴 때, 왠지 기분이 울적해서(雨のいたく
降る頃、ものむつかしうて)'로, 중복 수록된 850번에는 '비가 매우 세차게 내
릴 때(雨のいといたう降る頃)'로 되어 있다.

2 天の下: '하늘(天 ame)'과 '비(雨 ame)'라는 말의 동음이의어다. 이 말은 4구
의 'ふれ(降れ hure 내리고)'와 5구의 'ぬれ(濡れ nure 젖어)'와 관련된말(緣
語 engo)이다.

3 ふれ: '살다(經れ hure)'와 '비가 내리다(降れ hure)'라는 뜻을 지닌 중의적
표현이다.

265.

無題

그렇잖아도
잠을 잘 수 없는데
한술 더 떠서
종을 쳐 놀라게 해
깨우는 종소리여

無題[1]

さならでも	sa-na-ra-de-mo
ねられぬものを	ne-ra-re-nu-mo-no-wo
いとどしく	i-to-do-si-ku
つき驚かす[2]	tsu-ki-o-do-ro-ka-su
かねの音かな	ka-ne-no-o-to-ka-na

· ·

出典 : 『고슈이와카슈』誹諧 1211번(『속집』 1517)

1 『고슈이와카슈』고토바가키는 '제목 미상(題知らず)'으로, 『속집』에는 '라는
생각에 젖어있는데 타종 소리가 들리기에(と思ふほどに、鐘の声もすれば)'
로 되어 있다. 인용격 조사 앞에 들어갈 말은, '번뇌 가득한/ 집과 괴로운
세상인/ 화택[火宅]을 나와/ 온 세상 적시는 비 같은/ 불도에 귀의할까나(物
をのみ/ 思ひの家を/ 出でてふる/ 一味の雨に/ 濡れやしなまし)'라는 『속집』
1516번 노래 내용이다.

2 つき驚かす: '종을 쳐서 놀라게 하다(撞き驚かす)'와 '자는 사람을 깨우다
(突き驚かす)'라는 말의 동음이의어로 중의적 표현이다. 한편 '자는 사람을

깨우다'는 말은 2구의 'ねられぬ(nerarenu 잠들 수 없다)'라는 말과는 모순된다. 이런 점에서 『고슈이와카슈』 편자가 해학적인 노래로 분류한 것으로 추정된다.

266.

無題

다시 해 질 녘
도대체 며칠이나
지난 것일까
만종 소리 들으며
깊은 시름에 잠겨

無題¹

くれぬめり²   ku-re-nu-me-ri
いくかをかねて   i-ku-ka-wo-ka-ne-te
過ぎぬらん   su-gi-nu-ra-n
入相の鐘の   i-ri-a-i-no-ka-ne-no
つくづく³として   tsu-ku-zu-ku-to-si-te

出典:『신고킨와카슈』雜下 1807번(『정집』 289)

1 『신고킨와카슈』고토바가키는 '제목 미상(題知らず)'으로,『정집』에는 '観身
   額岸離根草、論命江頭不繋舟'(이 책 48번 노래 각주 참조)로 되어 있다.
2 くれぬめり:『정집』에는 'くれぬ**なり**(kurenunari)'로 되어 있다. 'めり(meri)'가
   시각에 의한 추측을 나타내는 반면, '(**なり** nari)'는 청각에 의한 추측을 뜻하
   는 조동사로 차이가 있다.
3 つくづく: '수심에 잠기다(tsukuzuku)'는 말에 '종을 치다(撞く tsuku)'를 함의
   한다.

267.

無題

해 질 녘이면
구름 바라만 봐도
서글프기에
바라보지 않겠단
마음마저 드누나

無題[1]

夕暮は　　　　　　　　yu-u-gu-re-wa
雲のけしきを　　　　　ku-mo-no-ke-si-ki-wo
みるからに　　　　　　mi-ru-ka-ra-ni
ながめじと思ふ　　　　na-ga-me-zi-to-o-mo-o
心こそつけ　　　　　　ko-ko-ro-ko-so-tsu-ke

出典:『신고킨와카슈』雜下 1806번(『속집』 1031)

1 『신고킨와카슈』 고토바가키는 '제목 미상(題知らず)'으로, 『속집』에는 '달랠
길 없는 무료함에 두서없이 떠오르는 생각들을 적어 모아 보니 노래가 되었
다. 한낮 그리움/ 해 질 무렵 서글픔/ 초저녁 시름/ 한밤중 홀로 깨어/ 동틀
녘 사모의 정, 이를 나눠서 읊은 노래(つれづれの尽きせぬままに、おぼゆる
事を書き集めたる歌にこそ似たれ 昼偲ぶ 夕べの眺め 宵の思ひ 夜中の寝覚
暁の恋 これを書きわけたる)'로 되어 있다. 이 가운데 상기 노래는 '해 질
무렵 서글픔(夕べの眺め)'에 해당되는 작품이다.

268.

無題

> 나의 수심에
> 당신 근심 더해져
> 커지는 슬픔
> 잠시라도 슬픔이
> 없으면 좋을 텐데

無題[1]

更にまた[2]	sa-ra-ni-ma-ta
物をぞ思ふ	mo-no-wo-zo-o-mo-o
さならでも	sa-na-ra-de-mo
なげかぬときの	na-ge-ka-nu-to-ki-no
ある身ともがな[3]	a-ru-mi-to-mo-ga-na

....

出典:『신쵸쿠센와카슈』雜二 1126번(『정집』727)

1 『신쵸쿠센와카슈』고토바가키는 '제목 미상(題知らず)'으로,『정집』에는 '수
심에 잠겨 지낼 무렵, 근심이 있는 사람에게(物思ふ頃、思ふ事ある人に)'로
되어 있다.
2 更にまた: '내 수심에 당신 근심이 더해져 더욱더'라는 뜻이다.
3 身ともがな:『정집』에는 '身とも**なく**(mitomonaku 신세도 아닌데)'로 되어 있다.

269.

無題

스미요시住吉의
청징한 새벽녘 달
바라다보니
머나먼 곳 가 버린
당신 모습 그리워

無題[1]

すみよし[2]の	su-mi-yo-si-no
有明の月[3]を	a-ri-a-ke-no-tsu-ki-wo
ながむれば	na-ga-mu-re-ba
とほざかりにし	to-o-za-ka-ri-ni-si
影[4]ぞこひしき	ka-ge-zo-ko-i-si-ki

出典 : 『신쵸쿠센와카슈』 雑四 1282번(『속집』 1051)

1 『신쵸쿠센와카슈』 고토바가키는 '제목 미상(題知らず)'으로, 『속집』에는 '달
랠 길 없는 무료함에 두서없이 떠오르는 생각들을 적어 모아 보니 노래가
되었다. 한낮 그리움/ 해 질 무렵 서글픔/ 초저녁 시름/ 한밤중 홀로 깨어/
동틀 녘 사모의 정, 이를 나눠서 읊은 노래(つれづれの尽きせぬままに、お
ぼゆる事を書き集めたる歌にこそ似たれ 昼偲ぶ 夕べの眺め 宵の思ひ 夜中
の寝覚 暁の恋 これを書きわけたる)'로 되어 있다. 이 가운데 상기 노래는
'동틀 녘 사모의 정(暁の恋)'에 해당되는 작품이다.

2 すみよし: 지명인 '스미요시(住吉 sumiyosi)'에 '달이 맑고 밝음(澄み sumi)'

을 함의한다. 한편 '스미요시'는 오사카 시 남부 스미요시 구(區) 부근을 지
칭한다.

3 有明の月 : 음력 20일 이후, 날이 밝는데도 서쪽 하늘로 기울지 않고 새벽까
지 떠있는 달. 이 시어를 통해 이즈미시키부가 밤새 잠 못 이루며 새벽녘까
지 깨어 있었음을 짐작할 수 있다.

4 影 : 『속집』에는 '人(hito 사람)'로 되어 있다. 'すみ(sumi)·月(tsuki)·影(kage)'
는 모두 달과 관련된 말(緣語 engo)이다.

270.

'비구니가 되고 말리'라고 하자, '그대로 잠시만 더 마음을 가라 앉히세요'
라고 말하는 사람에게

> 이렇게까지
> 괴로움 견뎌 내며
> 살아간다면
> 지금보다 더 깊은
> 시름에 잠기리라

「あまになりなむ」といふを、「なほいましばし思ひのどめよ」といふ人に[1]

かくばかり	ka-ku-ba-ka-ri
うきを忍びて	u-ki-wo-si-no-bi-te
ながらへば	na-ga-ra-e-ba
これより勝る[2]	ko-re-yo-ri-ma-sa-ru
物をこそ思へ	mo-no-wo-ko-so-o-mo-e

· ·

出典:『신고킨와카슈』雜下 1811번(『속집』 1324)

1 『신고킨와카슈』에는 '비구니가 되겠다고 결심했는데, 다른 사람이 만류하기
  에(尼にならんと思ひ立ちけるを、人のとどめ侍りければ)'로 되어 있다. 한
  편『속집』에는 '"반드시 비구니가 되겠다"고 하자, "당분간 좀 더 참아보
  라"고 말하는 사람에게(「尼になりなむ」といふを、「しばし猶念ぜよ」といふ人
  に)'로 되어 있다.

2 これより勝る:『속집』에는 'これに**増さりて**(korenimasarite)'로 되어 있지만 의
  미는 동일하다.

271.

칼로 된 나뭇가지에 찔려있는 사람이 그려 있는 지옥도를 보고

끔찍하여라
칼 휘어질 정도로
온몸이 찔려
무슨 죗값이기에
이리 고통 받을까

地獄の絵[1]に、つるぎのえだに人のつらぬかれたるをみて

あさましや	a-sa-ma-si-ya
剣の枝の	tsu-ru-gi-no-e-da-no
たわむまで	ta-wa-mu-ma-de
こは何の身[2]の	ko-wa-na-ni-no-mi-no
なるにかあるらん	na-ru-ni-ka-a-ru-ra-n

....

出典 : 『긴요와카슈』 雑下 644번

1 地獄の絵: 현세에서 죄를 지은 사람이 지옥에 떨어져 고초를 당하는 모습을 그린 지옥도.

2 何の身: 당시에는 전생의 업보에 따라 현세의 행불행이 정해지고 현세의 행동거지에 따라 죽은 뒤 어떤 모습으로 환생할지 정해진다는 윤회사상을 믿었다. 이런 분위기 속에서 헤이안 중기 천태종 승려인 겐신(源信 942~1017)은 불교서 『往生要集ouzyoyousyu』(985년)를 저술하였다. 이 책에는 극락과 지옥에 관한 다양한 그림이 실려 있는데 특히 지옥 묘사에 공포를 느낀 사람들이 앞다투어 불교에 귀의하는 계기가 되기도 했다. 죄 많은

인간이 지옥에 떨어져 고통 받는 참혹한 그림을 보고 두려워한 정경은 『枕草子 makuranosousi』에도 보인다. 데이시(定子) 중궁에게 보여주기 위해 천황이 가져온 지옥도 병풍을 여방들에게도 보이려 하자 세이쇼나곤(清少納言)이 무서워서 다른 방으로 숨었다는 일화가 「불명(佛名)이 끝난 다음 날(77단)」에 전한다.

272.

가모 신사로 참배하러 갔을 때, 짚신에 발이 베여 종이로 동여맨 것을
보고 신관 다다요리忠賴가

신神과 동음인
종이로 어찌 발을
동여매는가

　　라고 읊기에

그러기에 아래편
신사라 말하지요

賀茂にまゐりたりしに、わらうづに足をくはれて紙をまきたりしを、なにちか
やらむ[1]

ちはやぶる[2]　　　　　　　chi-ha-ya-bu-ru
かみ[3]をばあしに　　　　　ka-mi-wo-ba-a-si-ni
まくものか　　　　　　　　ma-ku-mo-no-ka

　　と申したりしを

これをぞしもの　　　　　　ko-re-wo-zo-si-mo-no
やしろ[4]とはいふ　　　　　ya-si-ro-to-wa-yu-u

出典 : 『긴요와카슈』雑下 658번
상기 노래는 와카 한 수를 두 사람이 나눠 읊는 방식의 렌가(連歌)이다. 다시

말해 상구(5/ 7/ 7)와 하구(7/ 7)를 두 사람이 나눠 읊는 방식이다. 여기서는 다다요리가 읊은 상구에, 이즈미시키부가 하구를 더해 완성시킨 작품이다.

1 상기 고토바가키의 'なにちか'는 인명으로 보이지만, 전체적으로 'なにちか やらむ'의 의미가 불분명하다. 한편 『긴요와카슈』 고토바가키는 '이즈미시 키부가 가모 신사에 참배했을 때, 짚신에 발을 베여 종이로 동여맨 걸 보고 (和泉式部が賀茂に参りけるに、藁沓に足を食はれて、紙を巻きたりけるを見 て)'로 되어 있다, 이와 더불어 고토바가키에는 와카의 작자를 신관 다다요 리(神主忠頼)라고 명기해 두었다. 따라서 이 책에서는 의미가 불분명한 'な にちかやらむ'를 『긴요와카슈』 고토바가키에 따라 신관(神官) 다다요리(忠 頼)로 옮겼다.

2 ちはやぶる: 특정한 말 앞에 붙어 그 말을 수식하거나 어조를 고르기 위해 관용적으로 사용되는 다섯 글자 이하로 구성된 말(枕詞 makurakotoba)이다. 이는 'chi(風. 강력한 위력을 뜻함) + haya(速. 빠르다) + buru(모습을 하다)' 가 결합된 형태로 '힘이 세고 난폭하다'는 뜻이다. 강력한 힘을 지닌다는 뜻에서 '신(神)' 또는 지명인 '우지(宇治)' 앞에 관용적으로 따라붙는데 이런 경우 따로 해석할 필요는 없다.

3 かみ: '신(神 kami)'과 '종이(紙 kami)'라는 말의 동음이의어로 중의적 표현 이다.

4 しもの/ やしろ: 가모 신사의 정식 명칭은 가모미오야(賀茂御祖) 신사인데, 가모가와(鴨川) 하류에 위치한다는 점에서 '시모가모(下鴨 simogamo) 신 사', 즉 '아래편 가모 신사'라 불렸다. 이에 이즈미시키부는 신체 아래쪽(下) 인 '발'에 시모가모 신사를 중첩시켜 기지를 발휘한 것이다.

273.

다시 같은 신사에서

　　신사에 두른
　　신성한 담장마저
　　넘을 것 같소

　　　라고 읊기에

　　어찌 신전에 받칠
　　제물 될 수 있을까

又おなじやしろにて

　　千はやぶる　　　　　　chi-ha-ya-bu-ru
　　みのいがきも　　　　　ka-mi-no-i-ga-ki-mo
　　こえぬべし[1]　　　　　ko-e-nu-be-si

　　　と申したりしを

　　みてぐらどもに　　　　mi-te-gu-ra-do-mo-ni
　　いかでなるらん[2]　　　i-ka-de-na-ru-ra-n

....

1　かみのいがきも/ こえぬべし: 일신의 파멸을 감수하고라도 금령(禁令)을 범
　하겠다는 무모한 각오를 다질 때의 표현인데 동일한 취지의 노래를 소개하
　면 다음과 같다.

① 신사 담장도/ 넘어 버릴 것 같소/ 이제는 나에/ 관한 염문 따위/ 전혀 개의치 않아(ちはやぶる/ 神の斎垣も/ 越えぬべし/ 今は我が名の/ 惜しけくも無し『만요슈』 2663)

② 신사 담장도/ 감히 넘어 버릴 것/ 같소 궁궐서/ 오신 당신이 너무/ 보고픈 나머지(ちはやぶる/ 神のいがきも/ 越えぬべし/ 大宮人の/ 見まくほしさに『이세모노가타리』 71단)

2 みてぐらどもに/ いかでなるらん: 이즈미시키부는 신사 담장을 넘는다는 말의 진의를 알면서도 짐짓 액면 그대로 받아들여 하구를 읊고 있다. 'みてぐら (mitegura. 幣)'는 신에게 바치는 물건의 총칭이다. 인간은 신의 영역에 감히 들어갈 수 없거늘 담장을 넘을 것 같다고 하니 당신은 제물이라도 된다는 말인데 어찌 그런 일이 가능하겠냐며 반론한다. 상대방이 내비친 비장한 사랑의 각오를 재치 있게 받아넘긴 셈이다. 과연 이 두 사람이 실제로 남녀 관계에 있었는지 여부는 확인할 바 없다. 다만 상구를 읊은 인물이 신관이라는 점에서 이 노래는 언어유희에서 비롯된 작품으로 두 사람이 매우 친근한 사이였음을 가늠할 따름이다.

칙찬 와카집별 수록된 이즈미시키부 노래

*노래 앞의 숫자는 각 칙찬 와카집에 수록된 일련번호이며,
뒷부분의 ( )안 숫자는 본서에 기재된 번호다.

『슈이와카슈』: 1수

1342 冥きより冥き道にぞ入りぬべきはるかに照らせ山の端の月 (257)

『고슈이와카슈』: 68수

  13 春霞たつやおそきと山川の岩間をくぐる音きこゆなり (1)

  25 引きつれてけふは子の日の松に又いま千とせをぞ野べに出でける (2)

  35 春の野は雪のみつむと見しかどもおひ出づるものは若菜なりけり (3)

  57 春はただわが宿のみに梅さかばかれにし人もみにときなまし (6)

 100 都人いかにと問はば見せもせむかの山桜一えだもがな (13)

 101 人もみぬ宿に桜をうゑたれば花もてはやす身とぞなりぬる (15)

 102 わが宿の桜はかひもなかりけりあるじからこそ人も見にくれ (16)

 148 風だにも吹きはらはずは庭桜ちるとも春の程はみてまし (14)

 150 岩つつじ折りもてぞみるせこがきし紅ぞめの衣ににたれば (19)

 165 桜色にそめし袂をぬぎかへて山ほととぎす今朝よりぞまつ (20)

 293 晴れずのみものぞかなしき秋霧は心のうちに立つにやあるらむ (38)

 299 かぎりあらむ中ははかなくなりぬとも露けき萩の上をだにとへ (42)

 317 ありとてもたのむべきかは世の中をしらする物は朝がほの花 (37)

 334 何しかは人もきてみむいとどしくもの思ひそふる秋の山里 (45)

 414 みわたせばまきの炭やく気をぬるみ大原山の雪のむらぎえ (52)

 509 こととはばありのまにま都鳥みやこのことをわれにきかせよ (229)

 539 立ちのぼる煙につけて思ふかないつまたわれを人のかくみん (230)

 568 とどめおきて誰を哀れと思ふらむ子はまさりけり子はまさるらん (238)

 573 今はただそよそのことと思ひ出でて忘るばかりのうきこともがな (232)

574 すてはてむと思ふさへこそ悲しけれ君になれにしわが身と思へば (233)

575 なき人のくる夜ときけど君もなしわがすむ宿や玉なきの里 (249)

611 おぼめくな誰ともなくてよひよひに夢にみえけんわれぞ其の人 (67)

635 下ぎゆる雪まの草のめづらしくわが思ふ人にあひみてしがな (139)

679 眺めつつ事あり顔にくらしてもかならず夢にみえばこそあらめ (78)

681 おきながら明しつるかなともねせぬかもの上毛の霜ならなくに (46)

691 津の国のこやとも人をいふべきにひまこそなけれ蘆のやへぶき (88)

703 みし人にわすられてふる袖にこそ身をしる雨はいつもをやまね (76)

711 こよひさへあらばかくこそ思ほえめけふくれぬまの命ともがな (147)

745 中々にうかりしままにやみにせば忘るる程になりもしなまし (77)

746 うき世をもまた誰にかはなぐさめむ思ひしらずもとはぬ君かな (69)

755 黒髪のみだれもしらずうちふせばまづかきやりし人ぞ恋しき (58)

757 なきながす涙にたへでたえぬればはなだの帯の心ちこそすれ (148)

763 あらざらむこのよの外の思ひ出に今一たびのあふこともがな (108)

776 われもいかにつれなくなりて心むむつらき人こそ忘れがたけれ (70)

790 世の中にこひていふ色はなけれどもふかく身にしむ物にぞありける (160)

799 ひたすらに軒のあやめのつくづくと思へばねのみかかる袖かな (152)

800 類なきうき身なりけり思ひしる人だにあらばとひこそはせめ (153)

801 君こふる心は千々にだくともひとつもうせぬ物にぞありける (68)

802 涙川同じ身よりは流れど恋をば消たぬ物にぞありける (59)

817 さまざまに思ふ心はあるものをおしひたすらにぬるる袖かな (86)

820 人の身も恋にはかへつ夏虫のあらはにもゆとみえぬばかりぞ (156)

821 かるもかき臥す猪の床のいを安みさこそねざらめかからずもがな (72)

831 しら露も夢もこのよもまぼろしもたとへていへば久しかりけり (149)

909 臥しにけりさしも思はば笛竹の音をぞせまし夜ふけたりとも (107)

910 やすらはでたつにたてうき槇の戸をさしも思はぬ人もありけり (158)

911 人しらでねたさもねたし紫のねずりの衣うはぎにをせん (165)

912 ぬれぎぬと人にはいはむ紫のねずりの衣うはぎなりとも (166)

919 いづくにかきても隠れむ隔てたる心のくまのあらばこそあらめ (164)

920 休らひに眞木の戸をこそささざらめいかに明けつる冬の夜ならん (75)

924 何方へゆくとばかりは告げてましとふべき人のあるみと思はば (110)

925 かくばかりしのぶる雨を人とはばなににぬれたる袖といふらん (181)

926 空になる人の心はささがにのいかにけふまたかくてくらさん (183)

927 三笠山さしはなれぬとききしかど雨もよにとは思ひし物を (185)

950 君はまたしらざりけりな秋のよのこのまの月ははつかにぞみる (182)

963 とへとしも思はぬ八重の山吹をゆるすといはばをりにこんとや (179)

964 あぢきなく思ひこそやれつくづくと独りや井手の山ぶきの花 (180)

967 長しとてあけずやはあらむ秋のよは待てかし槇の戸計りをだに (167)

999 ことわりやいかでか鹿のなかざらむこよひばかりの命と思へば (211)

1007 物をのみ思ひしほどにはかなくて淺茅が末の世はなりにけり (251)

1008 忍ぶべき人もなき身はあるをりに哀れ哀れといひやおかまし (250)

1009 いかなれば同じ色にておつれども涙はめにもとまらざるらん (212)

1095 かたらへば慰むこともあるものを忘れやしなん恋のまぎれに (168)

1142 かへるさをまちこころみよかくながらよもただにては山科の里 (259)

1162 もの思へば沢のほたるもわが身よりあくがれ出づる玉かとぞみる (208)

1163 おく山にたぎりて落つる滝つせのたまちるばかりものな思ひそ (209)

1204 思ふこと皆つきねとて麻の葉を切りに切りてもはらへつるかな (28)

1210 はかなくもわすられにける扇かなおちたりけりと人もこそみれ (260)

1211 さならでもねられぬものをいとどしくつき驚かすかねの音かな (265)

『긴요와카슈』: 4수

556 さぎのゐる松原いかに騒ぐらむしらげばうたてさととよみけり (199)

620 もろともに苔の下にはくちずしてうづもれぬ名をみるぞ悲しき (237)

644 あさましや剣の枝のたわむまでこは何の身のなるにかあるらん (271)

658 ちはやぶるかみをばあしにまくものかこれをぞしものやしろとはいふ (272連歌)

『시카와카슈』: 15수

109 秋ふくはいかなる色の風なれば身にしむばかり哀れなるらん (34)

120 鳴く虫のひとつ声にもきこえぬは心々にものやかなしき (39)

158 待つ人のいまもきたらばいかがせん踏ままく惜しき庭の雪かな (53)

173 もろともにたたまし物をみちのくの衣の関をよそにきくかな (226)

240 われのみや思ひおこせんあぢきなく人はゆくへもしらぬ物ゆゑ (225)

249 夕ぐれにもの思ふ事はまさるかとわれならざらむ人にとはばや (161)

254 竹の葉に霰ふる夜はさらさらに独りは寝べき心ちこそせね (60)

269 いくかへり辛しと人をみくまののうらめしながら恋しかるらん (169)

310 おのが身のおのが心にかなはぬを思はばものは思ひしりなん (170)

311 菖蒲草かりにも来らむものゆゑにねやのつまとや人のみつらん (171)

312 人しれずもの思ふことはならひにき花に別れぬ春しなければ (175)

320 秋はみな思ふことなき荻のはも末たわむまで露は置くめり (172)

326 音せぬは苦しきものを身にちかくなるとていとふ人もありけり (105)

333 あしかれと思はぬ山の峰にだに生ふなる物を人のなげきは (173)

357 夕暮はものぞかなしきかねの音をあすも聞くべき身としらねば (242)

『센자이와카슈』: 21수

22 梅が香におどろかれつつ春の夜のやみこそ人はあくがらしけれ (5)

33 つれづれとふるは涙の雨なるを春のものとや人のみるらむ (202)

206 みるに猶この世の物とおぼえぬは唐撫子の花にぞありける (24)

247 人もがなみせもきかせも萩が花さく夕かげの日ぐらしの声 (41)

396 外山ふくあらしの風の音きけばまだきに冬の奥ぞしらるる (48)

490 別れても同じ都にありしかばいとこのたびの心ちやはせし (224)

503 水の上に浮き寝をしてぞ思ひしるかかれば鴛もなくにぞありける (214)

548 をしきかなかたみにきたる藤衣ただこのごろに朽ちはてぬべし (231)

840 いかにして夜の心をなぐさめむ昼はながめにさてもくらしつ (154)

841 これもみなさぞなむかしの契りぞと思ふものからあさましきかな (157)

844 まつとてもかばかりこそはあらましか思ひもかけぬ秋の夕ぐれ (176)

845 ほどふれば人はわすれてやみぬらんちぎりしことを猶頼むかな (155)

905 音を泣けば袖はくちてもうせぬめり猶うき事ぞつきせざりける (62)

906 とも斯もいはばなべてに成りぬべししねに泣きてこそみすべかりけれ (162)

907 有り明けの月みすさびにおきていにし人の名殘を詠めしものを (89)

958 うらむべき心ばかりはあるものをなきになしてもとはぬ君かな (177)

971 かをる香によそふるよりは時鳥きかばや同じ声やしたると (210)

986 物思ふに哀れなるかとわれならぬ人にこよひの月をとはばや (187)

1060 花さかぬ谷のそこにもすまなくに深くも物を思ふ春かな (203)

1095 命あらばいかさまにせん世をしらぬ虫だに秋はなきにこそなけ (221)

1169 夜の程にかりそめ人やきたりけん淀のみこものけさみだれたる (263)

『신고킨와카슈』: 25수

370 秋くれば常磐の山の山風もうつるばかりに身にぞしみける (30)

408 たのめたる人はなけれど秋の夜は月みで寝べき心ちこそせね (35)

583 世の中になほもふるかなしぐれつつ雲間の月のいでやと思へば (49)

624 野べみれば尾花が本の思ひ草かれゆく冬になりぞしにける (50)

702 かぞふれば年の残りもなかりけり老いぬるばかりかなしきはなし (55)

775 置くとみて露もありけりはかなくも消えにし人を何にたとへん (235)

776 思ひきやはかなくおきし袖の上の露をかたみにかけん物とは (236)

783 ねざめする身をふきとほす風の音を昔は袖のよそにききけむ (216)

816 恋ひわぶときくだにきけばかねの音打ち忘らるる時のまぞなき (234)

1012 けふも又かくや伊吹のさしも草さらば我のみもえやわたらん (71)

1023 あとをだに草のはつかにみてしがな結ぶばかりの程ならずとも (116)

1160 枕だにしらねばいはじみしままに君かたるなよ春の夜の夢 (92)

1178 けさはしも歎きもすらむいたづらに春の夜ひとよ夢をだにみで (142)

1344 今こむといふことのはもかれゆくによなよな露のなにに置くらん (143)

칙찬 와카집별 수록된 이즈미시키부 노래

1402 いかにしていかにこの世にありへばか暫しも物を思はざるべき (144)

1495 思ひあらばこよひの空はとひてましみえしや月の光なりけむ (145)

1529 すみなれし人かげもせぬわが宿に有明の月のいく夜ともなく (220)

1640 世をそむくかたはいづくにありぬべし大原山はすみうかりきや (219)

1716 潮のまによもの浦々たづぬれば今はわがみのいふかひもなし (217)

1738 命さへあらばみつべき身のはてをしのばむ人のなきぞかなしき (218)

1806 夕暮は雲のけしきをみるからにながめじと思ふ心こそつけ (267)

1807 くれぬめりいくかをかねて過ぎぬらん入相の鐘のつくづくとして (266)

1811 かくばかりうきを忍びてながらへばこれより勝る物をこそ思へ (270)

1820 うつろはでしばししのだの森をみよかへりもぞする葛のうら風 (150)

1821 秋風はすごく吹くとも葛の葉のうらみがほにはみえじとぞおもふ (151)

『신쵸쿠센와카슈』: 14수

78 いづれともわかれざりけり春の夜は月こそ花のにほひなりけれ (18)

641 今日のまの心にかへて思ひやれながめつつのみ過す月日を (64)

642 うち出ででもありにしものを中中に苦しきまでも歎くけふかな (63)

823 恋といへば世のつねのとや思ふらむけさの心はたぐひだになし (65)

825 夢にだにみであかしつる暁の恋こそ恋のかぎりなりけれ (96)

826 世のつねのこととも更におもほえずはじめて物を思ふ身なれば (66)

928 見えもせむ見もせん人を朝ごとにおきてはむかふ鏡ともがな (95)

934 逢ふことを玉の緒にする身にしあればゆるをいかが哀れと思はん (56)

935 緒をよわみみだれて落つる玉とこそ涙も人のめにはみゆらめ (93)

957 さもあらばあれ雲井乍らも山の端に出でぬる夜半の月とだにみば (57)

1126 更にまた物をぞ思ふさならでもなげかぬときのある身ともがな (268)

1127 いかにせむ天の下こそ住みうけれふれば袖のみまなくぬれつつ (264)

1200 春や来る花やさくともしらざりき谷の底なる埋木の身は (204)

1282 すみよしの有明の月をながむればとほざかりにし影ぞこひしき (269)

『쇼쿠고센와카슈』: 16수

　84 花にのみ心をかけておのづから春はあだなる名ぞ立ちぬべき (9)

　85 おしなべて春は桜になしはてて散るてふことのなからましかば (189)

172 たが里にづききつらむ郭公夏はところもわかずきぬるを (23)

387 秋の田の庵にふける苫をあらみもりくる露のいやは寝らるる (32)

446 われならぬ人もさぞみむ長月の有り明けの月にしるし哀れは (44)

459 外山なるまさきのかづら冬くれば深くも色のなりまさるかな (47)

696 かく恋ひばたへで死ぬべしよそにみし人こそおのが命なりけれ (90)

712 逢ふ事のありやなしやもみもはてで絶えなん玉の緒を如何せん (91)

795 経べき世のかぎりもしらずその程にいつと契らむ事のはかなさ (102)

842 あふ事は更にもいはず命さへただこのたびやかぎりなるらん (104)

846 惜しむらん人の命はありもせよ待にしたへぬ身こそなからめ (119)

914 身にしみて哀れなるかないかなりし秋ふく風を音にききつる (97)

942 とへと思ふ心ぞ絶えぬ忘るるをかつみ熊野の浦の濱木綿 (94)

945 忍ばれんものとはみえぬわが身かなある程をだに誰かとひける (123)

958 たぐひなくかなしき物はいまはとてまたぬゆふべの詠めなりけり (120)

1228 緒をよわみたえてみだるる玉よりもぬきとめがたし人の命は (241)

『쇼쿠고킨와카슈』: 3수

231 身のうきにひける菖蒲のあぢきなく人の袖までねをやかくべき (25)

1023 何ごとも心にこめて忍ぶるをいかで涙のまづ知りぬらん (73)

1772 あかざりしむかしのことをかきつくる硯の水はなみだなりけり (261)

『쇼쿠슈이와카슈』: 7수

159 またねどももの思ふ人はおのづから山ほととぎす先づぞききつる (22)

536 青柳のいともみなこそたえにけれ春の残りはけふばかりとて (206)

537 青柳や春とともにはたえにけむまた夏引きの糸はなしやは (207)

861 みな人を同じ心になしはてて思ふおもはぬなからましかば (190)

952 雲ゐゆく月をぞたのむ忘るなといふべき中のわかれならねど (74)

1341 かひなくてさすがにたえぬ命かな心をたまの緒にしよらねば (247)

1342 いつとても涙の雨はをやまねどけふはこころの雲まだになし (248)

『교큐요와카슈』: 33수

76 みるほども散らば散らなん梅の花しづごころなく思ひおこせじ (4)

469 いまのまの命にかへてけふのごとあすの夕べをなげかずもがな (140)

608 鈴虫の声ふりたつる秋の夜は哀れにもののなりまさるかな (40)

1287 世々をへてわれやはものを思ふべきただ一度のあふ事により (98)

1352 ぬぎすてむかたなき物は唐衣たちとたちぬる名にこそありけれ (117)

1450 おきてゆく人は夢にもあらねどもけさは名残の袖もかはず (137)

1461 しののめにおきてわかれし人よりも久しくとまる竹の葉の露 (178)

1467 つれづれと空ぞみらるる思ふ人あまくだりこんものならなくに (121)

1468 なかぞらに独り有り明けの月をみて残るくまなく身をぞしりぬる (174)

1512 つらからむ後の心を思はずはあるに任せてすぎぬべき世を (118)

1514 ほどふべき命なりせばまことにや忘れはてぬとみるべきものを (184)

1521 ゆくすゑと契りし事はかはるともこのころばかりとふ人もがな (186)

1550 なこそとは誰かはいひしいはねども心にすうる関とこそみれ (106)

1631 七夕にかしてこよひのいとまあらばたちより来かし天の川浪 (99)

1671 身のうきも人のつらさもしりぬるをこはたが誰を恋ふるなるらん (122)

1691 いさやまたかはるもしらず今こそは人の心をみてもならはめ (61)

1705 命だに心なりせば人つらく人うらめしき世にへましやは (138)

1734 うきよりも忘れ難きはつらからでただに絶えにし中にぞありける (129)

1766 うけれどもわがみづからの涙こそ哀れたえせぬものにはありけれ (127)

1771 たのむべきかたもなければ同じ世にあるはあるぞと思ひてぞふる (128)

1806 世こそ猶さだめがたけれよそなりし時は恨みむものとやはみし (124)

1819 かはらねばふみこそみるに哀れなれ人の心はあとはかもなし (101)

1823 ゆふぐれは人の上さへ歎かれぬ待たれし頃に思ひあはせて (100)

1838 つれづれともの思ひをれば春の日のめにたつものは霞なりけり (201)

1841 みやこへはいくへ霞のへだつらん思ひたつべきかたもしられず (200)

1917 木綿かけて思はざりせばあふひ草しめの外にぞ人をきかまし (222)

1918 しめのうちになれざりしよりゆふだすき心は君にかけにし物を (223)

2016 つゆおきし木々のこずゑを吹くよりもよそに嵐の身をさそはなん (215)

2028 つれづれとながめくらせば冬の日も春の幾日におとらざりけり (54)

2299 あひにあひて物思ふ春はかひもなし花も霞もめにしたたねば (244)

2349 ふればうしへぢとても又いかがせむあめの下より外のなければ (245)

2533 いかにせんいかにかすべき世の中をそむけば悲しすめばうらめし (252)

2534 世の中にうき身はなくておしと思ふ人の命をとどめましかば (253)

『쇼쿠센자이와카슈』: 7수

 69 たれにかは折りてもみせん中中に桜さきぬとわれにきかすな (17)

211 昨日をば花のかげにてくらしきて今日こそいにし春は惜しけれ (21)

632 友さそふみなとの千鳥声すみて氷にさゆる明けがたの月 (51)

757 いくつづついくつかさねてたのまましかりのこの世の人の心は (114)

1385 天の川おなじ渡りにありながらけふも雲ゐのよそに聞くかな (83)

1420 よそにても同じ心に有り明けの月はみるやと誰にとはまし (84)

1627 うらむべきかただに今はなきものをいかで涙の身に殘りけん (131)

『쇼쿠고슈이와카슈』: 5수

 93 のどかなるをりこそなけれ花を思ふ心のうちは風はふかねど (8)

527 我はただ風にのみこそまかせつれいかがさきざき人はまちける (262)

735 夢にだにみばやとすれば敷き妙の枕もうきていこそねられね (130)

1240 露をみて草葉のうへと思ひしはときまつほどの命なりけり (243)

1268 ものをのみ思ひの家を出でてこそのどかに法の声はききけれ (254)

『후가와카슈』: 8수

90　みるままにしづ枝の梅も散りはてぬさも待ちどほにさく櫻かな (7)

550　雁が音のきこゆるなべにみわたせば四方の木末も色付きにけり (36)

1123　人はゆき霧は籬に立ちどまりさもなかぞらに詠めつるかな (85)

1228　水鶏だにたたく音せば眞木の戸を心やりにも明けてみてまし (82)

1287　物思ふに哀れなるかとわれならぬ人にこよひの月をとはばや (187)

1480　あぢきなく春は命の惜しきかな花ぞこの世のほだしなりける (10)

1577　けふは猶ひまこそなけれかき曇るしぐれ心ちはいつもせしかど (213)

2099　はれやらぬ身のうき雲のたな引きて月のさはりとなるぞかなしき (258)

『신센자이와카슈』: 4수

347　としごとに待つも過すもわびしきは秋のはじめの七日なりけり (31)

738　ある程はうきをみつつも慰みつかけはなれなばいかに忍ばん (79)

894　名にしおはば五のさはりあるものを羨ましくものぼる花かな (256)

1410　いつしかと待ちける人に一声もきかする鳥のうきわかれかな (132)

『신슈이와카슈』: 5수

133　またみせむ人しなければさくら花今一えだを折らずなりぬる (11)

305　けふはまたしのにをりはへ禊して麻の露ちるせみのはごろも (29)

1026　よさの海の海人のしわざとみし物をさもわがやくと潮たるるかな (159)

1376　そのかみはいかにしりてか恨みけむうきこそながき命なりけれ (163)

1526　いかばかり勤むることもなきものをこはたが為に拾ふ木の実ぞ (255)

『신고슈이와카슈』: 4수

86　いたづらにこの一えだはなりぬなり残りの花を風に散らすな (12)

246　夏の夜はともしの鹿のめをだにもあはせぬ程に明けぞしにける (27)

902 みるらむと思ひおこせて故郷のこよひの月をたれながむらん (228)

1076 いさやまたかはるもしらず今こそは人の心をみてもならはめ (61)

『신쇼쿠고킨와카슈』: 3수

920 春のよの月はところもわかねども猶すみなれし宿ぞこひしき (227)

1596 ききときく人はなくなる世の中にけふもわがみのすぎむとやする (239)

1597 思ひやる心はたちもおくれじをただ一すぢのけぶりとやみし (240)

新井英之(2000), 「和泉式部'巌の中に住まばかは'歌群についての一考察」, 『中
　　　　　　古文学』第65号

有吉 保編(1993), 『和歌の本質と表現』, 勉誠社

石田知子(1963), 「和泉式部の歌に見られる表現上の特色」, 『実践文学』第20号

岩崎佳枝(1993), 「陽明文庫蔵'五十首和歌'の成立と背景」『梅花日文論叢』創刊号

岩瀬法雲(1973), 「和泉式部の仏教思想 –歌集の三つの連作歌から–」, 『中古文
　　　　　　学』第12号

_____(1975), 「和泉式部の無常観 –連作〈我不愛身命〉をめぐって–」, 『園田女
　　　　　　子大論文集』第10号

_____(1977), 「最晩年の和泉式部 –'観身岸額離根草、論命江頭不繋舟'をめ
　　　　　　ぐって–」, 『園田女子大論文集』第11号

上村悦子(1994), 『和泉式部の歌入門』, 風間書院

神尾暢子(1988), 「歌人和泉の自己認識 –歌語'身'を中心として–」, 『論集和泉式
　　　　　　部』, 笠間書院

木村正中(1981), 「和泉式部と敦道親王–敦道挽歌の構造–」, 山中裕編『平安時代
　　　　　　の歴史と文学』, 吉川弘文館

久保木寿子(1980), 「和泉式部続集'五十首和歌'の考察」『物語・日記文学とその
　　　　　　周辺』桜楓社

_____(1981), 「和泉式部集'観身岸額離根草、論命江頭不繋舟'の歌群に
　　　　　　関する考察」, 早稲田大学国文学会『国文学研究』 第73集

_____(2000), 『和泉式部』, 新典社

_____(2004), 『和泉式部百首全釈』, 風間書院

久保木哲夫(1984), 「和泉式部続集'五十首和歌'の詞書」, 『国文学論考』第20号

古賀洸夫(1975), 「和泉式部と道心 –法華経を中心に–」, 『平安文学研究』第53輯

_____(1983), 「和泉式部集に於ける'宿'–敦道親王、詠歌群を軸として–」, 『平
　　　　　　安文学研究』 第69輯

小町谷照彦(1988),「和泉式部歌語辞典」,『国文学』7月号

小松登美(1995),『和泉式部研究日記・歌集を中心に』,笠間書院

佐伯梅友編(2012),『和泉式部集全釈 正集篇』,笠間書院

佐伯梅友編(2012),『和泉式部集全釈 続集篇』,笠間書院

坂本幸男・岩本裕訳注(1993),『法華経(上)(中)(下)』,岩波書店

篠塚純子(1976),『和泉式部 -いのちの歌-』,至文堂

島田良二(1976),「〈暗きより暗き〉の主調音」,『解釈と鑑賞』第41巻1号,至文堂

清水文雄(1973),「和泉式部」『王朝女流文学史』,吉川書房

_____(1992),『和泉式部集・和泉式部続集』,岩波書店

清水好子(1985),『和泉式部』,集英社

鈴木一雄(1973),『たったひとりの世の中』,至文堂

鈴木健一編(2011),『和歌史を学ぶ人のために』,世界思想社

鈴木知太郎(1968),「和泉式部」『講座日本文学4 中古編II』,三省堂

鈴木日出男(1978),「和泉式部 比喩と象徴」,『国文学』7月号

_____(1993),「和泉式部の抒情表現の方法」,『古代和歌史論』,東京大学
　　　　　　出版会

高木和子(2011),『和泉式部集』,風間書院

武田早苗(2006),『和泉式部-人と文学』,勉誠出版

千葉千鶴子(1972),「《和泉式部集》私抄-重出歌〈観身岸額離根草、論命江頭不
　　　　　　繋舟〉をめぐって-」,帯広大谷短期大学紀要』第9号

_____(1979),「我は人かは -『和泉式部歌集』私抄(七)-」,『帯広大谷短期大
　　　　　　学紀要』第16号

_____(1997),『和泉式部の言語空間』,和泉書院

寺田 透(1964),「和泉式部の歌集と日記」,『展望』10月号

_____(1973),「和泉式部」,『源氏物語一面-平安文学覚書-』,東京大学出版会

_____(1984),『和泉式部』,筑摩書房

南二淑(2001),『和泉式部和歌研究 連作を中心として』,笠間書房

野村精一(1981),『和泉式部日記 和泉式部集』,新潮社

馬場あきこ(1990),『和泉式部』,河出書房新社

_____(2013),『日本の恋の歌 -恋する黒髪-』,角川学芸出版

平田喜信(1982), 「和泉式部、作者の視座」, 『国文学』7月号, 至文堂

_____(1989), 「和泉式部続集の帥宮哀傷'五十首和歌' -その題詠性・連作性をめぐって-」, 『横浜国大 国語研究』第7号

_____(1997), 「''もの思へば'・'もの思ふ'考 -和泉式部集の連作・定数歌における自己表現-」, 『王朝和歌と史的展開』, 笠間書院

福井照之(1967), 「和泉式部の帥宮挽歌鑑賞」, 『研究論叢-人文科学・社会科学-』16巻, 第1部

藤岡忠春編(1988), 『論集和泉式部』, 笠間書院

藤平春男(1978), 「和泉式部〈帥宮挽歌群〉を詠む」, 上村悦子編『論叢王朝文学』, 笠間書院

増田繁夫(1987), 『冥き途 -評伝和泉式部-』, 世界思想社

三角洋一(1990), 「観身論命歌群」『国文学』第35巻12号, 學燈社

森重敏(1989), 『八代集撰入 和泉式部和歌抄稿』, 和泉書院

森重敏(1993), 『十三代集撰入 和泉式部和歌抄稿』, 和泉書院

森元元子(1972), 「和泉式部の作 -〈観身岸額離根草〉の歌群に関して-」, 『武蔵野文学』第19号

_____(1974), 『私家集と新古今集』, 明治書院

山中裕(1984), 『和泉式部』, 吉川弘文館

吉田幸一(1967), 「和泉式部の経旨歌'冥きより'一首続考」, 『文学論藻』第35号

和歌文学会編(1988), 『論集 和泉式部』, 笠間書院

_____(1992), 『論集〈題〉の和歌空間』, 笠間書院

노선숙(2014), 『이즈미시키부 일기』, 지식을만드는지식

_____(2016), 『이즈미시키부 와카 표현론』, 제이앤씨

_____(2016), 『이즈미시키부집』, 지식을만드는지식

* 이 책에 수록된 총 273수에 대한 색인이다.
* 한국어 번역문은 자모(字母)순으로, 일본어 원문은 오십음(五十音)순으로 배열하였다.
* 노래는 2구(5음/7음)까지만 명기하였으며, 우측의 숫자는 본서에 실린 노래의 일련번호다.

한국어

ㄱ

가을 끝났다 작별 고하며 가는 …………………………………………………… 46
가을 논 옆에 뜸으로 이은 오두막 ……………………………………………… 32
가을 풀벌레 각기 다른 소리로 …………………………………………………… 39
가을바람은 대체 어떤 빛깔로 …………………………………………………… 34
가을이 되면 아무런 근심 없는 ………………………………………………… 172
가을이 오면 상록의 도키와 산 …………………………………………………… 30
갈대 없는 산에 나무 자라듯 나쁜 …………………………………………… 173
갖가지 근심 애태우는 마음은 …………………………………………………… 86
객지서 혼자 달 보고 있을 나를 ……………………………………………… 228
검은 머리칼 엉망 되도록 울며 …………………………………………………… 58
견줄 데 없이 쓸쓸하고 슬픈 건 ……………………………………………… 120
관문 넘어서 오늘 안부 전할지 ………………………………………………… 134
괴로운 생각 모두 없어지라고 …………………………………………………… 28
궁궐 안으로 들어오기 전부터 ………………………………………………… 223
귤꽃 향기에 견주기보다 직접 ………………………………………………… 210
그 사람 땜에 얼마나 많은 시간 ……………………………………………… 169
그 사람에게 보이고 들려주고파 ………………………………………………… 41
그 어디에도 숨을 곳은 없으리 ………………………………………………… 164
그 언제까지 살아 있을지 모를 ………………………………………………… 102
그대 살아갈 천추만세 시작인 …………………………………………………… 43

그도 그럴지 나도 쌀쌀맞게 굴어 ………………………………… 70
그렇잖아도 잠을 잘 수 없는데 ………………………………… 265
그를 그리며 이 사람 구실삼아 ………………………………… 81
그리는 마음 화장장 연기 따라 ………………………………… 240
그리운 마음 구마노熊野 바닷가의 ……………………………… 94
근심 있어서 슬프게 보이는지 ………………………………… 187
근심거리에 소매마저 젖었네 …………………………………… 26
금방 온다던 말은 마른 잎처럼 ……………………………… 143
기구한 내가 뽑은 창포 보내서 ………………………………… 25
기구한 몸인 내게만 찾아오는 ………………………………… 33
기다렸대도 과연 이렇게까지 ………………………………… 176
기다리는 것도 그날 지나는 것도 ……………………………… 31
기다리는 임 지금 당장 오면은 ………………………………… 53
기러기 날며 우는 소리에 밖을 ………………………………… 36
깊은 산속에 세차게 흐르는 급류 ……………………………… 209
깊은 상념에 잠겨 지내다 보니 ………………………………… 201
꽃 꺾어 보일 사람 하나 없으니 ………………………………… 17
꽃 꺾은 이가 바로 그 분이기에 ……………………………… 205
꽃도 안 피는 골짜기 밑바닥에 ……………………………… 203
꿈에서나마 그 사람 만나고파 ………………………………… 130
꿈에서조차 못 보고 지새 버린 ………………………………… 96
끊고 맺음이 분명한 나였으면 ………………………………… 113
끔찍하여라 칼 휘어질 정도로 ………………………………… 271
끝낸다 하니 너무나도 괴로워 ………………………………… 127

ㄴ

나 돌아오길 한번 기다려 주오 ………………………………… 259
나 죽더라도 애도할 사람 없으니 ……………………………… 250
나는 어쩌나 어찌하면 좋을까 ………………………………… 252
나는야 그저 바람이 부는 대로 ………………………………… 262

나를 두고서 가버린 사람 꿈속 ················ 137

나뭇가지에 이슬 맺힌 나뭇잎 ················ 215

나의 고백을 흔한 사랑이라고 ················ 65

나의 수심에 당신 근심 더해져 ················ 268

남녀 사이란 역시 알 수 없구나 ················ 124

남몰래 혼자 시름에 잠기는 일은 ················ 175

내 박복함도 당신의 무정함도 ················ 122

내 집 근처에 사는 그 여자 집에 ················ 83

내 집 앞마당 벚꽃 애써 피어난 ················ 16

내가 지은 죄 얼마나 깊디깊은 ················ 198

내게 냉담한 당신 포기해 버린 ················ 112

내게 오는 길 까맣게 잊어버린 줄 ················ 135

내게 오라고 생각지는 않지만 ················ 179

내리는 봄비 바라보고 있자니 ················ 196

눈물의 강물 같은 한 몸 안에서 ················ 59

늘 찾아오던 그 사람 발걸음도 ················ 220

ㄷ

다른 곳에서 나와 한마음으로 ················ 84

다시 해 질 녘 도대체 며칠이나 ················ 266

단옷날 창포 꺾으러 온 것이니 ················ 171

달빛과 꽃빛 구분할 수 없어라 ················ 18

당신 그리는 내 마음 바서져도 ················ 68

당신 마음은 거미집처럼 허공에 ················ 183

당신 말고는 보일 사람 없기에 ················ 11

당신 보고픈 내색 감추며 종일 ················ 78

당신 하는 말 믿을 길이 없기에 ················ 128

당신과 함께 출발했었을 텐데 ················ 226

당신에게서 잊힌 채 사는 나의 ················ 76

당신은 가고 울타리엔 안개만 ················ 85

당신은 역시 모르고 있었군요 ················ 182

당신이 적은 글씨체만이라도 ················ 116

당연하여라 어찌 사슴이 슬퍼 ················ 211

대나무 잎에 싸락눈 사각대며 ················ 60

덧없는 세상 당신 말고 누구에게 ················ 69

덧없다 여긴 이슬도 남았거늘 ················ 235

도읍지 사람 어땠냐고 물으면 ················ 13

도읍지까지 짙은 안개 겹겹이 ················ 200

드러내 놓고 소문내지 마세요 ················ 125

들녘을 보니 억새 아래 기생하는 ················ 50

떠나간 딸은 나와 자식 중 누굴 ················ 238

떠나는 내게 기도드린 보람 ················ 126

□

마른풀 모아 단잠 자는 멧돼지 ················ 72

마음 다잡고 잠시 시노다信田 숲속 ················ 150

마음 있다면 오늘밤 하늘을 날아 ················ 145

마음 편할 날 단 하루도 없어라 ················ 8

마음 한가득 까닭 모를 서글픔 ················ 38

말하지 말고 있었어야 했는데 ················ 63

매정한 탓에 헤어진 사람보다 ················ 129

머뭇거리다 잠그지도 못하는 ················ 158

몇 개씩 몇 단 새알 쌓아 올려야 ················ 114

모두 데리고 오늘 또다시 자일 ················ 2

모든 사람을 똑같은 마음으로 ················ 190

모든 해 질 녘 교교한 달밤으로 ················ 188

목숨이 붙은 사람이면 내 임종 ················ 218

목숨이나마 마음대로 된다면 ················ 138

몸에 사무쳐 서글퍼지는구나 ················ 97

무리 부르는 항구 물떼새 소리 ················ 51

무슨 까닭에 핏빛 단풍잎처럼 ················ 212

444

무슨 일이든 마음속 깊은 곳에 ···································· 73
물어볼 테니 낱낱이 들려다오 ···································· 229
미카사야마三笠山 떠나듯 멀어졌다 ···························· 185

ㅂ

바다 위에서 홀로 잠을 청하며 ·································· 214
바람만이라도 불어대지 않으면 ·································· 14
바로 어제도 벚꽃 그늘 아래서 ·································· 21
바위틈 철쭉 꺾어 들고서 보네 ·································· 19
박복하여라 구름은 길게 깔려 ···································· 258
밤이 새도록 당신 생각에 잠겨 ·································· 133
방울벌레가 목청껏 울어대는 ······································ 40
백로가 잠든 솔숲이 술렁인 건 ·································· 199
벚꽃 빛깔로 물들인 봄옷에게 ···································· 20
베개조차도 동침한 걸 모르니 ···································· 92
변심이란 걸 지금껏 몰랐는데 ···································· 61
병에 걸렸단 사람은 모두 죽은 ·································· 239
보는 사이에 마지막 매화마저 ···································· 7
보여도 주고 나 또한 보고픈 임 ································ 95
보잘것없는 애도의 눈물방울 ······································ 246
봄 들녘에는 아직 눈만 쌓였다 ·································· 3
봄날 꽃에만 마음을 빼앗기니 ···································· 9
봄밤 달빛은 장소 가리지 않고 ·································· 227
봄이 왔는지 봄꽃이 피었는지 ···································· 204
불도 수행도 당신께도 못 했는데 ······························ 255
비할 데 없는 불행한 신세구나 ·································· 153

ㅅ

사람들 몰래 사랑 키워왔는데 ···································· 165
사별한 연인 그리워하는 것과 ···································· 192
살고 싶다는 당신은 아무쪼록 ···································· 119

살면 괴로워 떠나려 해도 아무 245

살아 있대도 영원한 건 아니니 37

상관없어라 먼 곳에 있더라도 57

상념에 잠겨 지내노라면 짧은 54

새벽녘 나를 남겨 두고 가 버린 178

새벽달 보고 마음을 빼앗겨선 89

세상 버리고 살 만한 곳 어딜까 219

세월 흐르니 그 사람 날 잊고서 155

셋쓰 지방의 고야昆陽에 오라고 88

소식 없으면 견디기 힘겨운데 105

수심 가득한 불지옥 같은 집을 254

스미요시住吉 의 청징한 새벽녘 달 269

스쳐 지나는 달 같은 당신 한번 74

습관에 따라 마음도 길드는 법 87

시간 흘러도 내가 살아 있다면 184

시름에 잠겨 지낸 사이 사람들 251

시름에 잠기니 계곡서 난무하는 208

신께 간절히 빌지 않았더라면 222

신사에 두른 신성한 담장마저 273

신神과 동음인 종이로 어찌 발을 272

실버들 같은 가는 바느질실도 206

썰물 때 맞춰 갯벌 여기저기를 217

쓸데없지만 곰곰이 생각해도 180

쓸모없지만 역시 다하지 않는 247

ㅇ

아무리 해도 한밤중 외로움은 154

아침나절에 분명 말랐으리라 136

안 기다려도 걱정 많은 사람은 22

앞산에 부는 사나운 바람 소리 48

446

앞산에 있는 덩굴 줄사철나무 ………………………………………………… 47

앞으로 계속 살게 되면 어쩌나 ………………………………………………… 221

애를 써 봐도 벗어 낼 수 없는 건 …………………………………………… 117

애석하게도 이 벚꽃 나로 인해 ………………………………………………… 12

애절한 마음 비되어 내리건만 ………………………………………………… 202

애통하여라 마지막 유품으로 ………………………………………………… 231

얘기 나누며 위안을 얻었는데 ………………………………………………… 168

어느 곳으로 간다는 말 정도는 ………………………………………………… 110

어느 마을서 맨 먼저 들었을까 ………………………………………………… 23

어둠 속에서 다시 어둠 속으로 ………………………………………………… 257

어떤 사람이 세상서 없어지길 ………………………………………………… 191

어떻게 하면 어떻게 이 세상을 ………………………………………………… 144

어중간하게 홀로 남아 새벽달 ………………………………………………… 174

어찌 사람이 와 보려 하겠는가 ……………………………………………… 45

어찌 예전엔 이 세상 떠나는 걸 ……………………………………………… 197

어찌 하리까 비 내리는 이 세상 ……………………………………………… 264

억겁의 세월 나는 고통 속에서 ……………………………………………… 98

언제 보아도 이 세상 꽃이라고 ……………………………………………… 24

언제까지나 지켜 주겠단 마음 ………………………………………………… 186

언제나처럼 눈물 같은 빗줄기 ………………………………………………… 248

언젠가 끝날 우리 사이 덧없이 ……………………………………………… 42

여기 살 때는 냉담한 당신이어도 …………………………………………… 79

여름철 밤은 횃불 밝힌 사냥꾼 ……………………………………………… 27

연락 끊고서 나를 힘겹게 한 채 ……………………………………………… 77

염증의 바람 거세게 불더라도 ……………………………………………… 151

예전 당신이 나를 잊을 것이라 ……………………………………………… 103

예전 수심에 잠기는 걸 비난한 ……………………………………………… 195

예전엔 미처 생각지 못했어라 ……………………………………………… 236

오는 이 없는 내 집 마당에 벚꽃 …………………………………………… 15

오늘 단 하루 괴롭다니 내 마음 ……………………………………………… 64

노래 찾아보기

447

오늘 아침은 우울할 수밖에요 ⋯⋯⋯⋯⋯⋯⋯⋯⋯⋯ 142

오늘도 거듭 시간 들여 열심히 ⋯⋯⋯⋯⋯⋯⋯⋯⋯ 29

오늘도 내게 이토록 냉담하니 ⋯⋯⋯⋯⋯⋯⋯⋯⋯⋯ 71

오늘밤에도 살아 있으면 이리 ⋯⋯⋯⋯⋯⋯⋯⋯⋯⋯ 147

오늘은 더욱 눈물 멈추지 않네 ⋯⋯⋯⋯⋯⋯⋯⋯⋯ 213

오래 걸려도 안 열리는 문 없네 ⋯⋯⋯⋯⋯⋯⋯⋯⋯ 167

오신다 해도 길다운 길 없어라 ⋯⋯⋯⋯⋯⋯⋯⋯⋯ 109

오지 말라고 말한 사람 없는데 ⋯⋯⋯⋯⋯⋯⋯⋯⋯ 106

요사与謝 바닷가 어부의 소임이라 ⋯⋯⋯⋯⋯⋯⋯⋯ 159

우리 만남은 물론이거니와 ⋯⋯⋯⋯⋯⋯⋯⋯⋯⋯⋯ 104

우리 만남이 이뤄질지 아닐지 ⋯⋯⋯⋯⋯⋯⋯⋯⋯⋯ 91

우리 사랑은 노랫말 남색 띠처럼 ⋯⋯⋯⋯⋯⋯⋯⋯ 148

원망하고픈 마음 정도는 내게 ⋯⋯⋯⋯⋯⋯⋯⋯⋯⋯ 177

원망하고픈 사람조차 이제는 ⋯⋯⋯⋯⋯⋯⋯⋯⋯⋯ 131

이 밤 날 보러 온단 사람 없지만 ⋯⋯⋯⋯⋯⋯⋯⋯ 35

이 봄날 오직 내 집 앞마당에만 ⋯⋯⋯⋯⋯⋯⋯⋯⋯ 6

이 세상 봄꽃 오직 벚꽃으로만 ⋯⋯⋯⋯⋯⋯⋯⋯⋯ 189

이 세상에 사랑이라고 하는 ⋯⋯⋯⋯⋯⋯⋯⋯⋯⋯⋯ 160

이 세상에서 박복한 나는 죽고 ⋯⋯⋯⋯⋯⋯⋯⋯⋯ 253

이 세상에서 아무리 생각해도 ⋯⋯⋯⋯⋯⋯⋯⋯⋯⋯ 193

이 세상에서 아무리 생각해도 ⋯⋯⋯⋯⋯⋯⋯⋯⋯⋯ 194

이 세상에서 좀 더 살아 볼까나 ⋯⋯⋯⋯⋯⋯⋯⋯⋯ 49

이것도 분명 전생의 인연으로 ⋯⋯⋯⋯⋯⋯⋯⋯⋯⋯ 157

이끼 아래에 딸과 함께 묻혔다 ⋯⋯⋯⋯⋯⋯⋯⋯⋯ 237

이대로 가면 공연히 나 혼자만 ⋯⋯⋯⋯⋯⋯⋯⋯⋯ 225

이렇게까지 괴로움 견뎌 내며 ⋯⋯⋯⋯⋯⋯⋯⋯⋯⋯ 270

이렇다 저렇다 말하면 흔해 빠진 ⋯⋯⋯⋯⋯⋯⋯⋯ 162

이름대로라면 다섯 가지 장애가 ⋯⋯⋯⋯⋯⋯⋯⋯⋯ 256

이번 만남이 끝이라 생각하니 ⋯⋯⋯⋯⋯⋯⋯⋯⋯⋯ 111

이상타 마오 어떤 낯선 사내를 ⋯⋯⋯⋯⋯⋯⋯⋯⋯ 67

이슬방울도 꿈도 인간 세상도 ··· 149

이제나저제나 기다린 사람에게 ·· 132

이제는 다만 눈물짓게 했던 일 ·· 232

이토록 그리면 견디다 못 해 죽으리 ··· 90

이토록 몰래 사귀며 눈물짓는데 ·· 181

일어나 앉아 밤을 지새웠어라 ·· 146

임과의 만남 나의 생명줄인데 ··· 56

입춘인 오늘 봄 안개 피자마자 ··· 1

ㅈ

자고 있다고 짐작을 하셨다면 ·· 107

자신의 몸이 자기 맘먹은 대로 ··· 170

잠들지 못해 침상 한가운데에 ·· 115

잠 못 드는 밤 그리움 사무치는 ··· 216

저 멀리 보니 나무 태워 숯 굽는 ··· 52

저 세상에서 듣기라도 해 주렴 ··· 234

져 버리려면 보고 있을 때 지렴 ·· 4

좋아하는 봄도 딸 여읜 상심으로 ··· 244

주저되어서 노송나무 대문도 ·· 75

죽어 없어질 이승서의 마지막 ·· 108

죽은 뒤에도 그리워해줄 사람 ·· 123

죽은 사람이 찾아온단 밤인데 ·· 249

줄이 약해서 끊겨 흩어져 버린 ··· 241

줄이 약해서 끊겨 흩어져 버린 ··· 93

지금 나처럼 당신도 보고 있을 ·· 44

지금 이 순간 목숨과 맞바꿔서 ·· 140

지난 날 그때 어째서 난 당신을 ··· 163

직녀성에게 실 바친 뒤 오늘 밤 ·· 99

진한 매향에 잠에서 깨어 버린 ··· 5

질리지 않는 지난날의 추억을 ·· 261

ㅊ

차갑게 식을 사랑 뒤 당신 마음 ················· 118

처마 밑 창포 뿌리는 아니지만 ················· 152

출가하려고 생각하는 것조차 ················· 233

터무니없는 소문이라 말하리 ················· 166

통곡에 젖은 옷소매 닳고 닳아 ················· 62

ㅍ

편지를 보니 변함없는 사랑에 ················· 101

푸른 실버들 봄날 끝난다 해서 ················· 207

풀벌레처럼 인간도 사랑의 불길에 ················· 156

풀잎에 맺힌 이슬 보며 가엾다 ················· 243

피어오르는 화장터 연기 보며 ················· 230

ㅎ

하염없이 하늘만 보게 되네 ················· 121

한 치 앞 모를 이 세상 어찌 된다 ················· 80

한밤중 문득 마음이 동한 이가 ················· 263

한심하게도 봄만 되면 목숨 ················· 10

해 질 녘이면 구름 바라만 봐도 ················· 267

해 질 녘이면 당신 처지마저도 ················· 100

해 질 녘이면 사랑의 괴로움 더 ················· 161

해 질 녘이면 왠지 서글퍼지네 ················· 242

허망하게도 버림받은 가엾은 ················· 260

헤아려보니 올해도 얼마 남지 ················· 55

헤어져서도 같은 도읍지에서 ················· 224

흔한 사랑이라 결코 생각지 않네 ················· 66

흰 눈 헤집고 돋아난 새싹처럼 ················· 139

흰 서리 내린 추운 아침 염려한 ················· 141

흰눈썹뜸부기라도 문 두드리듯 울면 ················· 82

일본어

あ

あかざりしむかしのことを ……………………………………… 261

秋風はすごく吹くとも ………………………………………… 151

秋くれば常磐の山の …………………………………………… 30

秋の田の庵にふける …………………………………………… 32

秋はてて今はとかなし ………………………………………… 46

秋はみな思ふことなき ………………………………………… 172

秋吹くはいかなる色の ………………………………………… 34

あさましや劍の枝の …………………………………………… 271

あしかれと思はぬ山の ………………………………………… 173

あぢきなく思ひこそやれ ……………………………………… 180

あぢきなく春は命の …………………………………………… 10

あとをだに草のはつかに ……………………………………… 116

あひにあひて物思ふ春は ……………………………………… 244

逢ふ事のありやなしやも ……………………………………… 91

あふ事は更にもいはず ………………………………………… 104

逢ふことを玉の緒にする ……………………………………… 56

あふみぢは忘れにけりと ……………………………………… 135

天の川おなじ渡りに …………………………………………… 83

菖蒲草かりにも来らむ ………………………………………… 171

あらざらむこのよの外の ……………………………………… 108

有り明けの月みすさびに ……………………………………… 89

ありとしもたのむべきかは …………………………………… 37

ある程はうきをみつつも ……………………………………… 79

青柳のいともみなこそ ………………………………………… 206

青柳や春とともには …………………………………………… 207

い

いかなれば同じ色にて …………………………………………… 212

いかにしていかにこの世に ……………………………… 144
いかにして夜の心を ……………………………………… 154
いかにせむ天の下こそ …………………………………… 264
いかにせんいかにかすべき ……………………………… 252
いかばかり勤むることも ………………………………… 255
いかばかり深きうみとか ………………………………… 198
いくかへり辛しと人を …………………………………… 169
いくつづついくつかさねて ……………………………… 114
いさやまたかはるもしらず ……………………………… 61
いたづらにこの一えだは ………………………………… 12
いつしかと待ちける人に ………………………………… 132
いつとても涙の雨は ……………………………………… 248
何方へゆくとばかりは …………………………………… 110
いづくにかきても隠れむ ………………………………… 164
いづれともわかれざりけり ……………………………… 18
いづれをか世になかれとは ……………………………… 191
いにしへや物思ふ事を …………………………………… 195
命あらばいかさまにせん ………………………………… 221
命さへあらばみつべき …………………………………… 218
命だに心なりせば ………………………………………… 138
祈りつる心のほどを ……………………………………… 126
岩つつじ折りもてぞみる ………………………………… 19
今こむといふことのはも ………………………………… 143
いまのまの命にかへて …………………………………… 140
今はただそよそのことと ………………………………… 232
色に出でて人にかたるな ………………………………… 125

う

うきよりも忘れ難きは …………………………………… 129
うき世をもまた誰にかは ………………………………… 69

うきをしる心なりせば ……………………………………………… 113

うけれどもわがみづからの ………………………………………… 127

うしと思ふわが身は秋に …………………………………………… 33

うしとみて思ひすてにし …………………………………………… 112

うち出ででもありにしものを ……………………………………… 63

うつろはでしばししのだの ………………………………………… 150

梅が香におどろかれつつ …………………………………………… 5

うらむべきかただに今は …………………………………………… 131

うらむべき心ばかりは ……………………………………………… 177

お

おきてゆく人は夢にも ……………………………………………… 137

おきながら明しつるかな …………………………………………… 146

置くとみて露もありけり …………………………………………… 235

おく山にたぎりて落る ……………………………………………… 209

惜しと思ふ折やありけん …………………………………………… 197

おしなべて春は桜に ………………………………………………… 189

惜しむらん人の命は ………………………………………………… 119

音せぬは苦しきものを ……………………………………………… 105

おのが身のおのが心に ……………………………………………… 170

おぼめくな誰ともなくて …………………………………………… 67

思ひあらばこよひの空は …………………………………………… 145

思ひきやはかなくをきし …………………………………………… 236

思ひやる心はたちも ………………………………………………… 240

思ふこと皆つきねとて ……………………………………………… 28

か

限りあらむ中ははかなく …………………………………………… 42

かく恋ひばたへで死ぬべし ………………………………………… 90

かくばかりうきを忍びて …………………………………………… 270

かくばかりしのぶる雨を ……………………………… 181

かずならぬ涙の露を ……………………………… 246

風だにも吹きはらはずは ……………………………… 14

かぞふれば年の残りも ……………………………… 55

かたらへば慰むことも ……………………………… 168

かはらねばふみこそみるに ……………………………… 101

かひなくてさすがにたえぬ ……………………………… 247

かへるさをまちこころみよ ……………………………… 259

雁が音のきこゆるなべに ……………………………… 36

かるもかき臥猪の床の ……………………………… 72

かをる香によそふるよりは ……………………………… 210

き

ききときく人はなくなる ……………………………… 239

昨日をば花のかげにて ……………………………… 21

君が経む千世のはじめの ……………………………… 43

君こふる心は千々に ……………………………… 68

君はまたしらざりけりな ……………………………… 182

く

雲ゐゆく月をぞたのむ ……………………………… 74

くらきよりくらき道にぞ ……………………………… 257

くれぬめりいくかをかねて ……………………………… 266

黒髪のみだれもしらず ……………………………… 58

水鶏だにたたく音せば ……………………………… 82

け

今朝のまに今は乾ぬらむ ……………………………… 136

けさはしも思はむ人は ……………………………… 141

けさはしも歎きもすらむ ……………………………… 142

今日のまの心にかへて ……………………………………………… 64

けふは猶ひまこそなけれ …………………………………………… 213

けふはまたしのにをりはへ ………………………………………… 29

けふも又かくや伊吹の ……………………………………………… 71

こ

心をばならましものぞ ……………………………………………… 87

こととはばありのまにまに ………………………………………… 229

ことわりやいかでか鹿の …………………………………………… 211

このたびをかぎりとみるに ………………………………………… 111

恋といへば世のつねのとや ………………………………………… 65

恋ひわぶときくだにきけば ………………………………………… 234

こよひさへあらばかくこそ ………………………………………… 147

これにつけかれによそへて ………………………………………… 81

これもみなさぞなむかしの ………………………………………… 157

さ

さぎのゐる松原いかに ……………………………………………… 199

桜色にそめし袂を …………………………………………………… 20

さならでもねられぬものを ………………………………………… 265

さまざまに思ふ心は ………………………………………………… 86

さもあらばあれ雲井乍らも ………………………………………… 57

更にまた物をぞ思ふ ………………………………………………… 268

し

下ぎゆる雪まの草の ………………………………………………… 139

しののめにおきてわかれし ………………………………………… 178

忍ばれんものとはみえぬ …………………………………………… 123

忍ぶべき人もなき身は ……………………………………………… 250

潮のまによもの浦々 ………………………………………………… 217

しめのうちになれざりしより ………………………………… 223

しら露も夢もこのよも ………………………………………… 149

す

鈴虫の声ふりたつる …………………………………………… 40

すてはてむと思ふさへこそ …………………………………… 233

すみなれし人かげもせぬ ……………………………………… 220

すみよしの有り明けの月を …………………………………… 269

せ

関こえてけふぞとふとは ……………………………………… 134

そ

そのかみはいかにしりてか …………………………………… 163

空になる人の心は ……………………………………………… 183

た

たが里にまづききつらむ ……………………………………… 23

類なきうき身なりけり ………………………………………… 153

たぐひなくかなしき物は ……………………………………… 120

竹の葉に霰ふる夜は …………………………………………… 60

立ちのぼる煙につけて ………………………………………… 230

七夕にかしてこよひの ………………………………………… 99

たのむべきかたもなければ …………………………………… 128

たのめたる人はなけれど ……………………………………… 35

たれにかは折りてもみせん …………………………………… 17

ち

千はやぶるかみのいがきも …………………………………… 273

ちはやぶるかみをばあしに …………………………………… 272

つ

津の国のこやとも人を ……………………………………… 88

つゆおきし木々のこずゑを ……………………………… 215

露をみて草葉のうへと ……………………………………… 243

つらからむ後の心を ………………………………………… 118

つれづれと空ぞみらるる …………………………………… 121

つれづれとながめくらせば ………………………………… 54

つれづれとふるは涙の ……………………………………… 202

つれづれともの思ひをれば ………………………………… 201

と

としごとに待つも過すも ………………………………… 31

とどめおきて誰を哀れと …………………………………… 238

とへと思ふ心ぞ絶えぬ ……………………………………… 94

とへとしも思はぬ八重の …………………………………… 179

とも斯もいはばなべてに …………………………………… 162

友さそふみなとの千鳥 ……………………………………… 51

外山なるまさきのかづら …………………………………… 47

外山ふくあらしの風の ……………………………………… 48

な

中々にうかりしままに ……………………………………… 77

なかぞらに独り有り明けの ………………………………… 174

長しとてあけずやはあらむ ………………………………… 167

眺めつつ事あり顔に …………………………………………… 78

ながめには袖さへぬれぬ …………………………………… 26

なきながす涙にたへで ……………………………………… 148

なき人となして恋んと ……………………………………… 192

なき人のくる夜と ……………………………………………… 249

鳴く虫のひとつ声にも ……………………………………… 39

なこそとは誰かはいひし ……………………………………………… 106

夏の夜はともしの鹿の …………………………………………………… 27

名にしおはば五つのさはり …………………………………………… 256

何しかは人もきてみむ …………………………………………………… 45

何ごとも心にこめて …………………………………………………… 73

涙川同じ身よりは ………………………………………………………… 59

ぬ

ぬぎすてむかたなき物は ……………………………………………… 117

ぬれぎぬと人にはいはむ ……………………………………………… 166

ね

ねざめする身をふきとほす …………………………………………… 216

ねられねばとこ中にのみ ……………………………………………… 115

音を泣けば袖はくちても ……………………………………………… 62

の

のどかなるをりこそなけれ ……………………………………………… 8

野べみれば尾花が本の ………………………………………………… 50

は

はかなくもわすられにける …………………………………………… 260

花さかぬ谷のそこにも ………………………………………………… 203

花にのみ心をかけて ……………………………………………………… 9

春霞たつやおそきと ……………………………………………………… 1

春雨のふるにつけてぞ ………………………………………………… 196

春の野は雪のみつむと …………………………………………………… 3

春のよの月はところも ………………………………………………… 227

春はただわが宿のみに …………………………………………………… 6

春や来る花やさくとも ………………………………………………… 204

晴れずのみものぞかなしき ……………………………………… 38

はれやらぬ身のうき雲の ……………………………………… 258

ひ

引きつれてけふは子の日の ……………………………………… 2

ひたすらに軒のあやめの ……………………………………… 152

人しらでねたさもねたし ……………………………………… 165

人しれずもの思ふことは ……………………………………… 175

人の身も恋にはかへつ ……………………………………… 156

人はゆき霧は籬に ……………………………………… 85

人もがなみせもきかせも ……………………………………… 41

人もみぬ宿に桜を ……………………………………… 15

ふ

臥しにけりさしも思はば ……………………………………… 107

経べき世のかぎりもしらず ……………………………………… 102

ふればうしへじとても又 ……………………………………… 245

ほ

ほどふべき命なりせば ……………………………………… 184

ほどふれば人はわすれて ……………………………………… 155

ま

枕だにしらねばいはじ ……………………………………… 92

またねどももの思ふ人は ……………………………………… 22

またみせむ人しなければ ……………………………………… 11

まつとてもかばかりこそは ……………………………………… 176

待つ人のいまもきたらば ……………………………………… 53

み

見えもせむ見もせん人を ……………………………………… 95

三笠山さしはなれぬと ………………………………… 185

みし人にわすられてふる ……………………………… 76

水の上に浮き寝をしてぞ ……………………………… 214

みな人を同じ心に ……………………………………… 190

身にしみて哀れなるかな ……………………………… 97

身のうきにひける菖蒲の ……………………………… 25

身のうきも人のつらさも ……………………………… 122

みやこへはいくへ霞の ………………………………… 200

都人いかにと問はば …………………………………… 13

みるに猶この世の物と ………………………………… 24

みるほども散らば散らなん …………………………… 4

みるままにしづ枝の梅も ……………………………… 7

みるらんと思ひおこせて ……………………………… 228

みわたせばまきの炭やく ……………………………… 52

も

もしも来ば道のまぞなき ……………………………… 109

物思ふに哀れなるかと ………………………………… 187

もの思へば沢のほたるも ……………………………… 208

物をのみ思ひしほどに ………………………………… 251

ものをのみ思ひの家を ………………………………… 254

もろともに苔の下には ………………………………… 237

もろともにたたまし物を ……………………………… 226

や

やすらはでたつにたてうき …………………………… 158

休らひに真木の戸をこそ ……………………………… 75

ゆ

夕ぐれにもの思ふ事は …………………………………… 161

夕暮は雲のけしきを ……………………………………… 267

夕ぐれはさながら月に ……………………………………… 188

夕暮はものぞかなしき ……………………………………… 242

ゆくすると契りし事は ……………………………………… 186

木綿かけて思はざりせば ……………………………………… 222

ゆふぐれは人の上さへ ……………………………………… 100

夢にだにみであかしつる ……………………………………… 96

夢にだにみばやとすれば ……………………………………… 130

よ

世こそ猶さだめがたけれ ……………………………………… 124

よさの海の海人のしわざと ……………………………………… 159

よそにても同じ心に ……………………………………… 84

世のつねのこととも更に ……………………………………… 66

世の中にあやしきことは(いとふ身の) ……………………… 194

世の中にあやしきことは(しかすがに) ……………………… 193

世の中にうき身はなくて ……………………………………… 253

世の中にこひてふ色は ……………………………………… 160

世の中になほもふるかな ……………………………………… 49

世の中はいかになりゆく ……………………………………… 80

世々をへてわれやはものを ……………………………………… 98

夜の程にかりそめ人や ……………………………………… 263

夜もすがらなに事をかは ……………………………………… 133

世をそむくかたはいづくに ……………………………………… 219

わ

別れても同じ都に ……………………………………… 224

わが宿の桜はかひも ……………………………………… 16

忘れなむものぞと思ひし ……………………………………… 103

われならぬ人もさぞみむ ……………………………………… 44

われのみや思ひおこせん ⋯⋯⋯⋯⋯⋯⋯⋯⋯⋯⋯⋯⋯⋯⋯⋯⋯⋯ 225

我はただ風にのみこそ ⋯⋯⋯⋯⋯⋯⋯⋯⋯⋯⋯⋯⋯⋯⋯⋯⋯⋯⋯ 262

われもいかにつれなくなりて ⋯⋯⋯⋯⋯⋯⋯⋯⋯⋯⋯⋯⋯⋯⋯ 70

を

をしきかなかたみにきたる ⋯⋯⋯⋯⋯⋯⋯⋯⋯⋯⋯⋯⋯⋯⋯⋯ 231

をる人のそれなるからに ⋯⋯⋯⋯⋯⋯⋯⋯⋯⋯⋯⋯⋯⋯⋯⋯⋯ 205

緒をよわみたえてみだるる ⋯⋯⋯⋯⋯⋯⋯⋯⋯⋯⋯⋯⋯⋯⋯⋯ 241

緒をよわみみだれて落つる ⋯⋯⋯⋯⋯⋯⋯⋯⋯⋯⋯⋯⋯⋯⋯⋯ 93

| 지은이 소개 |

이즈미시키부和泉式部(978?~1036?)

10세기 말에서 11세기 초엽에 걸쳐 활약한 여류 가인(歌人)이다. 일본 문학사에서는 헤이안 시대(平安時代 794~1192), 또는 중고시대라 불리는 시기에 해당한다. 그녀와 관련된 작품으로는 『이즈미시키부 일기』와, 다섯 종류의 『이즈미시키부집』에 수록된 1500여 수에 달하는 와카가 남아 있다. 그중 역대 칙찬 와카집에 240여 수 선정되었는데 여류 가인으로는 가장 많으며 거의 모든 칙찬 와카집에 골고루 선정되었다는 점에서 당대는 물론 사후에도 인정받았음을 알 수 있다.

가인으로서의 이즈미시키부는 일본 전통 와카의 맥을 잇는 아리와라노 나리히라(在原業平 825~880)와 사이교(西行 1118~1190) 사이의 가교 역할을 하는 인물로 평가받고 있다. 전통적인 가풍(歌風)에 따른 와카는 물론, 기존의 가풍을 초월한 독자적인 표현과 기법을 구사하면서 자유롭고 정감 넘치는 와카를 지어 폭넓은 작품세계를 보여준다.

| 옮긴이 소개 |

노선숙盧仙淑

한국외국어대학교 일본어과를 졸업하고, 동 대학원에서 석사 학위를 받았다. 이후 일본 쓰쿠바 대학 대학원 문예·언어연구과에서 석사학위와 박사학위를 취득했다. 1998년부터 부산대학교 일어일문학과 교수로 재직 중이다. 『만요슈』를 비롯해 일본 중고·중세 시대 와카집에 나타난 시가 표현의 유형과 통사적 고찰을 통해 시어(詩語)의 생성과 변용, 그리고 그 의미에 관한 연구에 주력하고 있다. 저서에 『에로티시즘으로 읽는 일본문화』(공저, 2013)·『이즈미시키부 와카 표현론』(2016)·『동식물로 읽는 일본문화』(공저, 2018), 옮긴 책에 『마음에 핀 꽃 -일본 고전문학에서 사랑을 읽다』(2013)·『이즈미시키부 일기』(2014)·『이즈미시키부집』(2016) 등이 있으며 그 외에 와카 문학에 관련된 다수의 논문이 있다.

한 국 연 구 재 단
학술명저번역총서
[동 양 편] 621

마쓰이본
이즈미시키부집

초판 인쇄   2019년 12월 10일
초판 발행   2019년 12월 21일

지 은 이 ㅣ 이즈미시키부
옮 긴 이 ㅣ 노선숙
펴 낸 이 ㅣ 하운근
펴 낸 곳 ㅣ 學古房

주   소 ㅣ 경기도 고양시 덕양구 통일로 140 삼송테크노밸리 A동 B224
전   화 ㅣ (02)353-9908 편집부(02)356-9903
팩   스 ㅣ (02)6959-8234
홈페이지 ㅣ www.hakgobang.co.kr
전자우편 ㅣ hakgobang@naver.com, hakgobang@chol.com
등록번호 ㅣ 제311-1994-000001호

ISBN   978-89-6071-932-3 94830
          978-89-6071-287-4 (세트)

값 : 38,000원

이 책은 2016년도 대한민국 교육부와 한국연구재단의 지원을 받아 수행된 연구임
(NRF-2016S1A5A7017409)
This work was supported by National Research Foundation of Korea Grant funded by
the Korean Government(NRF-2016S1A5A7017409).

이 도서의 국립중앙도서관 출판예정도서목록(CIP)은 서지정보유통지원시스템 홈페이지
(http://seoji.nl.go.kr)와 국가자료종합목록시스템(http://www.nl.go.kr/kolisnet)에서 이용
하실 수 있습니다. (CIP제어번호 : CIP2019049526)